"十二五"国家重点图书出版规划项目

林业应对气候变化与低碳经济系列丛书

总主编：宋维明

低碳经济与林产工业发展

◎ 宋维明　王雪梅　印中华　著

中国林业出版社

图书在版编目（CIP）数据

低碳经济与林产工业发展／宋维明，王雪梅，印中华著．－北京：中国林业出版社，
2015.5
林业应对气候变化与低碳经济系列丛书／宋维明总主编
"十二五"国家重点图书出版规划项目
ISBN 978-7-5038-7930-2

Ⅰ．①低… Ⅱ．①宋…②王…③印… Ⅲ．①林业经济－产业发展－研究－中国
Ⅳ．① F326.23

中国版本图书馆 CIP 数据核字（2015）第 060326 号

出 版 人：金　旻
丛书策划：徐小英　　何　鹏　　沈登峰
责任编辑：徐小英
美术编辑：赵　芳

出版发行　　中国林业出版社（100009　北京西城区刘海胡同 7 号）
　　　　　　http://lycb.forestry.gov.cn
　　　　　　E-mail:forestbook@163.com　电话：(010)83143515、83143543
设计制作　　北京天放自动化技术开发公司
印刷装订　　北京中科印刷有限公司
版　　次　　2015 年 5 月第 1 版
印　　次　　2015 年 5 月第 1 次
开　　本　　787mm×1092mm　　1/16
字　　数　　400 千字
印　　张　　20.5
定　　价　　65.00 元

林业应对气候变化与低碳经济系列丛书

编审委员会

总主编　宋维明

总策划　金　旻

主　编　陈建成　陈秋华　廖福霖　徐小英

委　员（按姓氏笔画排序）

出版说明

郑明

  气候变化是全球面临的重大危机和严峻挑战，事关人类生存和经济社会全面协调可持续发展，已成为世界各国共同关注的热点和焦点。党的十八大以来，习近平总书记发表了一系列重要讲话强调，要以高度负责态度应对气候变化，加快经济发展方式转变和经济结构调整，抓紧研发和推广低碳技术，深入开展节能减排全民行动，努力实现"十一五"节能减排目标，践行国家承诺。要正确处理好经济发展同生态环境保护的关系，牢固树立保护生态环境就是保护生产力、改善生态环境就是发展生产力的理念，更加自觉地推动绿色发展、循环发展、低碳发展，决不以牺牲环境为代价去换取一时的经济增长。这为进一步做好新形势下林业应对气候变化工作指明了方向。

  林业是减缓和适应气候变化的有效途径和重要手段，在应对气候变化中的特殊地位得到了国际社会的充分肯定。以坎昆气候大会通过的关于"减少毁林和森林退化以及加强造林和森林管理"（REDD+）和"土地利用、土地利用变化和林业"（LULUCF）两个林业议题决定为契机，紧紧围绕《中华人民共和国国民经济和社会发展第十二个五年规划纲要》和《"十二五"控制温室气体排放工作方案》赋予林业的重大使命，采取更加积极有效措施，加强林业应对气候变化工作，对于建设现代林业、推动低碳发展、缓解减排压力、促进绿色增长、拓展发展空间具有重要意义。按照党中央、国务院决策部署，国家林业局扎实有力推进林业应对气候变化工作并取得新的进展，为实现林业"双增"目标、增加林业碳汇、服务国家气候变化内政外交工作大局做出了积极贡献。

  本系列丛书由中国林业出版社组织编写，北京林业大学校长宋维明教授担任总主编，北京林业大学、福建农林大学、福建师范大学的二十多位学者参与著述；国家林业局副局长刘东生研究员撰写总序；著名林学家、中国工程院院士沈国舫，北京大学中国持续发展研究中心主任叶文虎教授给予了指导。写作团队根据近年来对气候变化以及低碳经济的前瞻性研究，围绕林业与气候变化、森林碳汇与气候变化、低碳经济与生态文明、低碳经济与林木生物质能源发展、低碳经济与林产工业发展等专题展开科学研究，系统介绍了低碳经济的理论与实践和林业及其相关产业在低碳经济中的作用等内容，阐释了我国林业应对气候变化的中长期战略，是各级决策者、研究人员以及管理工作者重要的学习和参考读物。

2014 年 7 月 16 日

总　序

刘东生

　　随着中国——世界第二大经济体崛起于东方大地，资源约束趋紧、环境污染严重、生态系统退化等问题已成为困扰中国可持续发展的瓶颈，人们的环境焦虑、生态期盼随着经济指数的攀升而日益凸显，清新空气、洁净水源、宜居环境已成为幸福生活的必备元素。为了顺应中国经济转型发展的大趋势，满足人民过上更美好生活的心愿，党的十八大报告首次单篇论述生态文明，首次把"美丽中国"作为未来生态文明建设的宏伟目标，把生态文明建设摆在总体布局的高度来论述。生态文明的提出表明我们党对中国特色社会主义总体布局认识的深化，把生态文明建设摆在五位一体的高度来论述，也彰显出中华民族对子孙、对世界负责任的精神。生态文明是实现中华民族永续发展的战略方向，低碳经济是生态文明的重要表现形式之一，贯穿于生态文明建设的全过程。生态文明建设依赖于生态化、低能耗化的低碳经济模式。低碳经济反映了环境气候变化顺应人类社会发展的必然要求，是生态文明的本质属性之一。低碳经济是为了降低和控制温室气体排放，构造低能耗、低污染为基础的经济发展体系，通过人类经济活动低碳化和能源消费生态化所实现的经济社会发展与生态环境保护双赢的经济形态。低碳经济不仅体现了生态文明自然系统观的实质，还蕴含着生态文明伦理观的责任伦理，并遵循生态文明可持续发展观的理念。发展低碳经济，对于解决和摆脱工业文明日益显现的生态危机和能源危机，推动人与自然、社会和谐发展具有重要作用，是推动人类由工业文明向生态文明变革的重要途径。

　　林业承担着发挥低碳效益和应对气候变化的重大任务，在发展低碳经济当中有其独特优势，具体表现在：第一，木材与钢铁、水泥、塑料是经济建设不可或缺的世界公认的四大传统原材料；第二，森林作为开发林业生物质能源的载体，是仅次于煤炭、石油、天然气的第四大战略性能源资源，而且具有可再生、可降解的特点；第三，发展造林绿化、湿地建设不仅能增加碳汇，也是维护国家生态安全的重要途径。因此，林业作为低碳经济的主要承担者，必须肩负起低碳经济发展的历史使命，使命光荣，任务艰巨，功在当代，利在千秋。

党的十八大报告将林业发展战略方向定位为"生态林业"，突出强调了林业在生态文明建设中的重要作用。进入 21 世纪以来，中国林业进入跨越式发展阶段，先后实施多项大型林业生态项目，林业建设成就举世瞩目。大规模的生态投资加速了中国从森林赤字走向森林盈余，着力改善了林区民生，充分调动了林农群众保护生态的积极性，为生态文明建设提供不竭的动力源泉。不仅如此，习近平总书记还进一步指出了林业在自然生态系中的重要地位，他指出：山水林田湖是一个生命共同体，人的命脉在田，田的命脉在水，水的命脉在山，山的命脉在土，土的命脉在树。中国林业所取得的业绩为改善生态环境、应对气候变化做出了重大贡献，也为推动低碳经济发展提供了有利条件。实践证明：林业是低碳经济不可或缺的重要部分，具有维护生态安全和应对气候变化的主体功能，发挥着工业减排不可比拟的独特作用。大力加强林业建设，合理利用森林资源，充分发挥森林固碳减排的综合作用，具有投资少、成本低、见效快的优势，是维护区域和全球生态安全的捷径。

本套丛书以林业与低碳经济的关系为主线，从两个层面展开：一是基于低碳经济理论与实践展开研究，主要分析低碳经济概况、低碳经济运行机制、世界低碳经济政策与实践以及碳关税的理论机制及对中国的影响等方面。二是研究低碳经济与生态环境、林业资源、气候变化等问题的相关关系，探讨两者之间的作用机制，研究内容包括低碳经济与生态文明、低碳经济与林产品贸易、低碳经济与森林旅游、低碳经济与林产工业、低碳经济与林木生物质能源、森林碳汇与气候变化等。丛书研究视角独特、研究内容丰富、论证科学准确，涵盖了林业在低碳经济发展中的前沿问题，在林业与低碳经济关系这个问题上展开了系统而深入的探讨，提出了许多新的观点。相信丛书对从事林业与低碳经济相关工作的学者、政府管理者和企业经营者等会有所启示。

2014 年 7 月 9 日

前　　言

　　当前，全球气候正发生着以变暖为主要特征的显著变化，严重威胁到人类生存和可持续发展，已成为人类面临的最严重的危机之一。应对气候变化成了全球共同面临的重大挑战，作为应对气候变化的催生产物，"低碳经济"这一理念应运而生。

　　我国经济和社会发展也受到国内能源资源保障和区域环境容量的制约。节约能源、优化能源结构，转变经济发展方式，走低碳发展道路，既是应对气候变化、减缓二氧化碳排放的核心对策，也是我国突破资源环境的瓶颈性制约，实现可持续发展的内在需求。

　　应对气候变化，最有效的途径是工业直接减排和森林间接减排。与工业减排相比，森林固碳投资少、成本低、综合效益大，更具经济可行性和现实选择性。减少毁林、缓解森林退化、持续造林、森林可持续管理、生物能源利用等多方面的共同作用，对缓解气候变化具有巨大的潜力。因此，林业是当前和未来较长时期内，在经济、技术上都具有很大可行性的减缓气候变化的重要措施。而且在实施上述林业减缓措施时，不但能够以较低成本达到减少排放和增加碳汇的目的，并且这些减缓措施本身还可以和适应气候变化、推进经济社会可持续发展形成协同效应，带来诸如增加就业和收入、保护生物、流域保护、可再生能源和减贫等多种效益。因此，林业是发展低碳经济的有效途径。

　　木材作为森林资源的一部分，具有可循环利用的特点，只要科学合理地利用，就可使林产工业与森林保护并存，并且相互促进，从而满足低碳经济发展需求。可见，林产工业不仅是低碳经济的关键组成部分，林产资源的科学合理利用亦会促进森林资源的保护。林业发达国家的经验已经证明，林业的可持续发展必须以产业为支撑，资源的培育必须依靠产业来拉动，林业绝大部分产值是由林产工业提供的。在低碳经济时代，主要以木材作为原材料、具有工业加工性质的林产工业将面临新的机遇和挑战。机遇来自于低碳经济时代林产工业将获得市场不断扩展和政府政策支持，而国家大力增加森林碳汇和大力发展可再生能源的战略措施，将使林产工业本已紧张的木材原料供应更加趋向严峻，这对林产工业发展提出了巨大的挑战。而我国林产工业虽然发展迅速，主要产品的国际竞争力不断提高，但依然存在很多制约产业低碳化发展的问题。例如行业层面的企业规模不合理、技术及设备落后、资金短缺、企业环境保护意识差、产业增长方式落后等，以及政府层面的产业政策问题、监管问题、制度设计问题等。

低碳经济与我国林产工业发展之间的关系到底如何？低碳经济对我国林产工业的发展究竟有怎样的影响？如何通过促进我国林产工业的发展来进一步发挥林业在低碳经济发展中的重要作用？这些问题都是本书探讨的主要问题。本书在概述低碳经济的内涵、目标和发展趋势，明确低碳经济对林产工业影响的基础上，指出我国林产工业实现低碳化发展的重要意义。将中国林产工业置于低碳经济的背景下，分析了我国林产工业发展现状，重点剖析了我国林产工业在实现低碳化发展中面临的各种问题与挑战，进而从各个层面提出促进我国林产工业低碳化发展的具体对策建议，以便有助于充分发挥其在林业发展以及国家低碳经济发展中的作用。

尽管参与本书策划、编写和审稿的各位学者和研究人员，为成书付出了大量的心血和辛勤的劳动，但是鉴于低碳经济与我国林产工业发展是一个极具挑战性的全新课题，作者已有的研究尚属有限，研究中所涉及的一些问题和情况的把握可能亦不够非常全面，加之作者研究水平所限，使得本书难免存在不足、瑕疵和错漏之处，恳请各位读者批评指正。

在本书的编写过程中，我们参阅和引用了许多学者和组织的观点、数据等，在这里也表示衷心的感谢！

宋维明
2014 年 5 月

目　　录

第1篇
基础篇

第1章 绪 论

1.1 低碳经济的概念

低碳经济是当下倡导的一种经济发展模式。它是生产者与消费者共同营造的通过产业升级、制度优化、技术研新等方式方法减少煤炭等高碳能源消耗，从而减缓大气中温室气体的含量，最终达到环境与经济的和谐、经济发展与环境保护的和谐、人类生存条件与物质条件的共赢状态。它是一种以低消耗、低污染、低排放为基础的经济模式。因此，低碳经济是一种从高碳能源时代向低碳能源时代演进的经济发展模式。

一般可以从两个方面理解低碳经济：

（1）低碳经济包括生产、分配、交换、消费四方面在内的社会再生产过程全部经济活动的低碳化，进而最大限度地获得生态经济效益。

（2）低碳经济包括生产、分配、交换、消费四方面在内的社会再生产过程全部经济活动的生态化，以达到促进国民经济可持续发展的终极目标，即低碳能源甚至无碳能源的国民经济体系形式。

1.2 低碳经济的发展趋势

随着能源危机的加剧与生态环境的不断恶化，摆在人们面前的只有两条路：一是继续肆意破坏生存的家园，当地球达到所能承受的极限时寻找另外的生存场所；二是坚持可持续发展，寻求环保型绿色能源，发展绿色经济。2009年哥本哈根气候变化会议召开后，世界各国更是将发展绿色、低碳经济，寻求新能源作为今后发展的重中之重，也将低碳经济作为走出金融危机的出发点，一场以低碳经济为核心的产业革命悄然来临。

2009年9月22日，胡锦涛主席在联合国气候变化峰会上的讲话，明确指出：要坚持以可持续发展为基础，世界各国要共同努力，履行各自责任，节能减排，共同应对气候变化，实现互利共赢。同时承诺："中国将进一步把应对气候变化纳入经济社会发展规划，并继续采取强有力的措施。一是加强节能、提高能效工作，争取到 2020 年单位国内生产总值二氧化碳排放比 2005 年有显著下降。二是大力发展可再生能源和核能，争取到 2020 年非化石能源占一次能源消费比重达到 15%。三是大力增加森林碳汇，争取到 2020 年森林面积比 2005 年增加 4000 万 hm^2，森林蓄积量比 2005 年增加 13 亿 m^3。四是大力发展绿色经济，积极发展低碳经济和循环经济，研发和推广气候友好技术。"这无疑为中国经济未来发展决定了方向。发展低碳经济，既为中国今后在世界经济竞争中占得先机指明了道路，又对中国今后的经济发展提出了严峻的挑战。

2010 年，温家宝总理在十一届全国人大三次会议上作政府工作报告时指出："要努力建设以低碳排放为特征的产业体系和消费模式，积极参与应对气候变化国际合作，推动全球应对气候变化取得新进展。"这既是兑现中国在哥本哈根气候大会上的郑重承诺，又是中国建设生态文明、实现可持续发展的迫切需要。低碳经济发展的核心在于高吸收、低排放及"碳持续"，而森林资源对此起到了非常重要的作用。因此，加强对森林资源的科学合理利用对发展低碳经济具有重要作用，这也对林产工业提出了更高的要求。木材一方面作为最基本的生物质原料，可大大降低因使用石化燃料而造成的二氧化碳排放，已经得到广泛应用；另一方面，木材作为森林资源的一部分，具有可循环利用的特点，只要科学合理地利用，就可使林产工业与森林保护并存，并且相互促进，从而满足低碳经济发展需求。可见，林产工业不仅是低碳经济的关键组成部分，林产资源的科学合理利用亦会促进森林资源的保护。因此，林产工业在发展过程中，要加大可循环使用更低碳排放的生物质材料的开发和利用，以符合低碳经济发展的要求。

1.3　低碳经济的战略意义

1.3.1　低碳经济有利于应对气候变化

（1）发展低碳经济，是中国统筹经济发展与应对气候变化的根本途径和战略选择。中国的国情和发展阶段的特征，决定了在应对气候变化领域比发达国家面临更为严峻的挑战。全球减缓气候变化的核心是减少温室气体排放，其中主要是与能源相关的二氧化碳排放。中国当前正处于工业化、城市化快速发展阶段，随着经济快速增长，能源消费和相应二氧化碳排放必然有合理增长。中国人口多，经济总量大，2006年中国二氧化碳排放总量超过美国，一直位列世界首位，目前我国二氧化碳年排放量约为 80 亿 t，占全球 25%。就人均排放而言，1990 年中国为世界平均水平的 50%，2000 年为 60%，现在每人年均二氧化碳排放量已经达到 6t，逼近欧洲、日本水平。中国二氧化碳排放的增长趋势越来越受到国际社会的关注。保持国民经济又好又快发展对能源需求和相应二氧化碳排放增长的趋势与全球应对气候变化、减缓碳排放的目标之间形成尖锐矛盾，根本出路在于加强技术创新，转变经济发展方式，走低碳发展的道路，以实现经济发展与应对气候变化的双赢。

发达国家的人口只有全球的 20%，却以全球 60% 以上的资源消费、80% 左右的累积二氧化碳排放为支撑完成了现代化建设。中国 13 亿人口大国要实现现代化，已不具备发达国家历史上的资源和环境条件，必须探索低消耗、低排放的新型现代化道路，通过大幅度提高能源利用的效率和产出效益，支撑经济社会的可持续发展。

另一方面，实现《气候变化框架公约》中稳定大气中温室气体浓度的最终目标，将极大压缩未来全球的碳排放空间，全球有限的大气容量资源已被发达国家历史上、当前和今后相当长时期的高人均排放所严重挤占，发展中国家实现现代化所必需的排放空间已严重不足，这对中国未来经济发展和能源需求也将带来新的制约。中国已不能沿袭发达国家走以高能耗和高碳排放为支撑的发展道路，必须探索新型的低碳发展之路。在中近期内大幅度提高能源效益，提高单位碳排放产生的经济效益，长期要控制甚至减少二氧化碳排放总量，建立并形成以新能源和可再生能源为主体的可持续能源体系，实现经济发展与二氧化碳排放脱钩，实现经济、社会与资源、环境相协调的可持续发展。

低碳经济是以能源高效利用和清洁开发为基础，以低能耗、低污染、低排放为基本特征的经济发展模式。发展低碳经济与中国坚持节约资源、保护环境的基本国策，建设资源节约型、环境友好型社会，走新型工业化道路是一致的。

当前，中国经济和社会发展也受到国内能源资源保障和区域环境容量的制约，节约能源、优化能源结构，转变经济发展方式，走低碳发展道路，既是应对气候变化、减缓二氧化碳排放的核心对策，也是中国突破资源环境的瓶颈性制约，实现可持续发展的内在需求，二者具有协同效应。全球发展低碳经济的潮流正在改变世界经济、贸易格局，加大对新能源和环保产业的投入，也成为当今世界各主要国家应对经济危机、实现绿色复苏的关键着力点。要顺应世界经济、技术变革的潮流，抓住机遇，促进先进能源技术创新，促进产业结构的调整和升级，从而促进发展方式的根本性转变。

（2）大幅度降低国内生产总值的二氧化碳排放强度，是中国发展低碳经济的核心任务和关键对策。

由于国情和发展阶段的不同，中国发展低碳经济的内涵与发达国家有着本质差别。中国强调发展过程和途径，通过低碳能源技术的开发和经济发展方式的转变，减缓由于经济快速增长新增能源需求所引起的碳排放增长，以相对较低的碳排放水平，实现现代化建设的目标。发达国家二氧化碳排放的 2/3 来自消费领域，而中国 70% 以上来自生产领域。中国发展低碳经济的主要表现形式是引导和控制发展排放，而发达国家是减少消费排放。对中国而言，发展仍然是第一要务，低碳经济模式是实现发展的途径和手段，也是未来可持续发展的主要特征和标志。

国内生产总值的二氧化碳强度是指当年能源消费的二氧化碳排放量与当年国内生产总值的比率，反映实现单位国内生产总值所产生的二氧化碳排放，反过来即代表单位二氧化碳排放所产生的经济效益。大幅度降低国内生产总值的二氧化碳强度是中国中近期内发展低碳经济、减缓碳排放的核心任务。在全球保护气候的长期目标下，碳排放空间将成为比劳动力、资本、土地等其他自然资源更为紧缺的生产要素。协调经济发展和保护气候的关系的根本途径在于大幅度提高碳生产率，也就是大幅度降低国内生产总值的碳强度。到 2050 年，世界国内生产总值增长大约将达到目前的 4 ~ 5 倍，而二氧化碳排放却需减少 50% 左右，如果同时实现上述两个目标，则需要全球国内生产总值的碳强度下降 80% ~ 90%。因此，国内生产总值的碳强度反映了一个国家应对气候变化的努力和成效。

与发达国家相比，中国国内生产总值的碳强度仍然较高，2005 年中国国内生产总值的碳强度约为发达国家平均水平的 5 倍。近年，我国单位 GDP 碳排放强度显著下降，2013 年单位国内生产总值二氧化碳排放比 2005 年下降了 28.56%，相当于少排放二氧化碳 25 亿 t。这与中国的国情与发展阶段的特征密切相关。主要原因有：第一，中国产业结构中第二产业的比重高；第二，制造业产品的增加值率低；第三，中国能源转换和利用技术效率较低；第四，中国能源消费品种构成的高排放特征突出。

在上述导致中国国内生产总值碳强度高于发达国家的诸因素中，技术上的差距远小于体现发展阶段特征的结构性因素。因此，这既表明中国在提高碳排放的经济产出效益方面具有较大潜力，也表明中国在国内生产总值碳强度指标方面达到发达国家水平需要在相当长的历史时期内不懈努力。这与中国缩小同发达国家发展水平差距是一样的，是一项长期而艰巨的任务。

1.3.2   低碳经济有利于保障能源安全

发展低碳经济有利于改善中国能源供给结构，保障国家能源安全。能源是经济发展的基础动力，中国正处于工业化和城镇化快速发展阶段，对能源的需求将刚性增长。世界能源发展的长期方向是"低碳富氢"和新能源，逐步从"碳基能源"向"氢基能源"或无碳能源转变。中国目前的能源结构是以煤为主，在能源的供需品种结构、地区结构和结构性污染方面都与环境保护的要求极不相称。一方面，今后相当长时期内能源消费将会持续增长；另一方面能源结构的转变又异常艰难。发展低碳经济根本上要求以提高能源利用效率和创建清洁能源、可再生能源为抓手，大力发展风能、核能、太阳能、地热能、潮汐能和生物质能等。这有利于改善中国能源供给结构，保障国家能源安全。

1.3.3   低碳经济有利于促进可持续发展

发展低碳经济是中国转方式、调结构的重要内容和实现途径。转变经济发展方式、调整优化经济结构是贯彻落实科学发展观的需要，也是国内实现经济社会可持续发展的内在要求。从这个意义上讲，中国大力发展低碳经济是实现国民经济科学发展和可持续发展的重大机遇。因为发展低碳经济有利于突破中国经济发展过程中资源和环境的瓶颈性约束，有利于顺应世界技术变革的潮流，推动中国产业升级和企业技术创新，并形成完善的促进可持续发展的政策机制和制度保障体系，也有利于打造中国未来的国际核心竞争力。尤其是在当前世界各国正在应对国际金融危机的情况下，以低碳能源发展为代表的低碳产业，不仅可以为传统产业的振兴提供支撑，且其自身也可以在这一过程中找到发展机遇，形成新的经济增长点并影响世界发展格局和竞争格局。

1.4   低碳经济的特点

根据低碳经济的概念，实现低碳经济需要国内政策与国际行动相结合。尤其对于中国这样的发展中国家而言，有着人口众多、经济发展水平低、生态环境脆弱这样的国情，且又处于经济快速发展的时期，仅凭借自身的政策与措施尚不能够彻底实现低碳经济，还需要灵活运用国际社会所鼓励的各种激励机制与原则。中国发展低碳经济有着自己独有的特点。

首先，中国科技水平落后制约着中国经济从高碳型能源向低碳型能源模式转变，这将不利于应对全球气候变化。正因为这样的形势要求，必须坚持"两条腿"走路，对外要积极争取资金和技术两方面的援助，对内要大力革新技术。例如，在生产领域中通过 ERP、流程再造或引入先进的绿色技术来达到节能减排的目的。

其次，由于中国是消耗能源的大国，能源结构主要是煤。数据表明，石油或天然气的燃烧以每吨计算，将比单一使用煤炭给大气带来的负荷至少减少 30%～70%。因此，要着重发展新的清洁型能源，在新型能源开发方面加大资金投入、技术投入，总而言之就是加强可再生能源方面的重视。

最后，在扩大内需、确保增长、调整结构的前提下，中国要统筹考虑经济发展和生态建设、国内与国际、当前与长远，制定并实施应对气候变化的国家方案，采取一系列适合中国的政策措施。作为发展中的大国，中国应以产业转型为主线来应对气候变化，从而实现低碳经济。可以通过以下几个途径改变"高投入、高消耗、高污染、低效益"的粗放型经济增长方式，构建起资源节约、清洁型的经济发展体系。

1.5　低碳经济与中国林产工业

1.5.1　林业在中国国民经济发展中的地位和作用

1.5.1.1　林业产业的概念

林业是指保护生态环境，保持生态平衡，培育和保护森林以取得木材和其他林产品、利用林木的自然特性以发挥防护作用的生产部门，是国民经济的重要组成部分之一。林业在人和生物圈中，通过先进的科学技术和管理手段，从事培育、保护、利用森林资源，充分发挥森林的多种效益，且能持续经营森林资源，促进人口、经济、社会、环境和资源协调发展的基础性产业和社会公益事业。

1.5.1.2　林业产业的特点

世界各国通常把林业作为独立的生产部门，在中国属于大农业的一部分。林业生产以土地为基本生产资料，以森林（包括天然林和人工林）为主要经营利用对象，整个生产过程一般包括造林、森林经营、森林利用三个组成部分，也是综合性的生产部门。林业生产与作物栽培、矿产采掘等既有类似性，又不相同。它具有生产周期长、见效慢、商品率高、占地面积大、受地理环境制约强、林木资源可再生等特点。

林业是具有生态、经济和社会三大功能，能够提供生态、物质和文化三大产品的公益事业和基础产业。林业产业作为重要的基础产业，除具一般产业的共同属性外，还有自身的四大特性，即资源的可再生性，产品的可降解性，三大效益的统一性，一、二、三产业的同体性。

1.5.1.3 林业产业在中国国民经济发展中的地位和作用

林业产业是一个涉及国民经济第一、第二和第三产业多个门类，涵盖范围广、产业链条长、产品种类多的复合产业群体，具有基础性、多样性、生态性、战略性，是国民经济的重要组成部分。林业产业不仅为国家建设和人民生活提供了包括木材、竹材、人造板、木浆、林化产品、木本粮油、食用菌、花卉、桑蚕、药材、森林旅游服务等在内的大量物质产品和非物质服务，而且在维护国家生态安全，促进农村产业结构调整，解决山区农民脱贫致富，提供社会就业机会等方面有着非常重要和十分特殊的作用。目前，中国直接从事林业产业生产的人员遍及城市和乡村，总量达 4500 万人。林业生产的主要任务是科学地培育经营、管理保护、合理利用现有森林资源与有计划地植树造林，扩大森林面积，提高森林覆盖率，增加木材和其他林产品的生产，并根据林木的自然特性，发挥它在改造自然、调节气候、保持水土、涵养水源、防风固沙、保障农牧业生产、防治污染、净化空气、美化环境等多方面的效能和综合效益。可见，林业在国民经济建设、人民生活和自然环境生态平衡中，均有特殊的地位和作用。

党中央、国务院高度重视林业建设，2008 年颁发了《中共中央 国务院关于全面推进集体林权制度改革的意见》（中发〔2008〕10 号），2009 年中央首次召开了中央林业工作会议，明确了林业在国民经济和社会发展中的战略地位和使命，林业地位得到显著提升。温家宝总理在中央林业工作会议上指出："在贯彻可持续发展战略中林业具有重要地位，在生态建设中林业具有首要地位，在西部大开发中林业具有基础地位，在应对气候变化中林业具有特殊地位。"回良玉副总理在中央林业工作会议上指出："实现科学发展必须把发展林业作为重大举措，建设生态文明必须把发展林业作为首要任务，应对气候变化必须把发展林业作为战略选择，解决'三农'问题必须把发展林业作为重要途径。"中央林业工作会议明确赋予林业五大功能，即生态、经济、社会、碳汇和文化功能，在全社会进一步达成了共识。

林业产业在中国国民经济发展中的作用体现在以下几个方面：

（1）加速林业发展有助于实现国民经济的科学发展。

坚持以人为本，全面、协调、可持续的发展，是党从 21 世纪新阶段党和国家事业发展全局出发提出的重大战略思想。党的十七届五中全会指出，要以科学发展为主题，以加快转变经济发展方式为主线，坚持把保障和改善民生作为加快转变经济发展方式的根本出发点和落脚点，坚持把建设资源节约、环境友好型社会作为加快转变经济发展方式的重要着力点。党中央提出的构建社会主义和谐社会，是全面落实科学发展观、实现全面建设小康社会奋斗目标的必然要求。实现科学发展，就是要坚持以人为本，推动整个社会走上生产发展、生活富裕、生态良好的科学发展道路。林业作为重要的公益事业和基础产业，在国民经济和社会发展全局中居于战略地位。中央林业工作会议进一步确立了林业的"四个地位"，明确赋予了林业的"四大使命"，这是党中央在新的历史时期对林业的最新认识成果，深刻揭示了林业在中国"十二五"加快转变经济发展方式、实现科学发展中的重要地位和作用。

随着中国经济社会快速发展，资源和生态环境的瓶颈约束效应日益凸显，发展循环经济，以可再生资源替代不可再生资源已成为重大战略取向。众所周知，森林和湿地是涵养水源、净化水质、提供清新空气、创建优美环境的源头和根本，这两个生态系统的建设和保护都在林业工作的职责范围之内。林业产业是规模最大的循环经济体，森林资源的可再生性和林产品的可降解性，为经济社会发展可持续利用森林资源展示了光明前景。因此，林业在构建社会主义和谐社会中承担着光荣而艰巨的重大使命。加快林业发展，加强生态建设，是实现人与自然和谐的根本途径，是构建社会主义和谐社会的重要内容。加快发展林业产业，对于全面落实科学发展观，建设资源节约型和环境友好型社会，促进人与自然和谐发展，意义十分重大。

（2）加速林业发展有助于建设生态文明，应对气候变化。

加强生态保护，提高生态文明水平，是加快转变经济发展方式、实现科学发展的重要着力点，也是提高人民群众生活质量的必然要求。

当前中国生态状况依然十分脆弱，生态文明建设与可持续发展面临严峻挑战。一是生存发展空间不容乐观。全国沙化土地面积 173.11 万 km^2，占国土面积的 18.03%，全国石漠化土地面积 1200.2 万 hm^2，占岩溶土地面积的 26.5%。二是土地质量严重下降。我国现有土壤侵蚀总面积 294.91 万 km^2，占国土面积的 30.72%，年平均土壤侵蚀量为 45 亿 t 左右，全国仍有 3.6 亿亩坡耕地和 44.2 万条侵蚀沟待治理。三是生物多样性面临严重威胁。全国列入国家重点保护野生动物名录的珍稀濒危野生动物已达420 种。四是天然湿地急剧减少，蓄水调洪能力和净水储碳功能下降。生态问题已成为中国经济社会可持续发展最大的障碍之一，生态产品已成为中国最短缺的产品之一，生态差距已成为中国与发达国家的最大差距之一。林业作为生态建设的主体，解决生态问题迫切需要加强林业建设，加快构筑国土生态安全屏障。

应对气候变化，不仅是人类社会共同面临的严峻挑战，也是中国实现科学发展必须着力解决的重大问题。森林固碳减排，具有投资少、综合效益大等优点，是赢得国家排放空间和发展时间、抢占经济竞争优势的巨大潜力所在。

森林可以涵养水源、保持水土。造成水土流失的主要原因是地表裸露。有了森林的庇护，降雨时，通过林冠截留、枯枝落叶层和其他植被对地面的保护，就能大大削弱雨水对地面的溅击侵蚀，提高地表的吸水和透水性能，使大部分雨水缓缓渗入地下，减少或控制地表径流，加上林木发达的根系对土壤的紧缚作用，从而发挥森林涵养水源和保持水土的作用。据有关资料介绍：在有林地区，林冠可以截留 10% ~30% 的降雨，使 50% ~80% 的降雨量得以渗入地下。林地内的地表径流一般在 1% 左右，最多不超过 10%。实践证明，每公顷有林地比无林地最少能多蓄水 300m³。这样，3330hm² 森林所蓄涵的水量，就相当于 100 万 m³ 的小水库。特别是森林的蓄水，不受地形限制，其蓄水和调节水分作用是动态而不是静态的，是任何水利工程所不能比拟的，因此，人们称之为"绿色的海洋""看不见的水库"。森林涵养水源、保持水土的巨大作用已为国内外大量事实所证实。中国河南省济源县境内的莽河上游地区曾经是荒山秃岭，水土流失严重，后来通过造林和封山，绿化面积约达 6 万 hm²。幼林郁闭后，日降水量 30mm 不出坡，日降水量 55 ~100mm，三天后才见细水长流。最突出的例子是 1975 年 8 月 5 日河南中部特大暴雨，三天共下雨 800 ~1000mm。该省东风和薄山水库由于上游森林覆盖率高达 90%，都安全地渡过了洪峰。其中薄山水库积雨面积 557km²，三天总雨量为 5 亿 m³，原库存水 0.8 亿 m³。其最大库容量为 4.3 亿 m³，这说明有 1.5 亿 m³ 的水被截留在山上，可见森林蓄水保土的作用巨大。

森林可以防风固沙，保护农田。森林是防御风沙的天然屏障。当风经过森林时，一部分进入林内，由于树干和枝叶的阻挡以及气流本身的冲撞摩擦，风力逐渐削弱，风速很快减低，甚至完全消失，风的另一部分则被迫沿林缘上升，越过森林。由于林冠起伏不平，激起了许多旋涡，成为乱流，消耗一部分能量。因此，风经过森林后，风力大为降低。防护林带和林网的防风效果也非常明显。一条防护林带与风向垂直时，背风面可以使树高 20 ~25 倍距离的风速降低 50%，迎风面则为 3 ~5 倍。沙是因风而起并产生流动的，由于森林(包括林带、林网)具有防风效益，林木的庞大根系又能紧固土沙，所以森林会大大削弱风的挟沙能力，逐渐把流沙固定下来。日久天长，风化雨蚀，加上枯枝落叶经过土壤动物和微生物的粉碎分解变成有机质，使沙子变成具有肥力的土壤。森林的防风固沙作用对人民生命财产安全，尤其是对农业的高产稳产具有重要意义。陕西省榆林地区过去风沙危害严重，粮食产量很低。三十几年来，他们大搞植树造林和农田基本建设，营造防风固沙林，绿化了 1/3 以上的宜林沙荒，森林覆盖率由新中国成立初期的 0.9% 上升到 15% 以上，从而使流沙得到有效控制。森林在抵御和减轻台风、干热风、冰雹等灾害性天气对农业生产的破坏有着极其重要的作用。森林犹如"农业的保姆"，没有森林的保障，就没有农业发展的稳定条件。破坏森林、破坏生态平衡，也就是破坏了农业，给人类生产、生活带来生态性的灾难。必须重视植树造林，保护森林、草地、水源等自然资源，在改造大自然的过程中，提高生态系统的生产能力，发展中国农业生产、富国裕民，造福子孙后代。

森林可以调节气候、改善环境。由于森林中的林木在生长过程中具有蒸腾作用，可以在其上空形成大量的水汽，比较容易造成云雨条件，促进降雨、减轻旱情。有关单位测试，森林比同纬度相同面积的海洋所蒸发的水分要多50%。在通常情况下，森林上空和附近空气湿度要比无林地高15%～25%，有的可高达30%，因此有林地区的年降雨量一般比同等地理条件下的无林地要高3.8%～26%。森林成多层结构，投射到林冠的太阳辐射80%～90%被吸收，透进林内的占10%～20%。森林吸热、散热和保温的作用不同于无林地，在高温季节森林可以降温，寒冷季节森林可以增温，所以林内冬暖夏凉，温差小。这种情况还会影响局部气流的变化，产生从田野吹向森林和森林吹向田野的风，对于改善农田和临近的小气候具有很大的意义。森林可以调节气温，调节湿度和空气中的氧和二氧化碳含量，有益于农作物的生长发育，提高产量。森林调节气候的作用，有利于农业的发展。中国辽宁东部地区年降水量800～1000mm，很少发生自然灾害，而西部地区年降水量仅500mm，自然灾害较多。除了地理位置和地形地势的影响外，与东部多林、西部少林有很大关系。

人类生活环境的日益恶化，促使人们对环境保护的研究。一系列研究结果证明，森林对保护环境、减少污染有巨大作用，是综合防治环境污染的重要一环。森林之所以能保护自然环境，是因为它能吸收空气中的二氧化碳，放出氧气，对大气、水域和土壤中的污染物质有吸收和净化的能力。在一般情况下，空气中二氧化碳的含量为0.03%，氧气为21%。但是由于人口高度集中，石油、煤炭等的燃烧消耗大量氧气，目前在地球上的许多地方，出现了氧气不足和二氧化碳含量过高的问题，给人们的健康带来很大的影响。森林恰好能解决这个问题。据有关资料介绍，生长季节的阔叶林，一般每天每公顷大约能吸收1t二氧化碳，产生730kg氧气。如果以成年人每天呼吸消耗0.75kg氧气，排出0.9kg二氧化碳计算，平均每人有10m² 面积的森林，就能满足呼吸所需的氧气和同化吸收掉人们排出的二氧化碳。森林还能吸毒、吸尘，净化大气、水质和削弱噪音。据研究，1kg柳杉干叶每月能吸收3g对人有害的二氧化硫。按每公顷森林干叶重20t计算，则每月能吸收二氧化硫60kg。研究发现栓槭、桂香柳、加拿大杨等树种，能吸收空气中的醛、酮、醇、醚和致癌物质安息香吡啉等毒气。油烟、炭粒及铅、汞等金属小粒子和尘埃混凝成的气溶胶，对大气污染也很严重。有关资料称：近年来，大气中的灰尘大量增加，这些有毒灰尘被人吸入肺部，能引发很多疾病。森林对这种气溶胶有很大的阻挡、过滤和吸收能力。研究证明，每年每公顷云杉林可阻挡灰尘 32t，松树林达 36.4t，水青冈达 68t，椴树和橡树混交林每年每公顷可摄取尘埃 68t。据沈阳林业土壤研究所观测，在铅污染较重地区，1kg 青杨干叶吸收铅尘埃 616mg，1kg 桑树干叶吸收 526.9mg。有些树木，例如桦树、柏树、桉树、梧桐、冷杉等能分泌出称为植物杀菌素的挥发性物质，具有杀菌作用，能杀死空气中的白喉杆菌、结核杆菌、伤寒杆菌、痢疾杆菌等病原菌。森林还能削弱城市噪音。噪音影响人们休息和正常情绪，令人烦恼，而且有损听力，因此，人们对减少噪音的呼声日渐强烈。实验证明，40m 宽的林带可使噪音减低 10～15dB，绿化街道比不绿化街道可减低噪音 8～10dB。此外，森林还具有多姿多彩的枝叶、冠形和花果，能美化人们的工作和生活环境，供人欣赏，愉快身心，起到无形的保健作用。在天然的林区和秀丽的森林公园，人们可饱览到大自然的美好风光，并可陶冶情操、振奋精神、裨益健康。

　　森林是生态平衡的核心。森林，作为整个陆地生态系统中的重要组成部分和自然界物质、能量交换的重要枢纽，对于地面、地下和空间的生态环境都有着多方面的影响。森林本身又是一个强大的生态系统，在整个生物圈物质和能量交换过程以及保护自然界平衡中占有特殊地位。因此，可以说森林是生态平衡的核心或森林是生态平衡的主宰者。据估算，整个地球每年通过光合作用生产出的有机物中，海洋约占总量的 36%，陆地约占 64%，在陆地生态系统中，以森林居首位，其贮存的太阳能超过陆地光合作用平均每年贮存能量数的一倍以上。从气体循环上来看，要是没有森林和其他绿色植物不断地吸收二氧化碳放出氧气来维持平衡，人类早就不存在。据估计，地球上的森林每年为人类吸收处理掉二氧化碳数百亿 t，空气中近 60% 的氧气都来自于森林植被。据测定每公顷阔叶林在生长季节里每小时吸收的二氧化碳相当于 200 个人同一时间里排出的二氧化碳的总和。从水分循环来看，由于森林既能保蓄水分，又能调节水分和湿度，所以它在自然界的水分循环上有着极大的作用。可以这样说，哪里有森林，哪里就有水，森林直接影响着自然界的水分循环。大气降雨量的多少，在很大程度上，取决于空气里水蒸气的多少。林木在其生长过程中的蒸腾比是 300～1000，蒸腾水分的作用十分强烈。

　　如前所述，一片森林比同纬度海面的蒸发量还要大 50%，这就增加了输送到空气中的水蒸气量。水蒸气越多，湿度越大，造成降雨的条件也越好，所以森林上空的湿度都比农田上空高。森林的积水蓄水作用，同样是巨大的。哪里有林，哪里就有水。森林使水这个再生资源构成了(大气降水→林冠截留→林地贮藏→地下水→林木蒸腾→返回森林上空)物质循环，往返不息，使人类得以永续利用。从生态上来看，森林本身又是一个理想的基因"仓库"。茂密而高大的森林向来是野生动物觅食与藏身的良好场所，在这儿养育和庇护着数不尽的鸟类和兽类。同时，森林里长着各式各样的乔灌木树种及藤本植物，相互庇护，彼此混居，加上林间下层的草、蕨类、苔藓、地衣和附生寄生菌蕈等与土壤环境构成了一个大的生物圈，彼此之间保持着相对的稳定平衡。

因此，大力植树造林，加强森林保护，强化森林经营，已成为中国增加森林碳汇总量、提高应对气候变化能力的必然选择。

（3）加速林业发展将是最近一个时期有效解决"三农"问题的重要渠道。

林业发展可以改善农业生产条件，优化农业产业结构，增加农民收入。农业、农民和农村问题，是关系中国改革开放和现代化建设全局的重大问题。林业与"三农"问题直接相关，农村是林业的主战场，农民是林业的主力军，也是林业的直接受益者。发展林业，能够维护农村生态环境，增加资源供给、扩大农民增收，促进农村经济发展。具体表现在：第一，林业发展可以构筑良好的生态屏障，是保障农业高产稳产的必备条件；第二，林业进行战略性结构调整的措施，能缓解农民单纯依靠种植粮食增收的困难；第三，林业是山区经济的基础、龙头和主角。中国山区面积占国土面积的69%，要开发山区经济，促进山区农民脱贫致富，必须依靠山地这个基本生产资料，要开发山地，就必须发展林业经济，这是发挥区位优势的根本选择。改革开放 30 多年来，许多群众靠发展林业走上了致富之路。

林业的发展可以缓解今后一个时期中国农村劳动力流动转移就业的巨大压力。人口和就业压力始终是中国经济增长面临的长期制约因素。"十一五"期间，五年城镇新增就业 5771 万人，城镇登记失业率 4.1%，五年转移农业劳动力 4500 万人。"十二五"时期我国就业形势更加复杂，就业总量压力继续加大。"十二五"规划时间，每年城镇就业人口供给将达 2500 万人，还有相当数量的农业富余劳动力需要转移就业，因此，就业缺口将进一步扩大，预计城镇就业缺口将高达每年 1300 万人。使城市就业和农村劳动力转移面临巨大压力。所以，创造就业岗位和吸纳农村剩余劳动力是今后中国经济发展重大而紧迫的问题。脆弱的生态环境和林业制约着经济发展的整体素质和效益的提高，迫切要求组织和调配众多的农村劳动力，发挥其主力军的作用，这就为提供农业劳动力就业开辟了新的出路。

（4）加速林业发展对中国现代化建设具有重大的支撑和保障作用。

从 21 世纪开始，中国进入全面建设小康社会的新阶段。中国已经实现了头两步战略目标，开始向第三步战略目标迈进。要完成第三步战略目标，必须走可持续发展的道路，实现经济发展和生态环境"双赢"。但是，经济持续增长要以生态建设和环境保护作为前提。因此，加速林业发展对中国现代化建设具有重大的支撑和保障作用。

首先，森林是自然界最大的生物多样性基因库。中国是世界上生物多样性最丰富的国家之一，拥有高等植物 34792 余种，脊椎动物 7516 种，均居世界前列。生物多样性为人类提供了基本的食物，人类可食用的植物中，约 30 种成为粮食；各种家畜家禽和水产品也都是从野生动物驯化而来的。因此，保护中国生物多样性不仅对中国社会经济持续发展，对子孙后代具有重要意义，而且对全球的环境保护和促进人类社会进步也会产生深远的影响。

其次，森林是人类经济社会发展的基础性资源和战略性稀缺资源。木材是世界公认的四大原材料（木材、钢材、水泥、塑料）之一，与建筑、铁路、车辆、化工、采矿、船舶、农业等生产有着密切关系，也是人们生活中不可缺少的材料。林木和林产品是一个国家经济和社会发展中不可缺少而又难以替代的重要资源。林业提供大量的绿色产品，满足人民的绿色消费需求，对解决粮食问题具有巨大的潜力。发展林业除了可以提供木材，还可以向社会提供绿色消费品，替代粮食和油料。

第三，林业是直接拉动国民经济增长的重要领域。从社会需求角度看，随着人类回归自然情结和自身保健意识的不断增强，山野产品、绿色产品、无污染产品将越来越受到人们的青睐，人们的消费趋向也将由"以塑代木""以钢代木"转为"以木代塑""以木代钢"。从林业自身的发展条件看，森林是一个巨大的绿色宝库，其中蕴藏的资源种类较多，储量很大，只要善于开发，任何一种资源都可以办成一个大产业。近几年，森林旅游业、种苗业、花卉业、山野菜业在短时间迅速崛起，促进了地方经济的发展。通过政府、社会和国际的投资，大力投入社会强需求的林业领域，对国民经济全局必将产生不可估量的影响。一方面林业的商品建设将导致各种新兴产业的迅速产生和成长，绿色经济必将异军突起而成为拉动国民经济增长的一支重要力量；另一方面，林业的生态建设也有可能通过赎买、收购等形式逐步走向市场机制，导致形成新型的生态循环经济。综观两个方面，未来林业势必成为国民经济中十分耀眼的行业。

第四，林业是农业稳定持续发展的屏障。对农业大国而言，保证农业持续稳定发展始终是不可放松的重大问题。农田防护林通过改善气候、土壤及水文等农田生态条件，防止多种自然灾害，调节农区自然生产条件，提高防护区生产力，同时直接生产木材、燃料等林产品。

第五，森林是未来获取能源的物质保障。在当今世界经济高速发展、人口不断膨胀的情况下，能源一直是困扰人类的一个难题。特别是在发展中国家，能源不足是加剧贫困化的一个重要原因。传统的能源主要是通过获取矿物能源的方式来实现，而这些传统的矿物性能源的使用对全球生态造成极大的破坏。为此，人类在可持续发展的过程中必须采取有效的途径，解决能源供给和能源污染的问题。一方面应加强研究和发展洁净性能源技术，减少传统矿物质能源的污染；另一方面要不断探索开发新能源。在新能源开发上，除了太阳能、风能、海洋能和地热能以外，生物能利用将有着光明的前景。生物能是地球上的绿色植物，是未来最重要的可再生性能源。森林系统是陆地上最大的生态系统，蕴藏着巨大的生物资源，特别是绿色植物资源，将是人类未来持续地获取高效、洁净能源的物质保障。所以，合理地利用森林巨大的生物能储量，可以有效地保障社会经济可持续发展对可再生性能源的需求。

第六，森林是未来材料工业发展的重要基础。材料、信息和能源被公认为现代文明的三大基础支柱。在可持续发展的原则要求下，人类对材料的发展和使用将有一个质的飞跃，最主要的一个进步是，人类在对物质财富与自然关系的理性思考上，突破了以人为中心的自然价值观，树立了可持续利用资源物质的思想。所以，尽管纳米材料、梯度材料、智能材料将不断取代传统材料，但节约使用不可再生资源和可持续地利用可再生自然资源上，将是新材料科学发展的方向和基础。这就决定了森林资源作为世界上最重要的可再生资源，将在未来材料工业的发展中扮演重要角色，成为人类持续地从自然界中获取物质财富的主要途径之一。首先，来源于森林的材料都是可再生的材料，如果利用合理就可以实现永续利用，而且森林资源所包含的材料具有丰富的多样性，可以满足未来人类在生产和生活领域的众多需求；其次，木材等森林资源的加工利用能耗小，对环境的污染也较轻，是理想的绿色材料；再次，森林资源生产的材料都易于回收和循环利用，可以最大限度减少对自然物质的消耗。可以预言，今后随着人类对森林资源加工利用技术的不断提高，森林作为巨大的可再生自然物质宝库，将对材料工业的发展起到基础支持作用。

1.5.1.4 中国林业产业的发展

林业是生态建设的主体，林业产业发展，必须服从和服务于国家生态安全的大局。要坚持产业与生态相协调，在生态建设的同时，注重发挥产业功能，在产业发展中不忘兼顾生态要求；要做到产业的发展，生态受保护；要以森林可持续经营和科学利用为基础，切实做到资源越采越多、越用越好，青山常在，永续利用。

2011 年 9 月，胡锦涛主席在首届亚太经合组织林业部长级会议上提出了"发展林业产业，壮大绿色经济"的重要命题。这是党中央和国务院对中国林业发展提出的新要求，对林业产业发展寄予的新期望。在《中华人民共和国国民经济和社会发展第十二个五年规划纲要》中，关于林业也有很重要的阐述。

近年来，中国加快林业发展方式转变，出台了一系列促进林业产业发展的政策措施，加强对林业产业发展的扶持和指导，使林业产业规模迅速扩大，结构调整加快，产业集聚度提高。在林业政策的引导下，广大林区改变发展观念，拓宽发展思路，发展方式已由依赖木材生产向生态旅游、林下经济等现代林业产业开发转变，经济结构由单一的"木头财政"正逐步转为多元化的生态发展格局。

目前中国林业产业发展保持了强劲势头，中国已成为世界林产品生产、加工、消费和进出口大国。中国人造板、木质地板、竹材及竹制品、经济林产品、松香、家具等产量都居世界前列，成为林产品生产大国。浙江、福建、广东、湖北等9个省的林业产业总产值都超过了千亿元，江苏、浙江、黑龙江等地成为全国木材加工业的聚集地，四川、云南以森林为依托的生态旅游业成为新的经济增长点，新疆、河北、陕西等地大力发展特色林果富民产业，江西、浙江、重庆等地竹产业蓬勃发展。全国各地根据各自资源和市场优势，掀起发展特色林业产业的浪潮。

据国家林业局统计数据，"十二五"期间，中国林业产业继续蓬勃发展，2013年中国林业产业发展和林产品进出口贸易呈现良好态势。

1.5.1.4.1　林业产业发展稳定，产值、产量持续增长

2013年，林业产业保持快速增长。全年实现林业产业总产值4.73万亿元（按现价计算），比2012年增加7865亿元，增长19.93%。其中第一、二、三产业分别增长19.09%、19.51%和24.18%。林业三次产业的产值结构由2012年的34.85∶52.97∶12.18调整为34.60∶52.79∶12.61。分地区看，东部10省份林业产业总产值比重较大，占全部林业产业总产值的50.71%；中部6省份林业产业总产值为9505.44亿元。西部省份增长最快，与其他地区的差距有所缩小。林业产业总产值超过3000亿元的省份共有6个，分别为广东、山东、福建、江苏、浙江和广西。2013年，新造经济林面积123.37万 hm²，比2012年增长12.05%。各类经济林产品总量达到1.48亿 t。大径竹材产量为18.77亿根，比2012年增长14.16%。年末实有花卉种植面积104.25万 hm²；切花切叶182亿支；盆栽植物54亿盆；观赏苗木124亿株；草坪4.73亿 m²。

2013年，全国商品材总产量为8438.50万 m³，比2012年增长3.22%。锯材产量持续增长，产量为6297.60万 m³，比2012年增长13.10%。人造板产量保持增长，产量达到25559.91万 m³，比2012年增长14.43%。木竹地板产量恢复增长，产量为6.89亿 m²，同比增长14.06%。2013年，全国木制家具总产量23646.35万件，比2012年减少1.05%。木浆产量882万 t，比2012年增长8.89%。2013年，木材战略储备基地建设稳步推进，划定国家储备林35.3万 hm²。2013年，全国涉林旅游和休闲的人数达到16.07亿人次，旅游收入达到4249.65亿元。

1.5.1.4.2　林业改革又有新的突破，林业政策进一步完善

2013年，集体林权制度改革取得新进展。全国除上海和西藏以外的29个省份已确权面积27.05亿亩。全国累计发证面积达26.41亿亩，占已确权林地总面积的

97.63%。发证户数 9076.94 万户，占涉及集体林权制度改革总户数的 60.53%。26 个省份建立了地方森林生态效益补偿基金制度。26 个省份林权抵押贷款面积 7015.09 万亩，贷款金额 1166.00 亿元。24 个省份开展了森林保险，投保面积 13.64 亿亩，保险金额 6571.84 亿元，保费 17.20 亿元。24 个省份成立县级及以上的林权交易服务机构 1380 个，成立 855 个资产评估机构。全国累计流转集体林地 2.19 亿亩，占已确权林地的 8.10%。全国共建立林业专业合作组织 11.57 万个。2013 年全国林下经济产值达 4575.75 亿元，参与农户 5301.90 万户。在国有林场改革方面，2013 年 8 月，经国务院同意，国家发改委和国家林业局正式批复了国有林场改革试点实施方案，国有林场改革试点进入了实质推进的阶段。改革试点涉及 865 个国有林场，18 万职工，经营面积 5859 万亩。

2013 年，国家出台了一系列林业政策。一是在林业重点工程建设管理方面，国家出台了加强天保工程区森林抚育和公益林管护指导意见，提高了巩固退耕还林成果部分项目的补助标准，将基本口粮田建设补助标准南方由 600 元/亩提高到 750 元/亩、北方由 400 元/亩提高到 500 元/亩，补植补造补助标准由 50 元/亩提高到 100 元/亩。二是在林业规划方面，《推进生态文明建设规划纲要》和其他林业专项规划相继颁布实施，宏观调控能力明显增强。三是在资源保护方面，明确国家级公益林实行分级管理；从严控制矿产资源开发等项目占用东北、内蒙古重点国有林区林地；对采集、采挖树木和运输、经营采挖树木的管理作了新的规定。四是在森林防火队伍建设和森林公安办案权限方面，明确森林公安机关可以依法以其归属的林业主管部门的名义受理、查处林业行政案件，办理《中华人民共和国森林法》规定的林业行政案件，森林公安机关应当以自己的名义受理、立案、调查、做出处罚决定；规范了森林消防队伍的分类和建设标准。五是在产业发展方面，国家林业局印发了《国家林业局关于公布首批国家林业重点龙头企业名单的通知》，认定了 128 家国家林业重点龙头企业；国务院办公厅印发了《关于深化种业体制改革提升创新能力的意见》，提出了七方面要求；国家林业局下发了《关于进一步改进人造板检疫管理的通知》，明确刨花板类、纤维板类、胶合板类、饰面人造板类不再实施植物检疫。六是中央财政支持林业发展力度进一步加大，沙化土地封禁保护补助和林下经济中药材种植补贴试点启动，3 项林业行政事业性收费被取消或免征。

1.5.1.4.3　林业投资规模继续扩大，重点投向生态保护与资源恢复

2013 年，全国林业建设新增到位资金 3730.87 亿元。与 2012 年相比，新到位资金增长了 13.02%。其中，国家预算资金投入 1726.34 亿元，与 2012 年相比增长了 10.92%，占当年到位资金的 46.27%；国内贷款为 385.57 亿元，增长了 17.41%，占当年到位林业建设资金的 10.33%；发行债券筹集到林业建设资金 0.02 亿元；自筹资金 1316.37 亿元，增长了 23.62%，占当年林业资金来源的 35.28%；其他来源资金为 251.93 亿元，减少了 20.38%，占全年林业各类建设资金的 6.75%。2013 年，全国林业实际利用外资 8.05 亿美元，与 2012 年相比增长了 55.41%。林业实际利用外资金额占全国外商直接投资（1175.86 亿美元）的 0.68%。2013 年，林业投资实际完成 3782.27 亿元。按建设内容分，用于生态建设与保护的投资为 1870.58 亿元，占全部林业投资完成额的 49.46%；用于林木种苗、森林防火、有害生物防治等林业支撑与保障的投资为 221.68 亿元，用于林业产业发展的资金为 1077.62 亿元，用于林业民生工程的资金为 186.84 亿元，其他资金 425.55 亿元，在林业投资完成额中所占比重依次为 5.86%、28.49%、4.94% 和 11.25%。

1.5.1.4.4　林业种苗建设、国有林场各项工作稳步推进

2013 年，中央预算内投资计划下达林木种苗工程建设投资 2 亿元，投资规模与 2012 年持平。2013 年，建设林木种苗工程项目 118 个，建设规模 6362.66hm²。2013 年，全国共采收林木种子 2668 万 kg，其中全国采种基地共采收种子 506 万 kg，占全国林木种子采收量的 18.95%。全国良种基地共生产种子 167 万 kg，生产穗条 42 亿条（根）。2013 年，林木种苗管理机构建设明显加强，内蒙古、福建、新疆等 3 省份完成 76 个地（市）、县的林木种苗管理机构建设任务。

2013 年，国有林场扶贫工作力度加大，中央财政投入扶贫资金 3000 万元，扶贫资金总量达 3.5 亿元，改善了 28 个省份的 847 个国有贫困林场生产生活条件。国有林场森林经营工作稳步推进，中央财政森林抚育补贴任务落实到国有林场面积 1916.1 万亩，涉及 2696 个国有林场，补贴资金 20.4 亿元。国有林场基础设施建设不断加强，实施国有林场危旧房改造 10110 户，下达中央预算内投资 1.13 亿元；在国家下达的 464.2 亿元保障性安居工程配套基础设施投资中，落实国有林场危旧房改造配套基础设施投资 31 亿元。2013 年，国有林场营业总收入 159 亿元，比 2012 增加 7.36%；营业总成本 186.4 亿元，比 2012 增加 12.02%。

1.5.1.4.5　区域林业发展各具特色，区域优势逐渐形成

东部地区：该区域包括北京、天津、河北、山东、上海、江苏、浙江、福建、广东、海南 10 省份，经济实力雄厚，人口众多，林业发展的自然、经济基础较好，生态状况良好，林业产业较为发达，林业发展态势较好，集体林业占据主要地位，是我国重要的林产品生产基地，是我国重要的林业经济发展优势区域。区内森林覆盖率 36.98%，人均林地面积仅为 0.08hm²，为各区最低，日益增长的生态需求与有限的生态供给的矛盾仍然存在。区内林业产业总产值 23992.56 亿元，比 2012 年增长

16.82%，占全国林业产业总产值的 50.71%。单位森林面积实现林业产业产值 69963 元/hm²，是全国平均水平的 3.07 倍。各省林业产业总产值超过 3000 亿元的 6 个省份中东部占了 5 个，分别是广东、山东、福建、江苏和浙江。区内生产锯材、人造板、竹木地板分别占全国的 36.95%、58.46% 和 64.87%。区内生产各类经济林产品总量、水果和干果产量分别占全国总产量的 38.73%、41.06% 和 26.24%。该区是我国花卉产业的主要聚集优势区域。

中部地区：该区域包括山西、河南、湖北、湖南、江西、安徽 6 省份，是我国主要的集体林区省份，林业产业较为发达，作为东部与西部的过渡地带，林业表现出较强的发展潜力。区内森林覆盖率 36.45%。区内林业产业总产值 9505.44 亿元，比 2012 年增长 24.72%，占全国林业产业总产值的 20.09%。区内油茶林面积 237.99 万 hm²，占全国的 67.43%。木本油料和木本药材产品占全国总产量的 70.96% 和 34.15%。木本油料和木本药材种植成为这一区域的特色和优势。中部地区用占全国 18.05% 的森林面积产出了占全国 20%～30% 的各类林产品。林业主要灾害在这一地区仍较为严重，区内森林火灾偏重发生；森林火灾发生率是全国平均水平的 2 倍多，预防和控制森林火灾的任务依然艰巨。

西部地区：该区域包括内蒙古、广西、重庆、四川、贵州、云南、西藏、陕西、甘肃、青海、宁夏、新疆 12 个省份。该区域地域广阔，国土面积占全国总土地面积的七成，尽管森林资源总量大，但生态环境脆弱，林业经济总量较小，产业结构单一，林业建设与保护的任务艰巨。区内森林覆盖率 18.03%。区内共完成造林面积 317.99 万 hm²，占全国造林总面积的 52.13%；区内以公有制经济造林为主体，其中重点工程造林总面积 161.41 万 hm²，占该区总造林面积 50.76%。区内的自然保护区个数和面积居各区之首。林产调料产品、木本药材、林产工业原料分别占全国的 68.31%、49.22% 和 56.85%。该区是我国林副产品的主产区之一，林下经济发展颇具特色和竞争力。区内完成林业投资 1651.99 亿元，占全国总投资额的 43.68%，比 2012 年增长了 14.25%，其中国家投资占 34.99%；西部地区仍是国家林业投资的重点区域。

东北地区：该区域包括辽宁、吉林、黑龙江 3 省份。土地面积约为国土面积的一成，但区域的森林资源和林业发展在全国范围内具有举足轻重的作用。林业区位熵指数为 0.99，林业专业化程度和林业产业集中度为各区最高。国有林区 135 个森工局有 82 个分布在该区，国有经济比重较高。区内森林覆盖率为 40.84%，为四大区域中最高。该区域森林食品占全国总产量的 35.93%，是我国森林食品的主产区。2013 年，区内完成林业投资 360.93 亿元，其中国家投资占 70.22%，国家林业公共财政投资力度较大。区内林业系统在岗职工人数48.78万人，占全国的39.93%，居各区之首。该区的林业在岗职工年平均工资23747元，尽管有小幅增加，但仍为各区最低。区内火灾发生率和受害率均为各区域最低，森林火灾的预防和控制成效显著。

1.5.1.4.6 林产品贸易市场景气回升，出口增幅大于进口增幅，重现贸易顺差

2013年林产品出口644.55亿美元，比2012年增长9.82%，占全国商品出口额的2.92%；林产品进口640.88亿美元，比2012年增加3.45%，占全国商品进口额的3.29%。

2013年木材产品市场总供给为52247.42万m^3，比2012年增长5.57%。其中：国内商品材产量为8438.50万m^3，木质刨花板和纤维板折合木材（扣除与薪材供给的重复计算）13953.15万m^3，农民自用材和烧柴产量为4550.67万m^3，进口原木及其他木质林产品折合木材24943.46万m^3，上年库存、超限额采伐等形式形成的木材供给为361.63万m^3。木质林产品进口中，原木进口4515.94万m^3，比2012年增长19.18%，锯材进口2404.30万m^3，比2012年增加16.32%。胶合板、纤维板和刨花板的进口量分别为15.47万m^3、22.62万m^3和58.68万m^3，与2012年相比，胶合板进口量减少了13.48%。纤维板和刨花板进口量分别增加了6.93%和8.52%；木家具进口7.08亿美元，比2012年增长18.79%；木浆进口1678.18万t，比2012年增长2.45%；纸和纸制品（按木纤维浆比例折合值）进口297.12万t，比2012年下降8.70%；废纸进口2923.68万t，比2012年减少2.76%。2013年木材产品市场总供给为52247.42万m^3，比2012年增长5.57%。其中：工业与建筑用材消耗量为39985.05万m^3，农民自用材（扣除农民建房用材）和烧柴消耗量为3088.72万m^3，出口原木及其他木质林产品折合木材9173.65万m^3。木质林产品出口中，原木出口1.31万m^3，锯材（不包括特形材）出口45.82万m^3，比2012年下降4.50%。胶合板、纤维板和刨花板的出口量分别为1026.34万m^3、306.87万m^3和27.13万m^3，与2012年比，胶合板和刨花板出口量分别分别增长2.31%、9.66%和25.20%，纤维板出口量下降14.97%；木家具出口194.41亿美元，比2012年增长6.06%；纸和纸制品（按木纤维浆比例折合值）出口762.23万t，比2012年增长18.28%。

2013年中国木材市场价格综合指数由1月的106.5%波动上升至12月的116.9%；木材进口价格综合指数由1月的113.4%波动上涨至12月的120.8%。

2013年非木质林产品出口162.34亿美元，比2012年增长11.50%，占林产品出口额的25.19%；进口228.80亿美元，比2012年下降6.67%，占林产品进口额的35.70%。2013年，美国、日本仍为主要的出口市场，进口市场则以美国、东南亚地区、加拿大为主，但进出口贸易的市场集中度略有下降。按市场份额，前5位出口贸易伙伴依次是美国 22. 23% 、日本 9. 19% 、中国香港 6. 53% 、英国 4. 13% 、马来西亚 3. 71% ；前 5 位进口贸易伙伴分别为美国 13. 14% 、泰国 12. 03% 、印度尼西亚 9. 28% 、加拿大 8. 05% 、马来西亚 7. 02% 。

1.5.2　林产工业在中国林业产业及国民经济中的地位和作用

1.5.2.1　林产工业的概念

林产工业是以森林资源为基础，以技术和资金为手段，以获取经济利益为目的，有效组织生产和提供各种物质及非物质的朝阳行业，也被称为常青工业。包括木材加工、人造板、纸浆造纸和林产化工等产业，其主要产品包括门窗、地板、锯材、人造板及其二次加工产品、纸和纸板、竹木制品、活性炭、栲胶、天然香料和其他林化产品等。

林产工业是资源可再生型产业。林产工业的发展依赖森林资源的供给，其发展规模必须与森林资源的丰富程度相适应。从长远考虑，只要重视原料基地的建设，遵循可持续发展的原则，在发展林产工业的同时，森林资源完全可以做到长大于消，永续利用。

林产工业是相对完整的产业体系，从森林资源培育开始，产业链一直延伸到木材加工、人造板、制浆造纸和林产化工等各产业，形成互相制约又互相促进的有机整体。森林资源培育是林产工业各产业发展的基础，对林产工业的发展具有保障作用，而林产工业各产业的发展对森林资源培育具有重要的带动作用。

随着中国国民经济的快速发展和人民生活水平的不断提高，国内对林产品的需求量急剧增加，作为资源可再生型产业的林产工业在保证国家经济建设和人民生活需求方面也发挥了重要的作用。

1.5.2.2　林产工业在中国林业产业及国民经济中的地位和作用

林产工业的发展以利用中国丰富的山地、水、热和劳动力资源为基础，其发展对于中国林业经济乃至国民经济的发展都起到了非常重要的作用。

第一，林产工业是国民经济的重要组成部分。中国已成为世界林产工业制造中心。人造板总产量、中密度纤维板产量、脂松香和胶合板的产量与出口量均居世界第一。纸和纸板总生产量和消费量居世界第一。2013 家具出口达 518. 2 亿美元，继续位居世界第一。

木材用途很广，在工农业生产、国家建设和人民生活中必不可少。工业生产中木材被人们称誉为"工业中的骨骼""绿色的钢铁"。建造 10000m^2 房屋需木材 600 ～ 1000m^3；每生产 1t 纸需木材 3. 5 ～5. 5m^3。在农业生产方面，水利工程设施、车辆、船只、粮仓、畜圈、温室等的制造、修建，也都需要大量的木材。国防建设也需要大量木材。此外，在科学文化教育方面，图书用纸、仪器制造、文化体育用具、科学实验设施、设备等都需要木材。人民日常生活更是离不开木材。

随着工业生产和科学技术的不断发展，木材加工产品的种类越来越多，用途越来越广。目前，主要的木材加工产品有人造板、人造纤维及木材的水解、热解产品。人造板的主要种类有胶合板、纤维板、刨花板、细木工板、木丝板等，都能代替板材使用。特种胶合板可用于制造车船和飞机。软质纤维板有弹性，能吸音，能减少噪音，能保温，又是一种良好的绝缘材料。木材经过化学处理，可制成光亮美丽的人造丝和柔软暖和的人造毛。木材经过水解，可制造出多种糖类以及甲醇、糠醛和挥发性有机酸。糖类经过发酵，又能制造出酒精、液体二氧化碳和干冰、饲料酵母以及木素等产品。木材经过热解，可得到木炭、木煤气和粗木醋酸。木材的水解、热解产品，已被广泛应用于金属冶炼、军工、纺织、医药、食品等工业部门。

第二，促进林业的整体发展。林产工业的出现，极大地调动了林区群众的造林积极性，尤其是在山区、边远山区、民族聚集区，在推进新林区建设的同时，也给中国林区建设的发展奠定了良好的基础。林业产业快速发展对木材的大量需求拉动了人工林发展，这也是中国人工林保有面积成为世界第一的重要原因。人工林保有面积为减排二氧化碳和缓解气候变暖作出了积极贡献。

林产工业是生产和生活用品的重要来源，是山区和林区经济发展的重要支柱，也是促进林业和绿色产业发展的重要基础。森林的木质、非木质林产品生产具有持续性、再生性和环境友好性，是国民经济和人民生活的重要生产资料、生活资料和可更新的生物能源。另外，林产工业作为工业立区的支柱产业的优先发展，其所创造的良好发展环境，有利于更好地招商引资，调整产品结构，从而更好地满足中国区域经济的发展。

第三，解决中国木材供需矛盾，满足社会对林产品的需求。从1998年中国实施天然林保护工程以来，中国木材产量有所控制，每年木材供需缺口达1亿 m^3 以上。随着经济社会发展和人口增长以及人民生活水平的提高，对林产品和木材的需求将不断增长，供需缺口将进一步加大。当今世界各国都日益重视森林资源保护，不少国家限制木材出口，长期依靠国际市场进口木材等林产品并不现实；从国际市场看，木材等林产品已经成为世界性紧缺商品。木材作为一种可再生资源，用其他非生物材料代替既不经济，也不利于人类健康，而未来的发展方向是用可再生资源代替不可再生资源。因此，发展以森林培育为基础的林产工业，推进产业结构和产品结构升级，提高木材利用率，有助于解决中国木材供需矛盾，以满足中国经济发展和人民生活水平提高的需要。

林产工业除生产木材外，还能生产丰富的非木质林产品，如木本油料、香料、染料、药材、松香、竹藤、林产化工产品、森林食品等。非木材林产品的种类用途层出不穷。许多新药品，如抗生素、止痛药、强心剂、抗凝药、避孕药等的有效成分不断在森林植物中发现。如古老的银杏果叶含有大量对血管病有重要保养和治疗价值的黄酮类要素；稀有的红豆杉含有对癌症具有治疗作用的紫杉醇。用森林植物制成的生物化学制剂杀虫剂可替代剧毒农药，减少环境污染。随着经济社会的快速发展和人们消费观念的不断变化，人们对林产品的需求量越来越大，产品质量档次要求也越来越高。据估计，在人均 GDP 超过 1000～3000 美元时，消费者的消费观点将逐步转移到住和行上，人均木材和纸张消费水平将会有较大提高。就目前形势来看，林产品贸易量依然进大于出。所以，对于中国的林产工业来说，发展的空间很大。

第四，林产工业是一个富民产业，林产工业的发展，带动了林区经济及国民经济的繁荣发展，缓解了就业及失业状况，为保障社会稳定及人民团结作出了积极的贡献。林产工业产业链长，覆盖范围广，在为社会创造重要经济效益的同时，也在增加就业、农民增收、脱贫致富方面发挥了重要作用，对解决"三农"问题，建设社会主义新农村作出积极的贡献。

中国山区面积占国土面积的 69%，人口占 56%，贫困人口主要集中在这些地区。据统计，许多地方的林业产业收入占到农民总收入的 60% 以上，这充分说明了林产工业在解决农村问题上的重要性。比如，在西南的大部分地区，许多山区农民都靠非木材林产品来维持生计，他们的收入绝大多数来自林业。林业的发展带动了山区农村的建设，使山区农民安居乐业，融合和谐。对于中国这样一个农村人口占绝大部分比例的国家来说，发展非木材林产品工业是一项符合国情、林情的长期政策，对于解决中国的"三农"问题，建设社会主义新农村等举措将作出积极的贡献。

曾任日本野村综合研究所执行董事此本臣吾在 2008 年 7 月的《经济学人》周刊中介绍：在中国总共 4.9 亿农村适龄劳动人口中，有 1.8 亿人进入城市和乡镇企业打工，剩下的 3.1 亿人继续务农。但从耕地面积算只需 1.7 亿人，也就是说农村现拥有 1.4 亿之多的剩余劳动力，可见在中国农村提供就业机会是多么重要的事。由于林产工业基本属于劳动密集型产业，如果产业链上延到原料林营造业和原料采集业，劳动密集型特点就更为突出。近年来，由于木竹加工业、人造板制造业和木浆造纸业等的快速发展，为社会广开了就业渠道，吸纳了城乡大量社会劳动力。据统计，每生产 1 万 m^3 胶合板可实现就业 133 人；每生产 1 万 m^3 中密度纤维板可实现就业 61 人；每生产 1 万 m^3 刨花板可实现就业 66 人。按 2013 年人造板产量计，中国胶合板生产可实现就业 182.5 万人，中密度纤维板生产可实现就业 39.1 万人，刨花板生产可实现就业 12.4 万人，这些还不包括其上游和下游相关行业的就业人数。随着林产工业的不断发展，在安置和增加就业方面将会发挥重要作用。在许多富林山区，木竹、林果、食用菌、花卉、药材、森林食品、森林旅游等产业收入已超过当地经济收入的 50% 以上；为农民增收、脱贫致富发挥了重要作用。

第五，林产工业拉动了生态建设。林产工业与植树造林是相辅相成的，抑制林产工业则生态建设缺乏动力，发展林产工业则有利于激发植树造林的积极性。需求拉动生产，如果没有竹材在造纸及人造板方面的应用，很难想象浙江、江西、湖南、福建、云南等地大量竹子的种植。如果没有木质人造板生产的拉动，很难想象北方杨树、南方桉树的大面积种植。由于竹材和杨树、桉树的大量种植，使得这些地区的环境得到了根本的改观，且拉动了林产工业的发展。

总之，发展林产工业是符合中国生产力发展水平，发挥中国比较优势的现实选择。随着中国国民经济的持续快速发展和人们生活水平的日益提高，国内市场对林产工业产品的需求量亦在迅速增加，作为以再生资源为基础的可持续发展的产业——林产工业，是极具发展前途和潜力的。

1.5.3 基于低碳经济视角研究中国林产工业发展战略问题的意义

1.5.3.1 世界已经进入低碳经济时代

当前，全球气候正发生着以变暖为主要特征的显著变化，严重威胁到人类生存和可持续发展，已成为人类面临的最严重的危机之一。应对气候变化成了全球共同面临的重大挑战。作为应对气候变化的催生产物，"低碳经济"这一理念应运而生。2003 年 3 月英国在能源白皮书《能源的未来：创建低碳经济》中首次提出发展低碳经济，引起世界广泛的关注，迅速得到世界普遍认同。2006 年前世界银行首席经济学家尼古拉斯·斯特恩牵头作出的《斯特恩报告》呼吁全球向低碳经济转型；2007 年 7 月美国参议院提出了《低碳经济法案》，低碳经济的发展道路有望成为美国未来的重要战略选择；2007 年 12 月联合国气候变化大会制订的"巴厘岛路线图"要求发达国家在 2020 年前将温室气体减排 25%～40%，推动全球进一步迈向低碳经济；2008 年联合国环境规划署确定"世界环境日"（6 月 5 日）的主题为"转变传统观念，推行低碳经济"；2009 年主题是"你的地球需要你：联合国际力量，应对气候变化"；2009 年 12 月在丹麦首都哥本哈根举行的联合国气候变化大会，尽管没有达成法律协议，但面对减排的艰难前景，尽快发展低碳经济已成为各国的首要任务。欧盟以及美国、日本、澳大利亚等国家均已带头行动起来，推行低碳经济已成为全球的共同行动，世界已经进入低碳经济时代。

作为一种以低能耗、低排放、低污染为基础的经济模式，低碳经济是经济发展方式、能源消费方式、人类生活方式的一次新变革，是人类社会继农业文明、工业文明之后的又一次重大进步。面对世界掀起的推行低碳经济的新浪潮，中国对发展低碳经济持开放、积极的立场。2007 年 9 月 8 日，胡锦涛主席在亚太经合组织（APEC）第 15 次领导人会议上，明确主张"发展低碳经济"。2009 年 8 月 12 日温家宝总理在国务院常务会议上提出"培育以低碳排放为特征的新的经济增长点"。2009 年 9 月 22 日胡锦涛主席在联合围气候变化峰会开幕式上发表题为《携手应对气候变化挑战》的重要讲话，明确指出中国要"积极发展低碳经济"。近年来中国出台了一系列的应对气候变化、发展低碳经济的相关政策、措施。中国发展低碳经济，顺应世界潮流、合乎中国国情，是全面贯彻落实科学发展观，实现可持续发展的必由之路。

1.5.3.2 低碳经济时代的中国林业

1.5.3.2.1 低碳经济为林业提供了良好的发展环境

首先，从国内外发展环境来看。在国际上，随着国际社会对林业认识的日益深化，以及林业在应对气候变化、经济全球化等方面的影响力不断提高，凸显了林业对维护国家利益、提升国家形象发挥着越来越重要的作用。一是在联合国应对气候变化峰会、丹麦哥本哈根和墨西哥坎昆气候大会、亚太经合组织领导人会议、第十三届世界林业大会等国际重要场合，林业对经济社会可持续发展的制衡作用备受关注。二是国际经济环境正在发生深刻变化，林业经济增长方式面临深度调整，对中国调整林业产业结构、扩大林产品出口和拉动内需带来巨大的外部压力，也形成了调整的内生动力。三是随着后危机时代的到来，世界科技创新正孕育新的突破，为中国林业充分利用国际创新资源提供了难得的机遇。

从国内看，中国的发展条件和动力正在发生深刻变化，经济、政治、文化、社会、生态文明建设并列构成中国特色社会主义事业"五位一体"的总体布局，坚持协调发展、绿色发展、共享发展，加快实现结构调整、民生改善、生态建设等战略目标，为林业提供了前所未有的发展机遇。同时，西部大开发、振兴东北等老工业基地和中部崛起战略的深入推进，全国主体功能区规划和长三角、珠三角、环渤海、大小兴安岭林区生态保护与经济转型等区域规划的实施，以及国家宏观经济政策保持连续性、稳定性，为林业发展提供了更多的政策支持和更加广阔的发展空间。

其次，国家在实施低碳经济中把发展林业作为战略选择。

中国作为一个负责任的发展中大国，坚定不移地走低碳经济之路。2007 年，国家主席胡锦涛在第 15 次亚太经济合作组织会议上提出了建立"亚太森林恢复和可持续管理网络"的重要倡议，并承诺到 2010 年中国森林覆盖率要达到 20%，被誉为"应对气候变化的森林方案"。2009 年 6 月，中央林业工作会议首次提出在应对气候变化中要赋予林业以"特殊地位"。2009 年 9 月，胡锦涛主席在联合国举行的气候变化峰会上又提出了增加森林碳汇等建议，并承诺到 2020 年中国要增加森林面积 4000 万 hm^2，增加森林蓄积量 13 亿 m^3，赢得世界各国的高度评价。2009 年 11 月，中国政府公布了控制温室气体排放行动目标，到 2020 年，中国单位国内生产总值二氧化碳排放比 2005 年下降 40% ~45%，并作为约束性指标纳入国民经济和社会发展中长期规划。其中，植树造林和加强森林管理作为实现这一目标的重要政策措施之一，中国到 2020 年的森林增长指标将作为林业的行动目标。2009 年 12 月，在全球瞩目的哥本哈根气候变化会议上，温家宝总理发表讲话指出，中国为应对气候变化作出了不懈努力和积极贡献，中国是世界人工造林面积最大的国家。时任国家林业局副局长祝列克在"林业与气候变化主题日"的新闻发布会，阐述了林业在应对气候变化的特殊地位，宣传中国林业在减缓全球气候变暖中的重要贡献。他表示，中国政府高度重视应对气候变化，把发展林业作为战略选择。近 10 年来，中国政府已投资 700 多亿美元发展林业，通过发展和保护森林，固定了大量二氧化碳等温室气体，在减缓气候变暖方面发挥了巨大作用，是全球应对气候变化的一个亮点。1980 ~2005 年，中国通过持续地开展造林、森林经营和控制毁林，净吸收和减少碳排放累计达 51.1 亿 t。仅 2004 年，中国森林净吸收了约 5 亿 t 二氧化碳当量，占同期全国温室气体排放总量的 8% 以上。

　　第三，低碳经济拓展了林业发展空间。建立低碳经济发展模式和低碳社会消费模式已成为全世界发展的共识。中国在实施低碳经济中确立了一条符合中国国情的低碳经济之路，这既为林业发展带来了机遇，更是历史赋予林业的重大使命。林业在发展低碳经济中，除了扩大森林面积和提高森林质量外，林业的碳封存、碳替代和碳保存功能也为林业产业发展拓展了新的空间。

1.5.3.2.2　林业在低碳经济发展中具有重要的作用

　　低碳经济发展战略是在全球气候变暖对人类生存和发展构成严峻挑战大背景下提出来的。加快林业发展是发展低碳经济，应对气候变暖最经济、最直接的途径。发展低碳经济既是林业发展的机遇，更是历史赋予林业的重大使命。

　　林业在减缓气候变暖的各种努力中具有不可替代的地位和作用。气候变化是当今人类面临的严峻挑战，危及人类生存和发展，也是低碳经济发展最大的障碍。应对气候变化，最有效的途径是工业直接减排和森林间接减排。与工业减排相比，森林固碳投资少、成本低、综合效益大，更具经济可行性和现实选择性。联合国政府间气候变化专门委员会在第 4 次全球气候变化评估报告中指出：与林业相关的措施如碳封存、碳替代和碳保存，可在很大程度上以较低成本减少温室气体排放并增加碳汇，从而缓解气候变化。森林和森林管理必须纳入应对气候变化的战略，这种全球共识正在形成。中国政府充分认识并高度重视森林在减缓气候变化中的独特作用，加快林业发展、增强森林碳汇功能已成为国家应对气候变化的战略选择。

森林是陆地生态系统中最大的"储碳库"。森林是固态的碳，是地球碳循环的重要载体，是维持空气碳平衡的重要杠杆，也是最有效的生物固碳方式，其增加或减少都将对大气二氧化碳产生重要影响。据联合国政府间气候变化专门委员（IPCC）的数据显示，全球陆地生态系统中存储了 24800 亿 t 碳，其中 11500 亿 t 碳存储在森林生态系统中。占全球土地面积约 30% 的森林，其森林植被的碳储量约占全球植被的 77%，森林土壤的碳储量约占全球土壤的 39%。

森林是陆地上最经济的"吸碳器"。森林是地球生物圈中大气成分平衡的主要调节者。森林是庞大的氧气制造厂。森林植物在其生长过程中通过光合作用，吸收大气中的二氧化碳，将其固定在森林生物量中。人类、动物和一些微生物都吸收氧气，放出二氧化碳，工业燃烧更要大量消耗氧气，排放二氧化碳。如果大气中的氧气不足，二氧化碳的浓度过高，则不但对人体健康有害，而且还可能引起地球气温上升，冰山溶化，海平面上升等严重恶果。植物通过光合作用，吸收大气中的二氧化碳，释放出大量的氧气，这样才能使大气中氧气和二氧化碳的含量保持平衡，并具有强大的固碳作用。要维持大气的成分平衡，主要靠绿色植物，尤其要靠森林。全球森林对碳的吸收和储量占全球每年大气和地表碳流动量的 90%。森林每生长 1 m^3 木材，约需要吸收 1.83 t 二氧化碳。增强碳吸收汇的林业活动包括造林、再造林、退化生态系统恢复、加强森林可持续经营以提高林地生产力等能够增加陆地植被和土壤储碳量的措施。造林、再造林和森林经营活动增强碳吸收汇已得到国际社会的广泛认同，并允许发达国家使用这些活动产生的碳汇用于抵消其承诺的温室气体减限排指标。

木材还具有碳替代功能。由于水泥、钢材、塑料等属于能源密集型材料，且生产这些材料消耗的能源以不可再生的化石燃料为主。如以木质林产品替代这些材料，不但可增加陆地碳贮存，还可减少生产这些材料的过程中化石燃料燃烧引起的温室气体排放。碳替代还可以用于生物质能源。森林生物质能源主要是用林木的果实或籽提炼柴油，用木质纤维燃烧发电。在化石能源日益枯竭的情况下，发展森林生物质能源已成为世界各国能源替代战略的重要选择。木材和木制品的合理使用可减缓全球气候变暖。森林每生产 10t 干物质，可吸收 16t 二氧化碳，释放 12t 氧气；森林每生长 1 m^3 蓄积量，可吸收固定 350 kg 二氧化碳。每公顷森林每年净吸收二氧化碳为：热带林 4.5～16t，温带林 2.7～11.25t，寒带林 1.8～9t。据联合国政府间气候变化专门委员会估算：全球陆地生态系统中约储存了 248000 亿 t 碳，其中 11500 亿 t 储存在森林生态系统中。全球森林年均吸收二氧化碳占生物固碳总量的八成，并为人类生存提供了60%的氧气。

树木由于在生长过程中吸收二氧化碳，在加工木制品过程中能耗小，可代替不可再生的产品和化石燃料，以及木制品在其使用寿命周期中有存储二氧化碳的作用，所以合理使用木材和木材制品对减轻全球变暖有着重要意义。据美国林业造纸协会报道，木结构民宅房屋的环境性能指标远优于类似用途的钢结构和混凝土结构民宅建筑的指标，包括能耗、对全球变暖的影响、对空气和水的污染及消耗资源的质量等。据估计，如果欧洲木材消费量年增加4%，每年存储在木材产品中的二氧化碳的环境价值就达18亿欧元。

可见，减少毁林、缓解森林退化、持续造林、森林可持续管理、生物能源利用等多方面的共同作用，对缓解气候变化具有巨大的潜力。因此，林业是当前和未来较长时期内，在经济、技术上都具有很大可行性的减缓气候变化的重要措施，而且在实施上述林业减缓措施时，不但能够以较低成本达到减少排放和增加碳汇的目的，并且这些减缓措施本身还可以和适应气候变化、推进经济社会可持续发展形成协同效应，带来诸如增加就业和收入、保护生物、流域保护、可再生能源和减贫等多种效益。因此，林业是发展低碳经济的有效途径，具体表现在：一是植树造林增加碳汇，改善人居环境，促进生态文明。在陆地生态系统中，森林是最大的有机碳库。森林面积虽然只占陆地总面积的1/3，但森林植被区的碳储量几乎占陆地碳库总量的46.37%；树木通过光合作用吸收了大气中大量的二氧化碳，减缓了温室效应。这就是森林的碳汇作用。二是加强森林经营、提高森林质量，促进碳吸收和固碳。三是保护森林控制森林火灾和病虫害，减少林地的征占用，减少碳排放。四是大力发展经济林特别是木本粮油包括生物质能源林。森林是仅次于煤炭、石油、天然气的第四大战略性能源资源，具有可再生、可降解的特点，而且还有不与人争粮、不与粮争地、一次种植可以持续利用几十年的优势，是大有希望的新兴绿色能源。五是森林作为生态游憩资源，为人们提供了低碳的休闲娱乐场所。森林就是一个巨大的旅游资源，生态旅游、森林旅游在给人民提供了较高的生活质量的同时，同样创造价值。六是使用木质林产品、延长其使用寿命，可固定大量二氧化碳。环保材料制造加工业，其产品可替代不可再生资源，减少资源消耗及二氧化碳排放量。七是保护湿地和林地土壤，减少碳排放。此外，森林固碳具有工业减排不可比拟的低成本优势，能够增加绿色就业、促进新农村建设等，还有保护生物多样性、涵养水源、保持水土、改善农业生产条件等适应气候变化的功能。

1.5.3.2.3 低碳经济发展对林业的具体影响

低碳经济发展对林业的具体影响可以从以下几方面进行分析。

第一，低碳经济的发展，有利于减少对森林的破坏、提高森林质量，从而促进森林面积和蓄积的增加。

森林是陆地上最大的储碳库。据专家研究，全球毁林引起的碳排放从 1850 年的每年 3 亿 t，增加到 20 世纪 50 年代初的每年 10 亿 t，到 20 世纪 80 年代末达到每年 20 亿~24 亿 t，占同期人类活动碳排放的 23%~27%。大规模破坏森林资源，不仅全面损害了全球森林的固碳能力，而且使其成为仅次于化石燃料的碳排放源。森林固定二氧化碳持久而稳定，是最经济有效的吸碳器。科学研究表明：林木每生长 1m³，平均吸收 1.83t 二氧化碳，放出 1.62t 氧气，全球森林对碳的吸收和储量占全球每年大气和地表碳流动量的 90%（贾治邦，2007）。因此，恢复和保护森林作为减排的重要措施受到了国际社会的高度重视，并被写入了《京都议定书》。

低碳经济的发展，首先会对减少对森林的破坏提出迫切的和直接的要求，这会促进政府采取有效措施，例如加大对森林火灾、病虫害和非法采伐、非法征占用林地行为的防控和处罚力度，从而减少对森林的破坏。其次，有利于提高森林质量。中国现有大面积的森林属于生物量密度较低的次生林，其固定二氧化碳能力仅为 91.75 t/hm²，大大低于全球中高纬度地区 157.81t/hm² 的平均值（贾治邦，2007）。提高森林质量和森林生长量，将会使中国单位面积森林的固碳能力有明显提高。因此，低碳经济的发展，会促进对现有森林的技术改造、经营抚育，提高森林质量。最后，会促进整体森林面积和蓄积的增加。

第二，低碳经济的发展，可以促进森林可持续经营，但可能会使森林的多功能利用偏向吸碳和减排。

森林可持续经营（forest sustainable management，FSM）：自 20 世纪 90 年代以来，在国际社会提出并得到广泛研究和推广，与传统的森林经营概念比较，森林可持续经营更注重森林经营的多种产品与服务功能的协调管理，即森林经营多目标的综合管理。森林可持续经营在中国被认为是实现林业可持续发展的关键，是现代林业的核心，但目前森林可持续经营仍然处在标准和指标研究制定阶段，实现的道路仍很遥远，预计到 21 世纪中叶，中国林业才能过渡到森林可持续经营阶段。低碳经济的发展对减少森林破坏和提高森林质量的要求，为促进森林可持续经营奠定了现实基础。而且，森林可持续经营的目标是通过现实和潜在森林生态系统的科学管理、合理经营，维持森林生态系统的健康和活力，维护生物多样性及其生态过程，以此来满足社会经济发展过程中对森林产品及其环境服务功能的需求，保障和促进社会、经济、资源、环境的持续协调发展，从根本上来说，是与发展低碳经济、应对气候变化的目标是一致的。但是，低碳经济的发展对森林的特殊要求，可能会使森林的多功能利用偏向吸碳和减排，这就可能与森林可持续经营现有标准和指标相矛盾。对此，要一方面根据社会经济发展的需要修订森林可持续经营标准和指标，另一方面，要注意在低碳经济中森林多目标利用的协调，不能为了低碳经济的需要忽视了其他社会经济目标。

第三，低碳经济的发展，可能会抑制森林认证的开展，形成新的林产品贸易壁垒。

森林认证包括森林经营认证(forest management certification，FMC)和产品产销监管链认证(Chain of Custody，COC)两部分。作为一种运用市场机制来促进森林可持续经营，实现生态、社会和经济目标的工具，自1994年森林管理委员会(Forest Stewardship Council，FSC)开始实施以来，在全球范围内取得了快速的发展。中国从2002年第1家森林经营单位获得FSC的FMC认证和1998年第1家企业获得COC认证以来，截至2015年2月2日，中国通过FSC认证的森林面积为222.4万 hm^2，认证的企业为3797家。在中国FMC认证发展较为缓慢，COC认证发展较快，但相对于中国1.7亿 hm^2 的森林面积和数以万计的木材加工企业来说，仍微乎其微。低碳经济的发展，会促进森林可持续经营，因此，有利于FMC的开展，但却不一定有利于COC的开展。这是因为低碳经济的发展，会促进低碳产品认证的开展。据报道，近年来，国外低碳产品认证项目不断涌现，已有德国、英国、日本、韩国等十几个国家开展低碳产品认证。2009年10月15日，环保部环境发展中心与德国技术合作公司签约"中德低碳产品认证合作项目"，推广低碳产品认证，通过向产品授予低碳标志，从而向社会推进一个以顾客为导向的低碳产品采购和消费模式，以公众的消费选择引导和鼓励企业开发低碳产品技术，向低碳生产模式转变，最终达到减少全球温室气体的效果。这样，在国内外大力发展低碳经济背景下，低碳产品认证可能会成为一种新的而且更加现实的贸易壁垒，而且操作性相对于森林认证要简单，会使企业更加偏向低碳产品认证，从而弱化企业对COC认证的需求，进而影响FMC的开展。

第四，低碳经济的发展，会促进林木生物质能源的发展。

传统化石燃料是世界上最大的碳排放源，减少化石燃料的使用是发展低碳经济的核心。林木生物质能源作为一种可再生资源，使用时虽然也排放一定量的二氧化碳，但是其排放的二氧化碳在下一个林木生物质能源的培育周期内可以被吸收。从可持续和长期的培育和使用角度考虑，林木生物质能源排放的二氧化碳几乎为零。中国林木生物质资源丰富，分布广泛，可利用的总量巨大，可选择的物种种类多。中国现有每年可获得的林木生物质资源总量约8亿～10亿t，其中可作为能源利用的生物量为3

亿 t 以上，可替代 2 亿 t 标准煤，相当于目前中国化石能源消耗量的 1/10。林木生物质能源的环境友好性、可持续利用性和低污染性等特点都预示着林木生物质能源的巨大潜力和广阔前景。目前中国在木质燃料发电、木质成型燃料、生物柴油、木质纤维乙醇等林木生物质能源产业基本上具备了产业化发展的一些基本条件，但也面临技术有待进一步突破、政策支持力度不足等问题。随着低碳经济的兴起，"十二五"非化石能源在能源消费中比重达到 15% 的目标，相信国家会给予林木生物质能源产业更大的扶持力度，林木生物质能源将会有一个大的发展。

第五，低碳经济的发展，会促进林业 CDM 项目发展。

清洁发展机制(clean development mechanism, CDM) 是 1997 年《京都议定书》确定的"联合履行"(JI)、"清洁发展机制"(CDM)和"排放贸易"(ET)3 种境外减排的灵活机制之一，指发达国家把帮助发展中国家削减的排放量算做本国的削减量，是针对发达国家与发展中国家的履约机制，使发达国家以较低成本实现减排目标，缓解其国内减排压力。CDM 包括 CDM 减排项目和碳汇项目，减排项目指通过项目活动有益于减少温室气体排放的项目，主要是在工业、能源部门，通过提高能源利用效率、采用替代性或可更新能源来减少温室气体排放。CDM 碳汇项目，指能够通过土地利用、土地利用变化和林业(LULUCF)项目活动增加陆地碳储量的项目，如造林、再造林、森林管理、植被恢复、农地管理、牧地管理等。森林碳汇(CDM 造林、再造林)项目属于 CDM 碳汇项目，目前，内蒙古、四川、云南、安徽、广西、山西、河北等省区都在开展森林碳汇项目。随着低碳经济的发展，发达国家面临越来越大的减排压力，寻求更经济有效的减排途径成为其首要选择。因此，中国开展森林碳汇(CDM 造林、再造林)项目将面临更多机遇。2009 年 8 月 12 日，温家宝总理主持的研究部署应对气候变化有关工作的国务院常务会议明确提出要积极开展国际交流与合作，"拓展应对气候变化国际合作渠道，加快资金、技术和人才引进"，因此，低碳经济的发展，会促进林业 CDM 项目发展。CDM 碳汇项目的实施将会给中国生态林建设提供资金支持，有力地促进其建设规模和速度。中国在林木生物质能源发展中也应考虑与发达国家合作，加入到 CDM 减排项目中，这也将促进中国能源林的建设。

第六，低碳经济的发展，会促进木材产品的使用。

木质类产品在生产和加工过程中所消耗的能源，大大低于铁和铝等金属产品，可以抑制化石燃料的消耗。国际能源机构测算，用木结构代替钢结构，能耗可从 300 降为 100，用木结构代替钢筋混凝土结构，能耗可从 800 降为 100；中国研究表明，用木材替代水泥、砖等材料，1m³ 木材约可减排 0.8t 二氧化碳当量。关键是木材源于可再生的森林资源，在森林可持续经营前提下，木材产品排放的二氧化碳只有在加工过程中的排放。因此，增加木材使用，并尽量延长木材使用寿命，对降低能耗、增加减排具有重要意义，符合低碳经济发展的要求。这将对中国传统的"以钢代木""以塑代木"政策提出挑战，也有利于促进延长木材使用寿命的相关技术的研发和推广。

第七，低碳经济的发展，会引导大量资金投向节能减排，有可能会挤占政府投向林业的财政资金。

2009年8月12日，温家宝总理主持的研究部署应对气候变化有关工作的国务院常务会议明确提出要"培育以低碳排放为特征的新的经济增长点，加快建设以低碳排放为特征的工业、建筑、交通体系"。为实现"十二五"单位国内生产总值能耗比2010年下降16%的目标，政府今后将会把大量资金重点投向节能减排，在政府资金既定的情况下，有可能会挤占政府投向林业的财政资金，这种挤占可能并不会减少当前投向林业的财政资金，更有可能会使未来林业获得的财政资金的增幅减少。这对目前天然林保护、退耕还林、生态公益林效益补偿等林业项目中标准过低现状的改善以及项目维持、新增后续项目都将会产生重大影响。对此，林业部门必须给予高度重视。

1.5.3.2.4 林业产业应实现低碳化发展

低碳经济的发展涉及能源、交通、建筑、工业、农业、林业和废弃物处理等众多领域（王春峰，2008）。林业作为生态环境建设的主体，具有生态、经济和社会三大效益，是集一、二、三产业为一体的基础性产业和社会公益事业。林业可持续经营的主体——森林，是最大的陆地碳库，具有强大的碳汇功能，且森林作为生物类材料具有环保性，是一种低碳经济材料（铁铮，2009）。因此，发展林业低碳经济，制定完善的林业低碳经济发展政策体系，有利于中国建立比较完备的林业生态体系和比较发达的林业产业体系，培育林业新的经济增长点，实现林业可持续发展战略。

林业作为社会公益事业，具有明显的低碳性，主要体现在森林强大的碳汇功能。森林的碳汇功能是指森林在生长过程中，通过光合作用，将排放到大气中的 CO_2 吸收后以生物量的形式固定下来，从而减缓全球气候变暖的功能。但是，森林在遭受砍伐、火灾或病虫害破坏后，会转变成为碳源，一方面被破坏的林木因腐解或燃烧而释放到大气中的 CO_2 数量增加，从而加剧气候变暖；另一方面森林在遭受砍伐、火灾或病虫害破坏后，会导致林地裸露，森林土壤呼吸加快，使大量的有机碳以 CO_2 形式从森林土壤这个巨大碳库里释放到大气中，导致大气中 CO_2 浓度的升高，促进气候变暖。

联合国《2000年全球生态展望》指出，全球森林已从人类文明初期的约76亿 hm^2 减少到38亿 hm^2，减少了50%，难以支撑人类文明的大厦，对全球气候变暖造成了严重影响。联合国粮农组织（FAO）的数据，2000~2005年，全球年均毁林面积为730万 hm^2。IPCC第四次评估报告指出，2004年，源自森林排放的温室气体约占全球温室气体排放总量的 17.4%，仅次于能源和工业部门，位列第三。而且，目前全球森林减少的趋势仍在继续。围绕哥本哈根乃至今后的国际谈判，许多国家和国际组织都在积极倡导通过恢复和保护森林生态系统，以推动"减少毁林和退化林地造成的碳排放（REDD＋）"等政策的制定，以控制温室气体排放，减缓气候变暖。

此外，林业在生产过程中也是一个碳源，特别是森林培育过程中施用化肥、土壤改良以及林产加工过程中化石能源的使用等。森林培育过程中施用化肥会加速森林土壤中有机碳的矿化，进而向大气中排放大量的 CO_2 等温室气体，尿素施用过程中碳素的易挥发性会导致大量 CO_2 的损失；为促进林木生长，向森林土壤中施用石灰改良酸性土壤时，土壤中碳酸盐和重碳酸盐的溶解和释放过程中也会产生大量的 CO_2。由此可见，在全球气候变暖过程中林业生产活动也会产生重大影响，发展林业低碳经济是非常必要的。

森林经营管理如何通过科学规划增加森林面积，利用科学经营提升森林质量，增强碳汇功能？森林培育过程如何选用先进的造林技术、开发和使用低碳技术来降低碳排放？林产加工业如何通过新技术、循环经济和开发生物质能源来实现低碳排放？这都是林业低碳经济所需研究的内容，由此促进林业低碳经济的建设与发展，增加森林碳汇功能，实现林业节能减排。

第2章 中国林产工业低碳化发展的理论基础

发展林产工业是贯彻落实科学发展观、促进节能减排的重大举措，是促进中国工业振兴和实现跨越式发展、积极应对国际金融危机的有效手段，也是一项功在当代、利在千秋的宏伟大业。当前低碳经济已成为新的经济增长点和战略调整的制高点，是目前各国应对全球金融危机的一项重要内容。在此形势下，促进中国林产工业发展意义更为重大，影响更为深远、工作更加紧迫。实践证明，一般情况下，市场调节这只"看不见的手"在资源配置方面要比政府调控更有效率。但也不可否认，市场也存在某种程度上的自发性、盲目性、滞后性，完全的自由放任会导致市场失灵，并不总能达到完美的理想境界。市场的这种弱点和不足，必须靠政府的宏观调控来弥补和克服。政策作为国家宏观调控的重要手段之一，具有重要的导向、管制、调控和分配功能，当市场条件不能很好地发挥作用时，可以通过宏观调控这只"看得见的手"使外部效应内部化，当然在宏观调控的过程中必须注意政府干预的合理性。也就是说，要坚持可持续发展的理念，大力发展低碳经济，通过市场对资源的有效配置和政府的宏观调控来共同推动低碳林产工业的发展。

2.1 林产工业低碳化发展的理论依据

2.1.1 可持续发展理论

随着经济的发展，人类社会对环境的冲击力大大增强，全球范围的环境污染和破坏日益严重，于是环境问题开始作为一个重大的科学技术问题由一些科学家提出。"环境问题"的提出，人们首先根据传统理论研究治理方法和技术，同时人们进一步体会到，仅靠科技手段，用工业文明方式作为定式去修补环境是不能从根本上解决环境问题的，必须在各个层次上去调控人类社会的行为和支配人类社会行为。打着工业文明烙印的思想和观念，可持续发展作为一种新发展观悄然兴起，并日益引起国际社会的关注。特别是进入20世纪90年代以来，可持续发展以其崭新的价值观和光明的发展前景，被正式列入国际社会议程。1992 年的世界环境与发展会议，1994 年的世界人口与发展会议，1995 年的哥本哈根世界首脑会议，都将其作为重要议题，并提出了可持续发展战略构想。可持续发展理论要求改变单纯追求经济增长、忽视生态环境保护的传统发展模式，在保持经济快速增长的同时，强调通过产业结构调整与合理布局，依靠科技进步和提高劳动者素质，提倡文明消费和清洁生产，控制环境污染，改善生态环境，保持可持续发展的资源基础，建立"低消耗、高收益、低污染、高效益"的良性循环发展模式，使社会经济的发展既满足当代人的需求，又不至于对后代人的需求构成危害，最终达到社会、经济、生态和环境的持续稳定发展。它不单纯用国民生产总值作为衡量发展的唯一指标，而是用社会、经济、文化、环境等多项指标来衡量发展。这种发展观较好地把眼前利益与长远利益、局部利益与全局利益有机地统一起来，使经济社会能够沿着健康的轨道发展。目前，可持续发展理论已从学者学术讨论转向实践，成为全人类面向 21 世纪的共同选择。中国国民经济和社会发展"十一五"计划和 2010 年远景目标规划把可持续发展作为跨世纪的战略任务。同时，可持续发展业已成为人类迈向 21 世纪的行动纲领。

2.1.2　低碳经济理论

"低碳经济"的概念最早见诸于 2003 年英国政府颁布的英国能源白皮书《能源的未来：创建低碳经济》。随后，2007 年 9 月 8 日在亚太经合组织（APEC）第 15 次领导人会议上，国家主席胡锦涛郑重提出要"发展低碳经济""研发和推广低碳能源技术""增加碳汇""促进碳吸收技术发展"。所谓低碳经济，是指以低能耗、低污染、低排放为基础的经济模式，是人类社会继农业文明、工业文明之后的又一次重大进步，是一场涉及生产模式、生活方式、价值观念和国家权益的全球性革命。其中低碳能源是低碳经济的基本保障，清洁生产和绿色消费是低碳经济的关键环节，循环利用是低碳经济的有效方法，可持续发展是低碳经济的基本方向，其实质是高效率利用能源和清洁能源结构问题，核心是能源技术创新、制度创新和人类生存发展观念的根本性转变。目前，中国正处于从工业化初级阶段向中级阶段迈进的关键时期，自然也凸显了以高碳为主的重工业化特征。如果根据环境库兹涅茨曲线学说，中国的环境污染状况就处于环境库兹涅茨曲线倒 U 形的左侧，即制造业、重化工业发展迅速，对资源的耗费超过资源的再生能力，环境恶化加速，造成中国经济最大的负外部性，给中国的发展带来巨大的约束。就目前中国所采取的有关低碳经济政策而言，中国的企业尚未有明确的二氧化碳减排目标承诺意识和行动，也没有系统性、专门性的低碳经济政策，节能减排措施以行政手段为主，主要采取的是以"目标责任制"为主线、以"命令—控制"为主体的政策，与发达国家采取以市场为主的政策有着较大区别。实践证明，这是目前中国最有效、最直接的政策工具。基于中国经济发展阶段，构建低碳经济发展模式，必须处理好产业增量上的"低碳化"和产业存量上的"高碳化"，主要从以下三方面来进行设计：一是通过构建新兴低碳产业集群来降低低碳产业生产成本，并加速企业间知识外溢效应和技术创新步伐。二是通过技术改造和淘汰落后产能等手段来维持农业、手工业、制造业等产业相对低的碳排放。三是在能源、钢铁、汽车、交通、冶金、化工、建材等传统高碳产业领域通过技术、流程、制度等方面的创新以减少环境污染。而作为国家支柱产业的林产工业，它辐射了生产、消费等各个环节，在林产工业发展的过程中必须树立低碳发展的理念，坚持"低污染、低排放、低能耗"的原则，以环境友好和资源节约为基础，大力推进技术创新和能源革命，在原材料选择、制造装配、使用与服务、产品报废与回收等生命周期内，最大限度地减少资源浪费和环境负荷。

2.1.3　市场失灵理论

传统的市场失灵理论认为，由于垄断、外部性和信息不对称的存在，使得市场机制本身难以完全解决资源配置的效率问题，难以充分实现资源配置效率最大化，从而导致市场失灵，因而必须借助政府干预来实现资源配置效率的帕累托最优。现代市场失灵理论认为，市场不能解决的社会公平和经济稳定问题也需要政府出面化解。低碳经济是世界经济发展的趋势，是适应后工业化社会、实现资源节约和环境友好的一种经济发展模式。然而，中国正处在工业化发展阶段，发展经济、减少贫困和满足就业等仍是实现现代化的最大任务，向低碳经济转型还面临着许多现实条件的制约。这些外部性的存在就会引起市场失灵，使市场机制不能实现资源的有效配置，这就需要加强国家对经济的宏观调控，适时适度地创新公共政策，根据政治、经济和社会发展环境的新要求，主动改变既存的政策要素的组合形态，创立一种具有积极价值的、适宜发展的政策安排来对市场机制的运行加以"矫正"。一般而言，经济学理论以外部性和公共品性质来解释能源环境领域的市场失灵，经常采用的是政府管制、税收、补贴、碳基金等手段来加以改进，或者用某种方法使外部效应影响"内部化"。政府管制就是政府通过制定严格的产品能耗效率标准来逐步淘汰现存的高碳产品，并对进口贸易商品确定并认定其能耗标准；碳排放税就是政府针对二氧化碳排放所征收的税种，它按其碳含量的比例对燃煤和石油下游的汽油、航空燃油、天然气等化石燃料产品进行征税以实现减少化石燃料消耗和二氧化碳排放，是目前普遍看好的政策工具之一，有望成为转变经济发展方式的有力杠杆；补贴又称为"反税收"工具，相比税收的负激励，补贴发挥的是正向激励作用；碳基金就是通过设立基金来促进碳排放和促使开发商采用低碳技术。此外，政府还可以采取直接控制或相关经济性处罚等强制性措施来引导相关责任主体减少或消除外部性影响。

低碳发展就指运用低碳经济的理论组织经济活动，将传统的高碳经济模式改造成低碳型的新经济模式，确保社会在低能耗、低排放、低污染条件下的可持续发展。但是，低碳发展中既存在市场不能解决的外部性、信息不对称性诱发的资源配置低效率问题，还存在市场不能解决社会不公平和经济不稳定诱发的资源配置低效率问题。"市场失灵理论"认为，要想在这些市场"失灵区域"实现资源配置效率的帕累托最优，政府干预是必须的，如中国林产品加工企业在推进"低碳节能减排战略"中面临的投融资问题，通过市场是难以解决的，因为企业的低碳节能减排具有社会效益和生态效益等外部性，对于像林产工业这样的"高耗高排"行业，节能减排是低碳发展的重中之重，但节能减排项目的投资一次性投入大且近期获利能力差。同时，节能环保产品的先进节能技术和环保特征不可避免地产生高成本，从而导致其市场价格远远高出普通产品，如果政府又缺乏配套的激励措施弥补上述差距，那么节能环保产品的市场接受程度就会降低，市场接受程度降低，反过来就会进一步恶化企业运营，最终使企业恶性循环。因此，"市场失灵说"对林产工业发展的指导与借鉴，就表现在它明示了不管是政府，还是林产品加工企业，在制定各种低碳政策时，都要求既能充分发挥市场机制的资源配置优势，保证调动微观经济主体的积极性，又能制定好的政府政策弥补市场失灵，必须将灵活的市场机制与政府的政策干预结合起来，而且，在林产工业低碳转型的初期，政府更应扮演重要的角色。

2.1.4 产权理论

产权理论认为，没有产权或者产权不清晰的社会是一个资源配置低效的社会，清晰的产权通过缓解或消除经济活动的外部不经济而提升资源配置的效率。有效的产权具有明确性、专有性和可操作性三个特征。产权的明确性使得"产权是一个包括财产所有者的各种权利及对限制和破坏这些权利时的处罚的完整体系"，产权的专有性会使得"任何一种行为产生的报酬和损失都能直接找到有权采取这一行动的人"，产权的可转让性则会使得"这些权利被引到最有价值的用途上去"，而产权的可操作性则会"保障产权处置的有效实现"。产权理论的这些内容，不管是对政府，还是对林产品加工企业，最大的借鉴就是要通过完善林产品资源的产权制度，以达到对林产品资源的合理开发和有效保护。这一理论给林产工业发展的指导与借鉴表现在发展低碳林产工业就必须完善林产品资源的产权，在保证国家对林产品资源宏观调控、统筹规划的前提下，应尽可能地扩大林产品资源产权的低碳流转范围，这种林产品资源的产权流转最终会引导林产品资源流向最有效率的生产经营者，从而为社会创造更多财富。

低碳发展调节的信息不对称与委托—代理信息不对称理论认为，信息不对称将直接降低市场运营的效率，市场本身无法消除这种负面影响，必须靠政府的干预。信息不对称理论对中国林产工业低碳发展的指导与借鉴，主要表现在：充分认识信息时代经济的新特点，高度重视信息对未来林产工业低碳健康发展的重大影响，注意向社会公布"高排放、高消耗"的"双高"企业，在林产品加工企业低碳运营转型的过程中，政府、林产品加工企业及消费者都应注意低碳经济有效运营机理的研究，提高低碳信息的获取能力，防范信息不对称，政府和林产品加工企业应高度重视信息资源的开发与利用工作，加大对信息资源开发与利用的投资力度，尽量减小信息不对称对林产品市场的负面作用。

委托代理理论认为，在现实企业运营过程中，林产品加工企业的目标函数与政府、国民和消费者的目标函数很难一致，加上存在不确定性和信息不对称，林产品加工企业有可能偏离政府、国民和消费者的目标函数且委托人难以观察并监督之，而出现林产品加工企业损害政府、国民和消费者的利益的现实。

2.1.5 政府干预理论

外部性的消除要靠政府干预，同时随着政府干预经济领域的扩大，说明政府在市场经济中的作用越来越重要，这也对政府管理效率提出了更高的要求，要求政府的干预具有一定的合理性。政府进行干预的关键理由在于，政府在消除外部性过程中所需的管理成本，不仅要小于私人之间的交易成本，还要小于干预后所获得的社会效益。低碳林产品目前没有大规模推广的主要原因就是价格过高，政府干预其市场的目的之一就是要消除消费者在购买时所承担的过高私人成本。但是政府对低碳林产工业的扶持力度所付出的总成本，不应大于外部社会成本降低的部分扣除政府的相关管理成本。只有这样，政府的行为才称得上是符合效率的。在现实生活中，各国政府都会采取不同程度的干预，中国也不例外。中国发展低碳林产工业的政策不断优化和完善。中国的改革开放和后发展国家的成功实践证明：公共政策创新越来越成为影响一个国家和地区经济发展和社会发展的重要因素，中国近 30 年发展的成功就在于制定了适合中国国情的高质量的公共政策。而发展低碳林产工业的公共政策创新就是要求"政府根据低碳经济的要求，主动改变既存的政策要素的组合形态，创立一种具有积极社会价值的、适宜的政策要素组合形式(政策安排)和形成一个系统的政策链的过程"。

2.1.6　政策链理论

迈克尔·波特提出了"产业群聚"和"群聚区"的概念，他证明了：各国竞争优势形态都是以产业群聚的形式出现的，呈现出由客户到供应商的垂直关系和由市场、技术到营销网络的水平关系；综合竞争优势的关键要素会组成一个完整的系统，这是形成产业群聚现象的主要原因。一旦产业群聚形成，群聚内部的产业之间就形成互动关系，而产业群聚区内的这种集合是以"产业链"作为骨干串联起来的。"产业链"是指在一定的产业群聚区内，由在某个产业中具有较强国际竞争力（或国际竞争潜力）的企业，与其相关产业中的企业结成的一种战略联盟关系链，它实质上围绕核心企业，通过对信息流、物流、资金流的控制，从采购原材料开始，制成中间产品以及最终产品，最后由销售网络把产品送到消费者手中的将供应商、制造商、分销商、零售商、直到最终用户连成一个整体的功能网链结构模式。这不仅是一条连接供应商到用户的物流链、信息链、资金链，而且是一条增值链，物料在供应链上因加工、包装、运输等过程而增加其价值，给相关企业都带来收益。同样，政策链是由多个相互影响、互为关联的政策组成，涉及政府、企业、消费者等多个行为主体，宏观、中观、微观等多个层面，近期、中期、远期等多个阶段的错综复杂的系统。构成链状结构的若干政策排在同一条直线上，环环相扣。若按时间分类，横向的政策链大多为解决特定时期某一具体的政策问题而制定和执行的相关政策组合。政策链的纵向结构则表现为不同时期为解决同一政策问题而制定和执行的新旧政策。

2.2　林产工业低碳化发展的伦理价值

低碳经济的提出，不但是对经济领域发展方式的全面革命，也是对人类生存方式、道德价值观的一次全面的审视，而且涉及资源环境、生产方式、生活方式、行政管理等纵横交错的复杂关系，包涵了深层次的伦理诉求。在此前提下，发展低碳经济具有以下四层伦理问题及意义。

2.2.1　发展低碳经济的生态伦理价值

人类发展的历史，是人与自然界相互作用和发展的历史，自然为人类提供了发展的资源和环境的同时，也承担了为人类消解生产生活过程中所排放的废物、废气的任务，在人类不断地向自然索取的同时，不禁会问人类会付出何种代价呢？人类在试图征服自然的同时，往往不知不觉地变成了被自然征服和报复的对象。目前，气候变暖、资源消耗已导致了一系列环境问题如洪水、地震、水土流失、缺水等，这些问题都向人们发出警示：人类的行为如果不约束，一味地向自然索取，那势必会遭到自然的惩罚。恩格斯早就告诫："不要过分陶醉于对自然界的胜利。对于每一次这样的胜利，自然界都报复了。"低碳经济的发展正是体现了人类对自然资源的认识和回归即生态伦理价值。

2.2.1.1 生态伦理的内涵

20世纪以来，第二次世界大战以后，世界各国把经济增长作为衡量国家实力和发展目标的唯一指标，各国在相继走上工业化发展道路的同时，人类的环境恶化日趋严重，人类和大自然的矛盾日益显著，形成了一系列生态环境问题：一是环境污染严重；二是资源和能源危机；三是生态平衡被破坏；四是全球环境问题凸显，特别是温室效应。随着全球生态环境问题的凸显，生态伦理日益受到人们的关注，而且人类社会发展的历史也表明，生态环境的破坏以及经济的不可持续发展主要源于道德的沦丧即人类自身行为的失范所导致的结果，深层次的原因或者社会因素是传统的经济发展模式和发展观相适应的传统价值观，认为人类物质财富的增长所依赖的自然资源是取之不竭、用之不尽的，还认为自然资源只有资源价值，是人类无偿索取的对象。由于价值观在人类世界观中具有决定性作用，所以从某种程度上讲，树立生态伦理观是摆脱生态危机的根本所在，是改变传统的发展模式、发展低碳经济的关键，因此，维护和促进生态系统的完整和稳定、保护环境按照自然规律发展是人类应尽的义务，是生态伦理的重要内涵，生态伦理作为一种新的道德范畴进入人类现实生活，它是人类从文化和伦理视觉思考生态环境问题的结果。人是积极主动的因素，因此调节的关键在于调节人的行为，而生态伦理就是调节人与自然、环境之间的关系和行为规范的学说。从生态伦理角度看发展低碳经济，它是一种实现可持续发展的重要战略，是促进人与自然和谐共存的重要途径和措施。

2.2.1.2 生态伦理的实质

伦理精神的精髓是"善"。一直以来，在对待人类和自然关系的问题上，主要有两种伦理理论："人类中心主义和非人类中心主义"；在人类对待自然界态度上，主要有两种文明理念之争：敬畏派和非敬畏派。敬畏派具有或强或弱的非人类中心主义色彩，它指向了生态文明，强调了人与自然的和谐相处，属于深层的环境伦理观；非敬畏派延续了工业文明的思路，强调发展，对自然的索取和征服，是具有较强的人类中心主义理论，属于浅层环境伦理观。以上的理论和争论，直接激发了对人与自然关系的反思和探索，这时一种新的观点——生态文明观出现了，它强调人与自然和谐，是人类中心主义和非人类中心主义的辩证整合归宿。近代工业文明的价值取向是狭隘的人类中心主义，它以近代机械世界观及二元论为基础，认为自然与人是对立的；现代人类中心主义的伦理向外延伸，为了人类的利益，人类的道德关怀延伸到非人类给予道德的承认和保护，但是仍然以人类为中心，因为人类是保护环境的行为主体。在对待人与自然的问题上，两种环境伦理观坚持了不同的观点。浅层环境伦理观："坚持二元论和机械论的观点，坚持'人类主宰自然'，坚持的就是生态伦理中狭义的人类中心主义。"而深层环境伦理观："坚持生态系统中任何事物都是相互联系的，人与自然是和谐共存的。"浅层环境伦理观认为大自然、生物只有工具价值，不具有内在价值。深层环境伦理观认为自然界一切生物都有内在价值，各生物物种之间的权利是平等的，它倡导的是环境正义。浅层环境伦理观主张在不触动人类价值观念的基础上，单纯依靠科学技术解决生态危机，而深层环境伦理观认为人类只有确立人与自然界和谐相处的新理念才能从根本上克服生态危机。低碳经济的提出是以上理论和争论的结果，正是因为生态环境的恶化而形成的，这种恶化是长期以来人类对自然界的"不善"所累积而成的，只有人类正确认识到人类和自然的关系是相辅相成、不可分割的亲密关系，理解自然，关心自然，才能真正回归人类发展的本质即生态伦理的实质。低碳经济还主张从代际功利的角度提倡人类的代际平等权利，以此来规范人类对环境资源的开发、利用和保护，使代际正义真正得到重视，提倡可持续、低碳发展，既满足当代人的需要，又不对后代人满足其需要的能力构成危害。代际正义最大的理论品质是强调了实用性与实践性，它强调不同民族、不同国家、当代与后代人之间在利益上的分化与对立，正视这种分化，努力寻求一种能够更好实现公平正义的途径。低碳经济的提出无疑也符合这种公平的诉求，在当今技术的局限下，尚无法做到无碳式经济的发展，但用尽可能少的资源满足人类的需求，为后代留下生存的基本空间，不仅仅是道义上的要求，也是人类发展的转折点。

2.2.1.3　发展低碳经济在生态伦理中的价值

近年来，生态危机和环境问题凸显，低碳经济实质是生态文明，体现了人类生态伦理理念、涉及人与自然资源和环境间以及人与人之间的伦理道德关系的最佳表现。低碳经济的低能耗、低物耗、低排放、低污染的原则，体现了人与自然可持续发展原则、代际公平理念和生态伦理的人与自然的和谐共存思想。人类在面对资源环境问题日趋严重的情况下，低碳经济的提出适应了时代的需要，它所体现的生态伦理价值就是要求人们约束自己对资源的浪费和对环境的污染行为，这种生态伦理观念就是告知人类，在发展经济时要遵循生态伦理的可持续发展，保护自然的要求，节约资源、合理利用资源，对自然资源的索取要公平，只有人类加强生态伦理建设，才能改善生态环境，进一步促进经济社会的可持续发展；而可持续发展、和谐发展、生态文明的协调发展必然是低碳的发展。低碳的发展，体现生态伦理建设的终极目标就是关注生态利益和保护生态环境，通过发展低碳经济来避免资源和生态危机，进而促进生产力以及社会全面协调的发展，并在价值观上实现环境从无价值到有价值的根本转变，使人们能既享物质之丰，又赏自然之美。

2.2.2　发展低碳经济的生产伦理价值

生产是社会再生产过程的起点，对交换、消费、分配等其他一系列环节有重要的影响和意义，作为生产的人类活动又是人类最基本的经济实践活动，它不仅决定着不同时代道德的产生和发展，还必然受到一定社会发展阶段伦理的影响，历史上每个社会形态及各个不同的历史发展阶段，都体现了社会生产与伦理之间的辩证关系。由此可见，低碳经济作为适应当今生产力的经济发展模式，研究其生产伦理具有深远意义。

目前，加快转变传统的粗放式经济增长模式，减少高碳排放量，全面转变经济发展方式，走全面协调可持续发展的道路，是当今国际社会发展的必然选择。低碳经济是一种新的经济发展方式，构建了经济、生态、社会诸关系和谐可持续发展的链条，在其生产模式、资源利用、价值趋向、发展方式等方面，与传统的高投入、高消耗、高污染的高碳式经济发展模式相比，发生了实质性的转变。要实现从传统经济增长方式向低碳经济发展方式的转变，必须构建与之相适应的伦理支撑体系，提供低碳经济发展各环节的道德规范，倡导以整体利益、长远利益为重的共存共生、互利共赢的企业义利观。

以人为本的可持续发展的生产道德理念，要求人们从片面追求经济增长的单一目标转向实现以人为本的全面、持续的发展为目标，实现人与自然的和谐共存，从人民群众的根本利益出发谋发展、促发展，不断满足人民群众日益增长的物质文化需要，切实保障人民群众的经济、政治和文化利益，让发展的成果惠及全体人民，发展经济是为了更好地促进全体人民物质、精神文明的全面发展。科学发展观明确地把"以人为本"作为发展的最高价值取向，就是"尊重人、理解人、关心人"，就是不断满足人的全面需求、促进人的全面发展，作为发展的根本出发点。人类生活的世界是由自然、人、社会三个部分构成的，以人为本的新发展观，从根本上说就是要寻求人与自然、人与社会、人与人之间关系的总体和谐、可持续的发展。这种经济模式的发展是十分必要的。

2.2.2.1　生产伦理的内涵

　　生产活动是人类最基本的社会实践活动。对生产进行伦理探索就是探究人类的生产、生存方式及其意义问题，即人类的生产活动有没有限度？人类应该如何合理科学地生产？社会生产应怎样走可持续性发展的道路？现代化生产长期忽视了生产领域中的伦理问题和经济发展的最终目的。人们站在人类中心主义立场上，坚持浅层的环境伦理观，主张"人类主宰自然"，无节制地征服自然、利用自然、破坏自然；以"经济人"的角色进行经济、生产活动，追求经济效益最大化；以 GDP 作为衡量经济增长的主要目标，一味追求经济效益最大化，忽视了社会效益和生态保护，背离了经济发展的目的；以唯物质主义为指向，认为生产就是积累物质财富，幸福就是最大限度的消费物质，缺乏精神价值方面的追求。这些现代性问题日益成为了生产发展、人类生存的严重危机。这样的问题使人们在长期的生产实践中，曾一度以牺牲环境和资源为代价来单纯追求经济增长，片面发展经济；从而忽视了发展的目的，置生态和环境问题于不顾。人类这种发展思想的存在根基在于人类坚持自己可以主宰、改变和控制自然；盲目地认为物质财富所依赖的资源是用之不竭、取之不尽的，即使出现缺失，也可以利用国家宏观价格调整机制进行调节，使问题得以解决等发展理念。在这样的增长战略驱使下，国民生产总值增长就等于了发展，而人们对资源和环境的无偿使用，都成为顺理成章的事。这种增长战略的实质就是"先污染、后治理"，这种生产模式已给全球的各个国家带来了一系列严重的后果。2008 年，世界遭遇能源危机和金融危机；2009 年，随着全球人均收入的下降，首次出现 10 多年间的世界贸易下滑，全球失业人口猛增。现在人们已深刻地认识到，通过高消耗追求经济数量的增长和"先污染、后治理"的传统发展模式已不再适应当今和未来全球的发展要求，必须努力去寻求和探索一条人与自然、人与社会、人与人相互协调，既能满足当代人的需求而又不损害后代人利益的可持续、和谐发展的道路，这种经济生产模式实现的重要途径就是发展低碳经济，这是生产伦理的基本理念，也是实现生产伦理的思想。

　　因此，在人类反复实践的基础上，必须考察和认识生产中的伦理关系，正确处理生产活动中所涉及的人与自然、人与人和人与物质之间的关系，才能进行伦理型生产。生产伦理是指人们在实践生产活动中的伦理精神，是人们从伦理道德的角度对生产活动和生产方式的根本看法。它从伦理视角批判了现代化生产存在的消极因素，对现代化生产提出了伦理制约，改变了传统的经济观、生产观和消费观，能够为现代化生产提供可持续的自然机制和合理的伦理支持。人类的物质生产活动与道德精神是相互蕴涵的。生产既是一个自然过程、物质变化过程，又是人类价值关系形成、发展和变化的社会行为，物质生产本身具有道德价值；道德既是自然选择的结果，又是人类自身选择的产物。道德作为人类特有的生存方式，其存在必须以物质为前提，要从道德上为可持续发展和生产找到合理的支撑，为解决生产发展所带来的经济性问题，必须从思想上为人们找到一种新观念——可持续发展伦理观；实践中，人们找到的新出路——发展绿色产业、进行清洁生产、实现低碳发展。

2.2.2.2 生产伦理的实质

经济基础决定上层建筑，生产及其形成的道德关系决定着伦理，这是历史唯物主义的基本理论，也是伦理进步的客观逻辑，不容倒置。生产伦理作为人类在实践生产活动中的伦理精神或者伦理气质，是人类从伦理道德角度对生产活动和生产方式的根本看法。现在贯彻的生产价值观和基本理念和党的十七大报告贯彻的经济发展目标是一致的，都要求必须坚持以马克思主义为指导，真正走出一条"科技含量高、经济效益好、资源消耗低、环境污染少、人力资源得到充分发挥"的新型经济增长模式，这种经济模式实现的重要途径就是发展低碳经济。因为低碳经济提倡的经济发展模式本质上就是以人的全面和可持续发展作为根本起点，也是最后要达到的终点，以人为本的思想理念贯穿于其中，更重要的也是生产伦理的实质内涵即以人为本。人是社会的产物，也是推动社会发展的最根本动力，社会的发展依赖人类思想的进步，科技的创新不能背离人类发展这一根本出发点。强调发展以人为本，在某种程度上说就是充分发挥每个人的创造力和实现每个人的价值最大化，社会经济的发展，都是以人的需求为目的而进行的。

2.2.2.3 发展低碳经济在生产伦理中的价值

以人为本的可持续发展的生产道德理念就是以要求人们从片面追求经济增长的单一目标转向实现以人为本的全面、持续的发展为目标，实现人与自然、人与社会的和谐共存，从人民群众的根本利益出发谋发展、促发展。发展低碳经济正是实现人类在生产领域的价值追求和伦理定位，它和以人为本的科学发展观所贯彻的发展目标是一致的，就是要把"以人为本"作为发展的最高价值取向，"尊重人、理解人、关心人"，从而不断满足人的全面需求、促进人的全面发展，其实质上就是要寻求自然、经济、社会之间关系的总体和谐、可持续的发展，从而不断满足人类的物质文化需要，切实保障人民群众的经济、政治和文化权益，让发展的成果惠及全体人民。在这种价值取向下，低碳经济的这种经济模式的发展是必须的，它能够改变在生产领域内由于人们的认识落后造成的资源浪费、能源耗损、生产方式落后、产业层次低、经济结构落后的格局，不仅真正使人类从思想根源上树立起发展低碳经济的生产伦理的价值取向，而且能够加快落后生产力的淘汰，推动产业结构的优化升级，从根本上转变发展方式和理念，正是体现了人们的需求和以人为本的可持续发展理念。

2.2.3　发展低碳经济的消费伦理价值

所谓低碳就是减少温室气体的排放，保护自然环境、维护生态平衡，主张公平、和谐的原则，体现了人与自然、人与社会、人与人的和谐共存理念，其实质就是低能量、低消耗、低开支，主张人们对自己的生活方式和消费方式进行转变和根本改变，减少二氧化碳排放的一种理念。消费在社会再生产过程中有着重要的纽带作用，推行低碳经济离不开低碳消费，如何引导消费者适应低碳经济下的市场环境，对低碳经济下的消费伦理的认识就值得探讨和研究。

2.2.3.1　消费伦理的内涵

消费的目的是为了满足人的需求。但是人类的需要和欲望是无穷无尽的，任何消费都以社会资源为支撑，而资源总量又是有限的。消费欲望的无限性与资源的有限性之间的矛盾构成消费伦理的基本矛盾。这种矛盾随着经济的高速发展日益凸显，并表现在人类生活的衣、食、住、行、用等方面。以交通工具的选择为例，随着人们生活水平的提高，私家车的数量逐步增多，所排放的二氧化碳，在温室气体中所占的比例日益增加，其中大排量的汽车占了很大的比例。产生这种现象的根源是与很大一部分车主的消费价值趋向有关。试想，一个在内心深处爱护大自然、尊重生命的人，会因为"爱面子"开着大排量车招摇过市、污染环境吗？在城市生活中，交通堵塞、空气质量差已经成为城市发展中的通病。当人的消费欲望与环境公平相冲突时，能否在义利之间作出正确的选择呢？面对消费问题凸显，树立正确的消费伦理观已成为人类的选择。

消费伦理实质是指人们在消费水平、消费方式等问题上产生的道德规范和道德观念以及对社会消费行为的价值判断和道德评价。人类消费伦理思想的形成和发展有其漫长的历史。在原始时期，人类在与大自然的斗争中就意识到创造物质财富的来之不易，此时就产生了最朴素的消费伦理——节俭观。后来在中国古代思想家中，孔子虽然没有系统地论述过节俭问题，但是他主张节俭消费的思想是一贯的。奢侈豪华的生活方式是当时奴隶主的一个显著特点，但孔子却反对奢侈而提倡朴素的礼乐制度。在儒家看来，人君能否守礼制，节嗜欲和尚节俭，直接关系到国家社稷之盛衰存亡。对于一般庶民及士大夫阶层，儒家也同样强调应该用财有制，克俭持家，"身贵而愈恭、家富而愈俭"。《孔子集语·齐侯问》记有孔子说过的话："中人之情，有余则侈，不足节俭，无禁则淫，无度则失，纵欲则败。故饮食有量、衣服有节、宫室有度、蓄聚有数、车器有限，以防乱之源也。"这都告诫人们要节俭从事。荀子的学说主要来自儒家，在消费观上，他完全继承了孔子关于节俭的一系列主张。然而，在中国古代思想家中，最早比较系统提出节用思想的是墨子。他首先从消费伦理对生产的影响来论证节用的重要性。总之，在中国，传统消费伦理理念就是勤劳节俭为德，它充分肯定了劳动在创造消费资料中的基础性作用，肯定了劳动所具有的道德价值，因此中国古人把勤劳节俭作为美德，把贪欲奢靡作为恶行。虽然这一观念在其经济发展过程中曾一度受到消费主义的冲击，但它仍然作为消费领域中的重要价值导向支配着历代艰苦创业的人们。因为任何伦理道德规范都是具有历史继承性的，消费伦理也不例外。数千年的中华文明对中国消费伦理具有重要的影响。构建新时代的消费伦理必须承认历史、尊重历史，发扬传统的优良道德，在面对生态资源匮乏的情况下，应重新赋予节俭观以新的伦理意义。

2.2.3.2　消费伦理的实质

消费方式与生产方式是经济运行同一因果链的两个侧面，有什么样的生产方式就有什么样的消费方式。经济学认为，社会消费分为两类：一类是生产性消费，另一类是生活性消费。前一类消费是为了扩大再生产，后一类消费是为了满足人的基本需求和欲望。在这两类消费行为中都应当贯彻勤俭节俭、合理、科学、健康、文明的消费伦理观。具体地说，就是要有节约开支，珍惜投入的精神品质。它表现为两个方面：一是节约生产性开支、降低生产成本，提高经营利润；二是节约生活开支，增加投资，扩大再生产。这两种节俭精神又是相互转化的，相互联系的。许多企业家把长期经营活动中所形成的行为模式推及到自己个人生活的每一个方面联系起来，以致达到了一种人即企业或企业即人的整体性境界。如美国富翁洛克菲勒出差外地，专找省钱的小客房住，华人富翁王永庆"最恨在自己身上花钱"。他们已经把自己运营企业的方式和观念变成了他们个人性格中的一部分，变成了他们随时随地自然流露出来的人格品质。

节约与浪费一直以来都是消费伦理中讨论的重要课题。经济发展的最终目的是要满足人的需求，提高消费者的消费能力和消费水平，消费又是总需求的重要内容，是经济发展的动力。在资本主义发达国家，市场经济的突出特征就是生产能力过剩，在面对经济大萧条的市场环境下，凯恩斯主义曾提出了著名的"节俭悖论"，一段时间以来，受其理论的影响，在资本主义社会奢侈浪费被认为是推动经济发展的动力，是一种美德。然而，人类过度高消费受到资源短缺的约束，资源环境不断恶化已成为困扰现代人类的世界性问题。另一方面，在资源总量有限的条件下，部分人的奢侈生活是建立在更多人的贫困之上。浪费使部分资源没有产生足够的效用，从而造成了总体人民福利的减少。作为社会主义国家，中国一直坚持崇尚节俭，反对浪费的传统美德，不仅有利于优化消费资源的配置，而且能提高全民的消费水平。需要注意的是，应深刻地认识消费伦理的实质，节俭不等同于节欲，节俭不是遏制正常的消费需求，而是提高资源的利用效率，增进总体的消费效用。如果说"生财有道"指的是生产伦理，那么"用财有道"就应当从属于消费伦理了。

2.2.3.3　发展低碳经济在消费伦理中的价值

人类的消费生活方式，反映着人类的消费习惯、消费价值观和生活理念。它通过消费者的消费习惯和偏好直接影响着消费者的消费选择，对不同消费品的选择必然引导着对消费品的生产，从而导致不同的消费生活方式引起不同的生产方式或者模式低碳经济的产生，因此必须依靠低碳消费的生活方式来实现保护生态、节能减排的目标。

低碳生活是指生活作息时间所耗用的能量尽量减少，尽量减少使用消耗大的产品，从而降低碳排放，特别是二氧化碳排放量，从而减少对大气的污染，减缓生态的恶化。低碳生活实质就是强调低碳消费，在发展低碳经济过程中，首先，低碳消费是实现低碳经济的前提，一定的消费观念可以影响人类的消费行为。因此，要加强消费伦理的宣传和教育，营造以节约资源、保护环境为荣，以浪费资源、污染环境为耻的消费伦理观，引导人们在日常生活和物质消费领域中确立全新的道德标准，增强环保意识，养成节约习惯，多开展有利于节约并能够使自然生态系统平衡的生活方式。比如"学习型消费""健康消费""绿色消费"等。特别要注意戒除以大量消耗能源、大量排放温室气体为代价的"奢侈消费""炫耀性消费""一次性消费""快捷消费"。通过消费方式的转变，从而转变人们的消费需求，使人们接受消费低碳化，进而促进低碳经济的发展。其次，低碳消费结构是低碳经济发展的动力。在低碳消费观念的影响下，人们已形成了相适应的低碳消费结构，低碳消费结构是指低碳消费品在消费结构中比例的提高，它的实质是消费的重点将从高消耗、高污染的产业转向环保型产业，人们更倾向于低能耗的产品，人们未来在衣、食、住、行等方面将增加低碳消费的数量，这样低碳消费结构的优化将引导产业结构的转型，促使经济结构向资源节约型、环境友好型方向转变，才能进一步推进低碳经济的发展。用低碳经济的发展方式，也体现了人与人之间、人与自然之间、人与社会之间的公平正义，也预示着人类将用更具智慧的方式发展自身，关怀自然。

2.2.4　发展低碳经济的管理伦理价值

管理伦理不仅具有社会价值、生态价值、道德价值，而且还具有经济价值。目前中国有很多企业不重视管理伦理，其重要原因是没有认识到管理伦理的经济价值和重要意义。管理伦理的经济价值主要表现为提高效率、开拓市场、增强凝聚力、构建和谐发展环境等方面。管理伦理经济作用的发挥，有利于促进低碳经济的发展，对低碳经济的发展起到了指导作用。

2.2.4.1　管理伦理的内涵

管理伦理是管理学和伦理学相互结合的产物。管理伦理要求企业在追求经济利益最大化的同时，应该考虑到企业利益和社会效益的协调和统一，企业在经营过程中承担着重要社会角色，体现在节约资源、保护环境、尊重员工的利益等方面。当前，中国很多企业都存在着严重的管理伦理问题，为了企业的利益盲目竞争，既损害了社会利益，又破坏了企业的伦理责任，究其原因，最主要是人们对管理伦理的重视不够，认识不足；最重要原因就是没有充分地意识到管理伦理的经济价值，不少经营管理人员只看到了管理伦理代表的社会责任这一面，错误地盲目认为重视管理伦理是在"务虚"，只会增加企业的成本和束缚企业在市场竞争中的行为。针对这种情况，有必要对管理伦理的经济价值和伦理内涵进行探索和研究，这有利于企业的转型——低碳发展。

管理伦理是适应经济发展产生的。它是社会价值、生态价值和经济价值的集中体现，主要表现在以下几个方面：一是管理伦理为企业的发展形成了合理的、正确的道德规范，人类在满足自身需求和利益的同时，应注意个人利益与企业整体利益的协调发展。企业通过加强管理伦理建设工作，建立共同的价值观，提高道德修养水平，增强相互信任，可大大降低成本，提高企业的运作效率，从而实现低碳发展。二是管理伦理可以增强产品的竞争力。随着经济的发展，产品的市场竞争日益激烈，为了在激烈的市场竞争中获取胜利，除了提高产品的软硬件要求，还要注重树立企业良好的企业伦理形象。三是管理伦理有利于提高企业的凝聚力和战斗力。现代社会越来越重视人的价值，强调"以人为本"，伦理因素在管理中的作用越来越大，企业对伦理规范的重视和是否按伦理规范行事对员工会产生很大的影响。四是管理伦理是推动企业管理发展的精神力量。马克思主义认为："社会存在决定社会意识，社会意识对社会存在具有反作用。"管理伦理属于社会意识，它对企业管理发展具有巨大的反作用。正确的管理伦理道德的作用，必然推动管理实践的发展，从而推动企业的发展。因此，从管理理念到管理方法都必须不断创新，更需要进步的伦理道德作为指导，予以保证。五是管理伦理能够为企业的发展营造良好的人文环境。任何企业都是在一定环境中从事活动的，管理伦理对企业营造良好的人文环境具有重要意义。在正确的管理伦理的指导下，能够建立一个人与人、人与企业的积极进取、竞争有序的企业环境，使个人的生活、事业合理统一起来。任何企业都是社会的一部分，为了使企业的发展和社会的发展相一致，管理者往往使企业内部的管理伦理和社会的伦理相适应，使企业内部和外部建立一致的伦理关系而保持和社会的协调，这样，就有利于社会的全面发展。因此，良好的管理伦理是促成个人、企业、社会相互促进、共同发展的强有力的纽带和桥梁。

2.2.4.2　管理伦理的实质

管理在本质上是对人的管理，管理中包含着对人的伦理价值目标的追求。小到一个企业，大到人类社会，任何管理活动都具有很强的伦理性。作为一门应用伦理学，管理伦理学最重要的特性就是它的实践性，它不仅要求人们从理论上掌握管理伦理的本质和规律，而且要求人们通过实践中运用管理伦理的规律，能动地、创造性地去开展管理实践。管理伦理学实质反映的是人类管理活动中人的全面发展与人际关系实现最佳协调的基本规律，倡导的是伦理化的管理方式，这为实现人性化的管理和以人为本的管理提供了强有力的理论。伦理管理要求企业正确处理与利益相关者的关系，就企业与生态环境的关系来说，企业应当维护生态环境，注重可持续发展，而可持续发展实现的途径即是发展低碳经济。

2.2.4.3　发展低碳经济在管理伦理中的价值

当前，全球环境问题已成为人们关注的热点。因许多企业掠夺式的、粗放式的发展而导致的自然资源急剧减少、环境受到严重污染、土壤退化、全球变暖等问题，不仅已经开始影响人类的生活和生存空间，而且还对人类后代、非人物种的生存构成了严重的威胁。企业作为破坏环境的"罪魁祸首"，必然要对其负责。对企业发展存在的伦理问题，架构相适应的管理伦理成为了必要。

管理伦理即管理道德，伦理管理要求企业在解决环境问题上发挥更加主动积极的作用。管理伦理是指具有管理职能的部门和从事管理工作者的职业道德，是调节管理领域各种重叠交叉复杂利益关系的基本杠杆，也是直接影响经济发展的关键环节。以经济伦理引领低碳经济的发展，要求坚持科学发展观和以人为本的管理伦理观，顺应低碳经济的发展趋势，围绕经济效益、社会效益和生态效益相协调增长的目标，切实加强对低碳经济的引导，把低碳经济摆上重要议程，分析新形势，直面新挑战，从本地区实际出发，制订规划，研究措施，并出台一些鼓励低碳产业发展的优惠政策，包括财税政策、土地政策、人才政策和奖惩政策，以助推低碳经济发展。同时，注意规范碳交易市场机制，通过金融资本的力量引导实体经济的发展。

综上所述，市场经济条件下发展低碳经济蕴涵的经济伦理精神，应当包含以下几个方面的内容：第一，积极"可为"的进取精神和敬业精神。它要求从事物质生产的人们有一种不断超越困境的精神，甚至有不惜冒险和开拓未来的大无畏气概和顽强不息的意志。即一种不认输、不怕疲倦、拼命工作、只争朝夕的精神。第二，要求从事物质生产的人们处理好人与自然、人与社会、人与人的关系，积极保护生态环境，防止环境污染和破坏，兼顾当前利益和长远利益、局部利益和全局利益的平衡和统一，把生产效益和社会效益统一起来。

2.3　林产工业低碳化发展的科学内涵

西方发达国家实现工业化的过程，基本上走的是"先污染，后治理"的道路。环境和能源的双重束缚，不允许中国再走这条"死亡之路"，必须走低碳经济的道路，那么，中国的低碳经济之路如何走呢？首先，必须在思想上弄清楚一个观念，低碳经济是关于发展的，并不限制发展。发展是中国长期的主题。低碳经济与传统的经济发展在理念上是不矛盾的，也是在解决如何更优发展的问题。其次，低碳经济的发展并不仅仅是指碳排放的减少，它涉及整个经济体的发展方式转型的问题，不是表面上的指标形式，它是社会经济转型突变。低碳经济作为第五次科技革命浪潮，是经济发展方式的又一次升华。碳排放减少只是其目的之一，或者说是衡量指标之一，不能和低碳经济等同。第三，低碳经济是在工业化大背景下进行的，工业化是中国发展的关键阶段，工业化的进程是农业逐渐向工业转型，工业逐渐占据主要份额的过程。从古典经济学时期开始，经济学家对工业化的内涵就有了一个共识：工业化是一个进程，是发展的必然，这个过程的开端是英国产业革命(18世纪)。此后人类社会发展史上，工业化经历了多次里程碑，发展至今，在能源和环境的双重压力下，工业化被植入新的发展理念，低碳化。工业化最突出的表现是工业部门的扩张和工业产值的提升。不管是从狭义和广义上看工业化，工业的发展在工业化中都是核心。工业的发展，直接决定了中国工业化的进程是否科学，方向是否健康，发展是否可持续，因而工业是低碳经济在目前工业化背景下的关键领域。工业化进程中，中国必须走出一条新的路子引领主流，那就是工业低碳化。第四，发展低碳经济，必须从微观层面上注重发展方法——碳中和技术，从中观层面上变革发展方式——节能减排，宏观层面上把握发展方向——低碳发展。这就要求中国必须大力发展低碳技术，低碳工艺，低碳产业，能源结构调整，产业结构调整，发展替代能源，开发清洁能源，开发回收再利用新产业，改变社会经济生产生活方式和生产方式；也就是说：低碳经济发展不是"一边发展一边保护"的循环经济模式，它有更深层次的含义，是指从社会经济的生产生活方式上进行彻底变革，使其低碳化。很显然，以上这些都是与工业化进程中工业息息相关，因此，工业低碳化发展是发展低碳经济的重点和关键。

2.3.1　工业低碳化与低碳工业化区分

在理解工业低碳化的科学内涵之前，必须先理解低碳工业化。低碳工业化是由华中科技大学宋德勇教授提出的，宋德勇教授对低碳工业化的定义是基于张培刚教授（1949）在《农业与工业化》一书中对工业化的定义和斯威齐（1942）对工业化的定义延伸而来的。宋教授提出的低碳工业化和本书所研究的工业低碳化都是在工业化进程，低碳经济和科学发展观倡导的背景下提出的，二者都是在解决如何又好又快发展的问题，有何区别呢？首先，范围不同。二者都是在低碳经济背景下产生的，与低碳经济密不可分。低碳经济是指导思想，如何真正贯彻落实这一指导思想，低碳工业化和工业低碳化都是方法论问题。低碳工业化涉及工业化进程中的所有，包括：工业扩张，农业工业化，生产要素，生产方式，制度，政策，等等。是关系到整个国民经济体系的。工业低碳化，只是在解决工业化进程中，工业的又好又快发展，低碳工业化涵括了工业低碳化。其次，性质不同。二者都是在工业化进程中提出的，按照宋教授的观点，"工业化的实现形式是多种多样的"，也就是说这个道路可能是"高碳"，可能是"低碳"，低碳工业化指的是工业化的道路发展方向问题，或者说是实现形式问题，这个方向和实现形式就是"低碳化"。在工业化进程中，工业化程度的衡量最重要指标就是工业的发展，工业在国民经济中所占的比重，工业的发展在工业化进程中起着举足轻重的作用。本书讲的工业低碳化就是指在工业化进程中工业这一行业的发展优化问题，前提是在工业上，"低碳化"是优化思想。总的来说，在工业化背景下，低碳工业化是发展低碳经济的核心，工业低碳化是发展低碳经济的重点。

2.3.2　工业低碳化的概念内涵

工业低碳化是在工业化进程中提出的，具有典型的时代特色。不同的历史进程，工业的地位和使命不一样，在区分了工业低碳化和低碳工业化后，本书从工业化理论中继续寻找突破点去诠释工业低碳化。关于工业化的理解，工业化理论并没有形成一个完整的科学体系，国内外学者有各种不同的提法，比较有代表性的如：钱纳里、鲁宾逊、塞尔奎因（1989）认为工业化就是工业中制造业的产值份额不断增加的过程，工业化水平是用制造业占国民收入的份额来衡量的；此外还认为工业化还要以各种不同的要素供给组合去满足发展需求的增长。撒克（1995）认为工业化是慢慢脱离农业的结构转型，也就是说：农业在国民经济中的比重下降，而制造业和服务业的比重上升。撒克和钱纳里等一样也强调了工业制造业的重要性。以德国学者吕贝尔特（1983）、英国学者肯普（1985）为代表的研究人员，他们对工业化除了从经济层面去理解，还认为在工业化过程中，一切主要的工业技术、经济、社会、政治和文化事件都处于彼此互相作用、依赖、依存中。艾伯特·赫尔希曼(1958)在工业发展理论中提出了不平衡发展的理论，他认为不能同时发展每项产业，应该集中现有的有限资源优先发展小部分产业，然后让它们带动其他产业发展。这就是他提出的"联系效应"观点。该观点对发展中国家有很强的指导意义，它对联系效应进行分类，认为不发达国家的农业或者初级产品的生产部门是弱联系效应部门，制造业尤其是加工工业有较大联系效应。张培刚先生(1949)将工业化定义为基要生产函数的突变过程，他在此定义中，不仅强调了工业的发展，还强调了不可忽视的农业发展。斯威齐(1942)认为"在工业化过程中，"基本"工业都应以崭新的姿态出现在经济体系中。斯威齐是在强调工业化过程中新产业建立的主体性。

我们在研究工业化中的工业发展以及优化问题，基于以上各权威学者对工业化的理解，将"工业低碳化"的概念提炼成三个层面：第一，现代工业的充分发展以及结构演变。钱纳里、撒克认为工业化要逐渐增加制造业产值，降低农业占比。要求不断提高工业，特别是制造业的比重，在这里提出结构不仅要从量上把握，更要从质上高要求，此为工业低碳产业的概念内涵之一。第二，社会生产方式变革，从低级向高级突破。这主要来自于张培刚先生的理解，工业低碳化要求工业的发展从"高碳"转向"低碳"的生产方式变革。生产方式包括生产力和生产关系，而生产关系是由生产力决定的，生产方式的变革也就是生产力的变革，因此这一层面的理解即为生产力的变革，生产力由低级向高级转变。马克思认为生产力具体体现在物质技术基础方面，工业低碳化含义的第二层面就表现为物质技术的变革创新。第三，工业现有产业表现形式革新。这一层面和以上两层面是息息相关的，正如斯威齐所说的"基本"工业要以新姿态出现。"工业低碳化"实质是对工业化过程中工业发展的优化，是关于工业发展的概念，更是关于工业发展质变的概念。质变的方向就是在工业发展的前提下，降低工业发展过程中化石能源利用，温室气体排放，最后达到工业的科学健康发展，即：低碳发展。

2.3.3 工业低碳化影响因素分析

根据工业低碳化三个层面的含义，可以提炼影响工业低碳化的三个基本因素：工业结构、技术创新、新兴产业。下面将分别从这三个方面来分析与工业低碳化的关系。

2.3.3.1 工业结构

在讨论工业结构之前应先弄清楚两个概念，工业和产业，很多的文献中将二者混渍。产业的概念要广泛，包括第一产业，第二产业，第三产业。工业属于第二产业，第二产业中除了工业还有建筑业，工业包括第二产业除了建筑业的采掘业、制造业、电力、煤气水生产及供应业三类。本书的工业结构就是指的这三类产业的结构。工业结构可以从微观和宏观两个层面来理解，微观即是企业层面，宏观指的是工业产业层面。前者包括产品结构、管理方式、组织结构等，后者主要指结构比例、产业布局、资源效率。本书的工业结构是从产业层面来理解的。对工业结构的分析，可以通过以下两个层面来分析：首先，静态层面——工业产业各部门存在内部联系。艾伯特·赫尔希曼（1958）在《经济发展战略》中就批判了形成于20世纪40年代的由罗森斯坦·罗丹的"大推动"理论和纳克斯的"贫困恶性循环"理论等支持的"平衡增长论"。艾伯特·赫尔希曼提出不平衡增长理论：它认为同时发展所有的工业是不明智的，应该集中精力优先发展部分工业，并以此为工业发展的动力蔓延扩散至其他工业产业，带动其他工业产业的发展。这就是著名的"联系效应"，其揭示了工业产业各部门间存在内部的联系。其次，动态层面——工业结构的优化可以促进工业结构的高度化和合理化。前者指遵循结构的演化规律，结构由低附加值向高附加值演进；后者指一定的经济发展阶段（本书指工业化），根据资源禀赋进行适当调整，使得资源在各工业部门合理分配，从而国民经济得以协调发展。也就是说工业结构的优化不仅仅是高度化的问题，更是合理化的问题。就中国目前的发展水平来说，工业在很长的时间内都会占据中国国民经济较大的比例，这一状况只有在工业化以后，才会有所改善（服务业比重提升取代工业成为主导产业）。而大量消耗能源的就是这一主导产业——工业。经过30多年的改革开放经济高速发展，中国整体经济水平确实上升了一个水平，但是不可忽视的是，经济运行中结构性矛盾越来越突出。经济增长质量不高，环境危机、能源危机一系列的问题制约着中国的进一步发展。试想对于同等的经济规模，同样的技术水平，同样的产业类别，不同的工业结构碳排放的结果肯定是不同的。再加上发达国家将高耗能的工业转移到中国境内，对这样的环境下工业低碳化必然要求对不合理的工业结构进行优化，使得中国的工业产业在"联系效应"下扩大低碳效应，推动工业产业的整体节能减排。

2.3.3.2　技术创新

关于创新方面的理论，最早是熊彼特（1912）提出的。熊彼特（1939）认为创新是"创造性的毁灭过程""企业对生产要素新的组合"。按照他的理解，创新就是把一种之前没有的生产要素和生产条件引入到现有的生产体系中，形成新的生产能力，以获取潜在的利益。

继熊彼特之后有很多经济学家对创新进行了模仿推广。直至20世纪50年代，创新理论得到了发展。新古典学派认为政府干预有利于技术创新，技术创新是经济增长的内生变量和基本因素；新熊彼特派则在坚持了传统熊彼特理论的基础上，强调了技术创新在经济发展中起着核心的作用。中国的专家学者们对技术创新的内涵结合中国的实际情况也给出了他们的看法，比较有代表性的有冯之浚的观点，他说创新是一系列的活动，也包括知识的翻新。综合以上学者专家对创新的理解，可以分析提炼出对技术创新的理解：第一，从本质上来看，技术创新是经济发展的推动因素。所谓"科学技术是第一生产力"，只有不断地突破原有的技术，才能不断地向前发展，产生更大的经济效益。第二，从效果上来看，技术创新产生新的生产能力，可以获取新的潜在效益。任何一项新技术的产生都能带来新的生产能力，获取新的效益，这效益可能是经济的、可能是社会的、可能是环境的。传统的技术创新是纯粹工业经济的产物，以功利主义为价值观，也可以说是技术预见下的技术创新。为此，人类付出了相当大的代价，环境、能源、生态、物种无一不在提醒人们深思。社会经济技术系统已经对传统的碳基技术形成了路径依赖，该路径依赖来自两方面：①技术的锁定。根据 Arthur 的理论，老技术的收益递增，这会阻碍新技术的开发与形成。②制度的锁定。制度约束包括正式的和非正式的。低碳技术创新正是一个解锁的过程。正如 Berkhout（2001）所指出的，革命性创新始于毫末，最终创造新的经济体系。归结到以下两点：第一，低碳技术创新，作为技术创新提高了产品的科技含量，为工业化的升级提供强大支持。第二，低碳技术创新从"毫末"从而推广至整个经济系统上可以产生节能减排的潜在效益。国内外学者已经产生了一个共识——"通过开发和使用低碳技术是减少排放的一个关键途径"。时代在召唤工业低碳化，经济活动目标再也不是传统的功利主义价值观，低碳化的要求必然伴随着技术的转变，技术创新是工业低碳化的核心竞争力和决定性因素。如果没有低碳技术创新，工业低碳化所追求的经济、环境、能源多重目标均无法实现。简言之，没有低碳创新技术的支撑，工业低碳化就是一个空中楼阁。

2.3.3.3 新兴产业

在经济的产业分类中，各种产业的功用不一样。目前，对于新兴产业的界定，还没有统一标准，也没有具体的量化指标来衡量。关于低碳产业，在理论界存在着以下几种观点：①发展态势上来看，新兴产业是在传统产业基础上出现的，是在一定的历史阶段产生的，一般来说，特征有：萌芽性、高增长、变动大。②技术上来看，新兴产业的产生，有两种可能性——新技术的突破和既有技术的改进，前者是全新的，后者对传统产业有一定的依赖性。③市场需求来看，新产业是由需求拉动导致可行的商业机会而产生的。这需求拉动的可能是产品、技术、服务或者管理模式的革新。④区域角度，新产业能够有效化解区域某一阶段的困难，提高该区域的竞争力。

综合以上四种观点，可以从以下三个方面来理解新兴产业的特征。第一，组成上——新兴产业也是国民经济的组成部分之一。新兴产业作为社会经济系统的一部分，是对国民经济的更新，代表着国民经济未来的发展方向，是个历史阶段性概念。第二，功能上——新兴产业承担了社会分工的职能，有影响扩散性，示范带头性，代表着工业发展的新水平，这也是一个历史阶段性的概念。第三，发展上——新兴产业具有不成熟性，其技术还在发展阶段，具有一定的前瞻性，但不排除其风险性。低碳产业目前还没有官方的定义，指的是以低碳技术为核心的产业。本书将低碳产业分为广义与狭义。广义的低碳产业可以粗略分为以下三类：第一，碳排放本来较低的绿色传统产业，比如：旅游、生态农业、金融服务业等。这类产业本来二氧化碳的排放就低，而且对二氧化碳还有再吸收的清洁功效。从全局考虑，这类产业应该得到鼓励大规模发展，这样有利于整个社会的环境改善。第二，已经运用低碳技术的现有的传统产业。比如生物制造业、科技农业这类产业由于运用了低碳技术，碳排放较之以前排放低，对环境的改善和低碳化作出了贡献。第三，主要针对二氧化碳减排的清洁产业，这是在当今环境压力下兴起的一个新兴独立产业，这类产业研发的出发点就是为了节能减排，比如清洁新能源开发、二氧化碳再利用产业、生物技术服务业等。狭义的低碳产业。第一类和第二类属于传统的低碳产业，已经存在而且大规模运行的产业，第三类属于新兴低碳产业，是后京都时代之后为了应对环境和能源双重压力之下发展起来的。本章研究的新兴工业低碳产业处于新兴低碳产业的范畴，只是概念是在工业的范围内：即，主要针对工业二氧化碳节能（碳基能）减排（二氧化碳）的以低碳技术为核心的清洁产业。毫无疑问，低碳经济已经成为各国经济发展的必然趋势，工业低碳化是中国目前工业化阶段首当其冲甚至至关重要的环节，低碳产业作为一个产业体系新的希望理应成为工业低碳化的新兴产业的中流砥柱。低碳产业指的是以低碳技术为核心的产业。可以说，低碳新兴产业的兴起，首先是社会分工和深化的产物。纵观人类社会发展史，每次的经济大危机，都会催生一类新兴产业（也可以说是新兴产业承担了社会需要的职能），目前经济危机、能源危机、环境危机，要求中国必须引发新一轮产业革命浪潮——低碳经济，催生新的产业——新兴低碳产业。其次，或者从更深层次上来说，新兴低碳产业的产生并不仅仅是需求的变化，更是生产方式的变革，会在整个经济系统形成扩散效应。新兴低碳产业符合工业低碳化战略发展要求，是国民经济系统的组成部分，长期来看，将改变工业结构，对工业低碳化的全局性起着推动作用。

2.3.4　工业低碳化各影响因素之间的关系

工业低碳化指整个工业经济体系生产方式的由"高碳"向"低碳"突破。它影响各因素之间作为社会经济系统的一部分，是互相依赖互相影响的关系。工业结构是工业低碳化最终的表现形式，技术创新是工业低碳化的核心竞争力，新兴产业对工业低碳化具有战略性意义。工业低碳化的过程就是工业结构的低碳，低碳技术的创新，新兴低碳产业的催生。

2.3.4.1　技术创新与工业结构

技术创新推动工业结构的革新，为工业结构的变革提供微观支持，是工业结构优化的原动力，技术创新往往能带动一些产业的高速扩张，嵌入创新技术的工业结构会向更高一级发展。工业结构在优化的过程中，会优胜劣汰，对技术创新提出更高的要求，使技术创新在需要的领域得到更高一级的发展。嵌入低碳化理念后，低碳技术创新必然引起工业结构向着低碳化的方向优化，而低碳化的工业结构在低碳化的道路上会滋生很多新的要求，这时候又形成了对低碳技术创新的要求，低碳技术创新和工业结构的优化就是这样的相互促进、相互影响的过程中使得现存工业向工业低碳化渐进。

2.3.4.2　技术创新与新兴产业

技术创新作为"创造性的毁约过程"，在不断地创造和不断地毁灭过程中，必然影响传统产业，会导致产业的深化，这个过程就是新兴产业的催生过程。此外，技术创新提高了劳动者的素质，为开辟新产业提供人力支持。新兴产业本来就不成熟，需要技术创新去支持它的发展，因而新兴产业的发展全过程都应伴随技术创新。低碳产业是以低碳技术为核心的产业，低碳技术创新是低碳产业产生的先决条件，而低碳技术的创新必须要在一个系统下不断的实践才能得以发展生存，低碳产业为低碳创新技术提供了这样的一个创新环境，使得低碳创新技术能够得到更多的发展创造机会。低碳产业和低碳创新技术也是相互促进相互影响，它们属于工业低碳化的进程，它们之间的相互关系又促进了工业低碳化的进程。

2.3.4.3　新兴产业与工业结构

在一个新兴产业出现的早期，这一产业往往只能生产一些低技术含量的产品，或者说低社会经济效益的产品，这时候它对工业结构还起不到很大的作用，但是随着经济的发展，如果这以新兴产业是应社会的需求和供给决定的，它会在后期越来越壮大，产品越来越丰富，质量越来越高，这个时候可能就对工业结构产生决定性的影响，可能它就是工业结构中起着"联系效应"的产业，甚至会改变工业传统结构。反之，工业结构的优化升级，产业不断由低附加值转向高附加值，可能会派生出新的产业，这些新的产业也是符合社会经济发展需求的，那么这类派生产业就极有可能会发展成新的产业。低碳产业的研发和工业结构的低碳化，它们的方向都是低碳化，它们就是在上述的机制下相互影响相互促进的。工业低碳化讲的是工业化进程中，工业的优化问题，工业的"质"飞越问题，是关于工业发展的问题。工业低碳化期望到达的境界是经济增长的同时，不对或者少对环境造成负面影响，尽量减少对碳基能源的依赖。工业低碳化最理想的状态是：整个工业体系的低碳化。这就要求低碳技术不断地创新，不断带动低碳产业的发展，推动工业结构向着低碳的方向优化。实现低碳的生产方式对高碳的生产方式逐渐替代，低碳的产业对高碳的产业逐渐替代，最后走向生态文明。

第3章 世界低碳经济总体发展状况分析

3.1 国际低碳经济发展概况

3.1.1 国际经济开始向低碳经济转型

英国是世界上最早实现工业化的国家，也是全球减排行动的主要推进力量。低碳经济的概念一经提出，就引起国际社会的广泛关注，并引领了世界经济向低碳经济转型的大趋势。

2006年10月，由英国政府推出、前世界银行首席经济学家尼古拉斯·斯特恩牵头的《斯特恩报告》(*Stern Review*)指出，全球以每年GDP 1%的投入，可以避免将来每年GDP 5%~20%的损失，呼吁全球向低碳经济转型。IPCC第四次评估报告指出，全球未来温室气体的排放取决于发展路径的选择。随着《巴厘路线图》的达成，应对气候变化国际行动不断走向深入，低碳经济发展道路在国际上越来越受到关注，并正在逐步形成全球共识。

所谓低碳经济，就是以低能耗、低污染为基础的绿色经济。其核心是在市场机制基础上，通过制度框架和政策措施的制定及创新，形成明确、稳定和长期的引导及鼓励，推动提高能效技术、节约能源技术、可再生能源技术和温室气体减排技术的开发和运用，促进整个社会经济朝向高能效、低能耗和低碳排放的模式转型。

事实上，低碳经济早已引起世界各国的普遍重视。除欧盟国家走在前沿之外，日本也在研究迈向低碳社会的可能性和可行途径。日本凭借其长期积累的能源效率和技术优势，以及在新能源和再生能源开发利用方面拥有的雄厚技术，提出要把日本打造成全球第一个低碳社会。美国虽然拒绝重返《京都议定书》，但一直非常注重技术进步在未来经济竞争中的重要性，不断推动新一代清洁能源技术方面的研发和创新，并且也倡导包括建立国际清洁能源技术基金在内的各种机制，在未来应对全球气候变化新格局中获取更大的国家利益。2007年，提交到美国国会的法律草案中就包括一项"低碳经济法案"。

气候变化是环境问题，也是发展问题，归根结底是发展问题。从长期看，一个国家(或地区)向低碳经济转型的过程，就是温室气体排放与经济增长不断脱钩的过程。通过对全球 20 个主要排放大国 1975～2003 年间温室气体排放与经济增长关系的研究发现，英国一直呈现强脱钩特征(经济增长率为正，碳排放增长率为负)。其他发达国家如欧盟 25 国以及美国、加拿大、澳大利亚、日本和俄罗斯在某一时段至少出现一次强脱钩，以强脱钩和弱脱钩(碳排放的增长率小于经济增长率)为主要特征。发达国家的发展实践表明，实现温室气体排放与经济增长的强脱钩是完全可能的。

从全球层面来看，如果没有足够的政策干预，人均收入增长和人均排放之间的正相关关系将长期存在。必须通过适当的政策措施，才能打破这种联系。研究发现，人均温室气体排放与人均收入之间存在近似倒"U"形的曲线关系，而中国正处于这一曲线的爬坡阶段。

然而，发达国家与发展中国家之间的人均碳排放差距将随时间推移而不断缩小，呈现一种趋同态势。由于人类个体对碳排放的需求既具有生物学和物理学意义上的有限性属性，也具有消费欲望的无限性属性，所以发展中国家为了满足人文发展需求，碳排放不可避免要上升，而发达国家消费的理性化可以使碳排放趋于稳定甚至不断下降。

推动低碳经济的动力有三个方面。首先是产业升级。从农耕为主的前工业化时代，到能源密集型产业主导的工业化时期，再到服务业和技术为主的后工业化社会。这是经济和产业发展的一条规律。许多发达国家目前之所以处于经济发展与温室气体排放脱钩的阶段，很大程度上是因为他们已经进入了后工业化时代。其次是能源安全。当今世界经济的一大特点是对石油等化石能源的严重依赖，而目前石油价格的高位运行使世界经济面临严峻挑战。当前国际市场的高油价已经给美国、欧盟等世界主要经济体带来了通货膨胀的压力。从长期来看，要应对高油价的挑战，必然要节能降耗和开发替代能源，最终发展低碳经济使世界经济摆脱对化石能源的高度依赖。再次是全球变暖。随着气候变化已经成为科学的既定事实，国际社会关于气候变化的担忧不断增加，国际气候制度的谈判不断向前推进，世界各国对于建设低碳经济以应对全球变暖的共识也不断得到加强。

中国正在走一条赶超型或压缩型的工业化道路。欧美部分国家用了 200 年左右完成了其工业化进程，中国将在 50 年内完成。发展和富有是要有物质基础的。中国今天走到工业化的中期，取得了令人瞩目的经济成绩，也付出了巨大的资源和环境代价。面对环境污染、资源和能源短缺等硬约束，中国只有通过利用国内外"两种资源、两种市场",才有可能突破经济增长的瓶颈。如果说低碳经济是全世界在气候变化背景下的必然选择,那么科学发展观和党的十七大的战略着眼点,就在于以和平方式突破生存局限。

低碳经济的实质是高能源效率和清洁能源结构的问题,核心是能源技术创新和制度创新,与目前国内落实科学发展观,建设资源节约型和环境友好型社会,转变经济增长方式的本质是一致的。低碳经济对中国的含义不是要求减少煤炭等化石燃料的使用(至少在相当长的时期内不可能做这样的要求),而是要全力地提高中国的能源利用效率,使单位 GDP 的"碳消耗"逐步降低,使中国的产业与技术在未来适应气候变化的产业竞争中能占据一席之地。

中国正处在工业化发展的加速阶段,人口基数庞大,减少贫困、发展经济、满足就业、提高全体人民的生活水平、实现国家的现代化仍然是中国面临的最大任务。一个国家(或地区)二氧化碳排放量的增长,主要取决于四个方面的因素:人口、人均收入、能源强度和能源结构。从人口因素看,虽然出生率、人口自然增长率、婴儿死亡率、总和生育率都远远低于世界平均水平,但中国毕竟有 13 亿的人口基数;从能源结构因素来看,虽然通过落实《可再生能源法》和清洁发展机制(CDM)项目实施,可再生能源开发呈现快速发展趋势,但中国以煤炭等化石燃料为主的能源结构在今后相当长的一段时期内不会发生根本性改变。从人均收入因素来看,中国为了满足人们日益增长的物质文化生活需要的决心和努力不会动摇,这是实现社会政治稳定的必要条件,中国不会以降低人均收入或减缓经济增长来实现控制温室气体排放目标,中国控制温室气体排放的唯一可行途径就是降低能源强度。

正是基于以上考虑,中国在"十一五"规划中提出 2010 年单位 GDP 能耗比 2005 年降低 20% 的目标。为了完成"十一五"单位 GDP 能耗下降 20%,我国已经尽了非常大的努力,包括关闭能耗高、效率低的小的电厂,严格对高耗能项目和工业的准入,并且把节能降耗的指标分解到省市和行业。然而,研究表明,即便中国实现这个目标,中国也只能做到相对的低碳经济发展。如果 GDP 的增长速度按 9% 来算的话,即使每年能耗强度下降 4% 以上,到 2010 年,总的二氧化碳排放还会比 2005 年增加 20% 以上。这意味着中国的温室气体排放总量将在一个比较长的时期内保持持续增长的趋势。

国家统计局的资料表明,2006 年全国 31 个省份只有北京市实现了年度单位 GDP 能耗目标,说明节能减排是一项严峻的挑战。正因为如此,2007 年中国出台《应对气候变化国家方案》《节能减排综合性工作方案》《应对气候变化中国科技专项行动》等多个法律文件和行动计划,表明中国推进节能减排和发展低碳经济的决心和勇气。

发达国家在低碳经济实践方面已经取得了许多重要成果和可以借鉴的国际经验。为了实现《京都议定书》规定的减排目标和应对气候变化的长期挑战，发达国家将通过"技术推动"和"市场拉动"两条重要途径推动能源技术进步和国际能源技术合作。无论在政策层面还是在技术层面，对中国的影响都是积极的。

但是，发展中国家能否利用后发优势在工业化进程中实现低碳经济发展，在很大程度上取决于资金和技术能力。虽然《联合国气候变化框架公约》规定发达国家有义务向发展中国家提供技术转让，然而实际进展与预期相差甚远，清洁发展机制（CDM）项目对发展中国家的技术转让也十分有限。

尽管中国也在不断地引进一些先进的能源技术，包括风能、太阳能和先进的核能技术，但基本上是在商业化条件下的转让，而且关于知识产权转让条件非常苛刻。而依靠中国自己的研发，完全形成产业化和大规模发展需要一定的时间周期。因此未来国际气候制度的发展，非常有必要寻求通过制度化的手段，解决好知识产权保护和技术转让的关系问题。中国的低碳经济发展必须在"后京都国际制度"统筹范围内考虑，必须为发展中国家的低碳经济发展给予足够的经济激励。

3.1.2　世界各国积极加速低碳经济发展

发展低碳经济作为协调社会经济发展、保障能源安全与应对气候变化的基本途径，已得到世界各国普遍认同。全球金融危机促使世界经济加速向低碳化深入发展，低碳经济成为实现全球减排目标、促进经济复苏和可持续发展的重要推动力量。主要发达国家凭借低碳领域的技术和制度创新优势，加紧实施低碳经济发展战略，构筑世界新一轮产业和技术竞争新格局。中国传统的高碳经济和外贸发展模式面临严峻挑战，向低碳经济转型势在必行。

3.1.2.1　主要发达国家加快低碳经济转型，构筑全球竞争新格局

（1）2008 年全球金融危机爆发后，美国、欧盟和日本推出前所未有的大规模经济刺激计划，都将低碳领域作为投资的重点，大规模投入低碳领域，促经济复苏，培育新增长点。

一是美国政府推行绿色新政，培育新能源产业。2009 年 2 月，美国新任总统奥巴马签署《复苏与再投资法案》，实施总额为 7872 亿美元的经济刺激计划，内容包括开发新能源、节能增效和应对气候变暖等方面。其中，开发新能源为核心内容，与开发新能源相关的投资总额超过 400 亿美元，按计划，在未来 3 年内，美国可再生能源的产量将翻番；制定和实施严格的汽车排放标准，大力促进绿色建筑等的开发，以及建设全新的智能电网；通过一系列节能环保措施，发展低碳经济，在全球应对气候变暖

问题上掌控主导权。美国政府以开发新能源为核心的绿色新政并非仅追求经济复苏的短期目标，更着眼于经济的未来，培育新能源产业，使其成为新的经济增长点，重振美国经济。

二是欧盟促经济复苏与低碳经济转型战略结合。在德国、英国等多个欧盟成员国先后出台本国经济刺激计划后，欧盟委员会为协调各国行动，最大限度发挥各国经济刺激举措的潜力，以形成规模效应，于 2008 年 12 月，推出总额为 2000 亿欧元（约合 2520 亿美元）的经济刺激计划。其中，为实现欧盟发展低碳经济的"三个 20% 目标"（2007 年，欧盟提出到 2020 年将温室气体排放量在 1990 年基础上至少减少 20%，将可再生清洁能源占总能源消耗的比例提高到 20%，将煤、石油、天然气等化石能源消费量减少 20%）的投资为 480 亿欧元（约合 605 亿美元），显然，欧盟把促进经济复苏和增加就业机会的短期措施与向低碳经济转型的中期战略结合起来。2009 年 3 月，欧盟宣布将在 2013 年之前投资 1050 亿欧元（1323 亿美元），用于绿色经济建设，以创造更多就业机会，抑制全球气候变暖，并稳固欧盟在环保技术领域的世界领先地位。

三是日本投资低碳革命。2009 年 4 月，日本公布总额为 15.4 万亿日元（1540 亿美元）的经济刺激计划，包括紧急对策，稳定就业和金融体系；投资未来，着眼于今后的增长战略以及刺激日本的活力等方面。投资未来的核心内容就是低碳革命，投资规模达 1.6 万亿日元（合 160 亿美元）。目标是到 2020 年太阳能利用达到世界第一；对可再生能源的利用规模达到世界最高水平；在世界上最早实现普及环保汽车；推进低碳交通革命，发展世界最先进物流；成为资源大国，领导世界低碳再循环潮流。

（2）制定和实施中长期战略规划，主导世界低碳技术和产业发展。

低碳经济作为新的发展模式，成为后危机时期世界经济增长的重要推力。主要发达国家凭借低碳领域的技术和制度创新优势，制定和实施发展低碳经济的中长期战略规划，力图在新一轮的世界经济增长中获得强有力的竞争优势。

第一，美国立法推动温室气体减排，发展清洁能源，向低碳经济转型。

美国总统奥巴马在竞选之初就明确表示，将在美国实行温室气体减排、促进清洁能源及能效领域发展，并且重返国际气候谈判舞台，2009 年 6 月通过的《美国清洁能源法案》是美国在这个方向上迈出的重要一步。《美国清洁能源法案》明确规定减少化石能源的使用，到 2020 年，温室气体排放量要在 2005 年的基础上减少 17%，到 2050 年减少 83%。自 2012 年起开始实行温室气体总量控制与排放权交易制度，发电、炼油、炼钢等工业部门的温室气体排放配额将逐步减少，超额排放需要购买排放权。到 2020 年，电力生产中至少 15% 为太阳能、风能、地热等清洁能源，另有 5% 通过节能措施减少能源消费，两项相加必须达到 20%。投资 1900 亿美元用于发展新的清洁能源技术和提高能源使用效率，包括可再生能源、碳捕获和储存、电动和其他先进技术交通工具、基础科学研发等。《美国清洁能源法案》构成了美国向低碳经济转型的法律框架，表明美国在气候变化政策基调上的根本性转变。

第二，欧盟推进低碳经济转型，要引领世界低碳技术发展。

在发展低碳经济方面，欧盟国家走在世界前列。英国是低碳经济最为积极的倡导者和实践者，为了推进低碳经济转型，英国发布《2008 气候变化法案》，规定到 2050 年温室气体削减 80%，成为世界上第一个为温室气体减排目标立法的国家。2009 年 7 月，英国政府发布《低碳转型发展规划》(以下简称《规划》)，在世界上首次将温室气体量化减排指标进行预算式控制和管理，确定"碳预算"指标，并分解落实到各领域。《规划》要求英国到 2020 年温室气体排放总量在 2008 年水平的基础上减少 18%，即相当于在 1990 年排放水平的基础上减少 34%。到 2020 年可再生能源在能源供应中要占 15% 的份额，其中 40% 的电力来自绿色能源领域，这包括对依赖煤炭的火电站进行"绿色改造"，更重要的是发展风电等绿色能源。在住房方面，英国政府拨款 32 亿英镑用于住房的节能改造，对那些主动在房屋中安装清洁能源设备的家庭进行补偿。在交通方面，新生产汽车的二氧化碳排放标准要在 2007 年基础上平均降低 40%。同时，英国政府还积极支持绿色制造业，研发新的绿色技术，从政策和资金方面向低碳产业倾斜，确保英国在碳捕获、清洁煤等新技术领域处于领先地位。《规划》标志着英国政府正主导经济向低碳转型。

欧盟委员会在平衡与协调各成员国的基础上，于 2007 年提出发展低碳经济的"三个 20% 目标"。2008 年 12 月，又通过为实现"三个 20%"的目标而制定的欧盟能源气候一揽子计划。该计划包括欧盟排放权交易机制修正案、欧盟成员国配套措施任务分配的决定、碳捕获和封存的法律框架、可再生能源指令、汽车二氧化碳排放规划和燃料质量指令六项内容。目前，能源气候一揽子计划已经成为具有法律约束力的法规，将会推动欧盟经济继续向高能效、低排放的低碳方向转型。

2009 年 10 月，欧盟委员会建议欧盟在未来十年内增加 500 亿欧元(约合 630 亿美元)发展低碳技术，以应对气候变化和能源供应安全方面的挑战，保持欧盟的经济竞争力。根据欧盟委员会的这项立法建议，欧盟发展低碳技术的年资金投入将从目前的 30 亿欧元增加到 80 亿欧元。欧盟委员会已联合企业界和研究人员制定了欧盟发展低碳技术的"路线图"，计划在风能、太阳能、生物能源、二氧化碳的捕获和储存等六个具有发展潜力的领域发展低碳技术。

第三，日本政府主导建立低碳社会。

日本是资源稀缺国家，历来重视节能减排。近年日本政府在大力推行节能减排计划的同时，主导建立低碳社会。2008 年 6 月，日本首相福田康夫提出"低碳社会是日本发展的目标"，即著名的"福田蓝图"，它包括低碳发展的技术创新、制度变革及生活方式的转变，其中提出了日本温室气体减排的长期目标是：到 2050 年温室气体减排量比 2012 年减少 60% ~ 80%。"福田蓝图"标志着日本低碳战略的形成。2008 年 9 月，日本政府通过《建设低碳社会行动计划》，为实现"福田蓝图"确定了数值目标及日程。特别是在 2020 年之前实现回收二氧化碳并进行地下储存的"二氧化碳捕捉与封存技术"（CCS）的应用，为实现"低碳社会"迈出了坚实的一步。2009 年 4 月，日本公布《绿色经济与社会变革》的政策草案，目的是通过实行削减温室气体排放等措施，强化日本的绿色经济。这份政策草案除要求采取环境、能源措施刺激经济外，还提出了实现低碳社会、实现与自然和谐共生的社会等中长期方针，其主要内容涉及社会资本、消费、投资、技术革新等方面。此外，政策草案还提议实施温室气体排放权交易制和征收环境税等。这份政策草案如能获得通过并实施，将使日本环境领域的市场规模从 2006 年的 70 万亿日元（约合 7100 亿美元）增加到 2020 年的 120 万亿日元（约合 12000 亿美元），相关就业岗位也将大大增加。通过环境保护推动经济发展，实现"绿色增长"。

3.1.2.2 全球碳交易市场快速发展，未来受后京都国际气候协定影响

2005 年生效的《京都议定书》规定了《联合国气候变化框架公约》（UNFCCC）附件——发达国家的量化减排指标，即在 2008 ~ 2012 年间，其温室气体排放量在 1990 年的水平上平均削减 5.2%。其中，欧盟削减 8%、美国削减 7%、日本削减 6%。为保证全球减排目标的实现，《京都议定书》确立了三种灵活减排机制，即排放贸易机制（ET）、清洁发展机制（CDM）和联合履行机制（JI）。发达国家可以通过这三种机制在本国以外取得减排额，缓解国内减排压力，以较低成本实现减排目标。发展中国家也可以通过项目合作获得减排的资金和技术，促进经济可持续发展。在京都议定书的框架下，温室气体减排权成为一种商品，从而形成全球温室气体排放权的交易，简称碳交易。

目前，全球碳交易主要有两种形式：一是基于配额的交易，在"总量控制与交易"体制下，对有关机构制定、分配或拍卖的减排配额进行交易。市场主要包括各自独立的三个体系：欧盟排放贸易体系（EU ETS）、澳大利亚新南威尔士（NSW）和芝加哥气候交易所（CCX），均是在发达国家之间进行。二是基于项目的交易，亦即将可证实降低温室气体排放的项目用于交易。市场主要包括清洁发展机制和联合履行机制，前者在发达国家与发展中国家之间进行，后者在发达国家和经济转型国家之间展开。中国作为发展中国家，只能参与清洁发展机制项目开发，并将所获项目产生的核证减排量

（CER）出售给有减排要求的发达国家政府或机构。

（1）全球碳市场交易规模迅速扩大，欧盟排放交易体系占主导地位。

根据世界银行统计，2005～2008年，全球碳交易额年均增长126.6%。尽管2008年受全球金融危机冲击，基于项目的清洁发展机制一级市场交易额下降，但二级市场依然活跃；基于配额的交易仍保持快速增长的势头，全年交易额达1263.5亿美元，比2007年的630.1亿美元增长100.5%，超过2005年交易额的10倍。从全球碳交易量来看，也呈快速增长的势头，2005～2008年，年均增长59.5%。2008年，全球碳交易量达到48.1亿t二氧化碳当量，比2007年的29.8亿t二氧化碳当量增长61.4%，是2005年交易量的3倍。世界银行预计2012年全球碳交易额将达到1500亿美元，有望超过石油市场成为世界第一大市场。

在全球碳交易中，欧盟排放交易体系一直占主导地位。2008年，欧盟排放交易体系交易额为919.1亿美元，交易量为30.9亿t二氧化碳当量，分别比2007年增长87.3%、50.1%，占全球的比重分别为72.7%、64.2%。清洁发展机制仅次于欧盟排放交易体系，其交易额和交易量分别占全球的26%和30.3%。从市场规模上看，清洁发展机制与欧盟排放交易体系相比有很大差距，但清洁发展机制的增速不可小视，2008年，清洁发展机制的交易额和交易量分别比2007年增长154.5%、84.5%，远超过欧盟排放交易体系和全球碳交易的平均水平。

在共同而有区别责任的原则下应对全球气候变化，清洁发展机制是目前比较有效和成功的方法。减排成本的巨大差异，使发达国家愿意向发展中国家转移资金、技术。发达国家在向发展中国家转移低碳技术的同时，也促使其自身技术的创新和在出口，因而是一种双赢的机制。中国是目前清洁发展机制下项目交易的主要供给方，2008年占全球的比重高达84%，印度和巴西位列第二和第三，占全球比重分别为4%、3%。

（2）区域性碳交易市场兴起，全球统一市场和规则尚待形成和制定。

欧盟排放交易体系是目前世界上最大的温室气体排放权交易市场，涉及欧盟27个成员国，近1.2万个工业温室气体排放实体，有巴黎Bluenext碳交易市场、荷兰Climex交易所，奥地利能源交易所（EXAA）、欧洲气候交易所（ECX）、欧洲能源交易所（EEX）、意大利电力交易所（IPEX）、伦敦能源经纪协会（LEBA）和北欧电力交易所（Nordpool）等8个交易中心，成为全球温室气体排放权交易发展的主要动力。在欧盟排放交易体系第二阶段（2008～2012年）和第三阶段（2013～2020年）的安排中，欧盟继续逐步加大减排力度，并将减排限制扩展到更多的行业（如航空业）。此外，欧盟还打算在第三阶段时，在配额分配中引入拍卖机制，以提高碳交易的效率。

美国目前还没有建立全国统一的碳交易体系，但已有芝加哥气候交易所、东部及中大西洋 10 个州区域温室气体减排倡议、加州全球变暖行动倡议等区域碳市场，进行配额交易和基于项目的自愿减排量交易。早在 2000 年成立的芝加哥气候交易所已推出 2012 年后美国碳交易期货产品，并已开始交易。2009 年 6 月通过的《美国清洁能源法案》，规定要实行温室气体排放权交易机制，政府为发电厂及工厂等设定碳排放量上限。其中 85% 的限额由政府免费配给，余下的 15% 限额由各公司购入。只要排放量低于上限，就可以转售限额，借此鼓励企业减少碳排放。美国全国碳交易市场有望以该法案为基础形成。

澳大利亚新南威尔士温室气体减排交易体系于 2003 年 1 月正式启动，它对该州的电力零售商和其他部门规定排放份额，对于额外的排放，则通过该碳交易市场购买减排认证来补偿。2007 年澳大利亚新任总理陆克文执政后，加入了《京都议定书》，为实现温室气体减排目标，制定了澳大利亚国家减排措施与建立碳交易体系计划，暂定 2011 年推行。

亚洲地区碳交易起步较晚。新加坡贸易交易所于 2008 年 7 月初成立，计划推出核证减排量交易。中国香港交易所已经开始研发排放权相关产品，筹备温室气体排放权场内交易。日本环境省曾表示日本正在制定一个类似欧盟排放交易体系的总量管制与配额交易，但推出时间未定。

随着低碳经济政策的逐步成熟和完善，世界各国和地区纷纷发展自己的区域性碳交易市场。欧盟于 2009 年 1 月提议建立全球统一碳交易市场，将其作为解决全球气候变化问题的方案内容之一。显而易见，欧盟要主导未来国际规则的制定。虽然欧盟承诺扩大其排放交易体系，吸收其他发达国家加入，但要形成全球统一碳交易市场，尚需时日。

（3）后京都国际气候协定影响全球碳交易发展趋势。

未来全球碳市场的发展趋势主要取决 2009 年 12 月哥本哈根联合国气候大会的谈判结果，即达成应对全球气候变化的新减排协定，以取代即将于 2012 年到期的《京都议定书》。此结果将对欧盟、美国等国家的气候政策的制定起着决定性的作用，而这些政策正是未来全球碳市场进一步发展的重要基础。

自 2007 年 12 月联合国气候大会达成"巴厘行动计划"并启动后京都国际气候谈判以来，由于发达国家和发展中国家之间的严重分歧，迄今未取得任何实质性进展，美国、日本等发达国家对 2012～2020 年的温室气体减排承诺表现消极，对发展中国家一直呼吁的发达国家提供环保技术和资金支持等也不愿列入谈判议题，相反却试图给发展中国家制定难以接受的减排目标。鉴于目前的谈判形势，联合国气候变化事务高官认为，在哥本哈根会议上恐难达成新的减排协定。

但国际社会对温室气体减排的日益重视，让人们对全球碳市场发展的前景仍充满了期望。在 2009 年低碳博览会上，由国际排放交易协会（IETA）发布的《温室气体市场民意调查》显示，碳市场各利益相关方都期待全球碳市场的蓬勃发展。

3.1.2.3　发达国家纷纷实行碳税政策，威胁发展中国家出口贸易

发达国家的温室气体减排行动将通过世界经济贸易的传导机制，给尚未承担减排义务的发展中国家带来影响。目前，备受关注的是美欧发达国家欲将应对气候变化与国际贸易挂钩，实施所谓的碳关税，此举将改变国际贸易竞争格局，对发展中国家出口贸易构成严峻挑战。

（1）碳税：发达国家促进国内企业减排的主要政策手段。

温室气体减排政策手段，包括排放税（能源税、碳税）、排放权交易等，其中，征收碳税最具市场效率，因而受到经济学家和国际组织的推崇。碳税制度最早由芬兰于 1990 年开始实施，此后瑞典、挪威、荷兰、丹麦、斯洛文尼亚、意大利、德国、英国、瑞士等也相继开征碳税。综观这些国家的碳税政策和实践，可以看出它们都在一定程度上成功地把环境政策与税收政策相结合，把碳税作为环境税的重要组成部分，并使其在各国绿色税制改革中充当重要角色。碳税一般是对煤、石油、天然气等化石燃料按其含碳量设计定额税率来征收的。建立碳税制度，将燃料成本内部化，并以此来控制温室气体的排放量，可以使企业根据各自的成本选择控制量。但碳税政策对本国企业的国际竞争力构成不利影响。开征碳税将提高企业的生产成本，尤其是钢铁等能源密集型部门，使其在国际贸易中的竞争力降低甚至丧失。为抵消碳税给企业带来的经济负担，各国通常免除能源密集型部门碳税，或实行税收返还优惠政策。

（2）碳关税：发达国家力图将应对气候变化与国际贸易挂钩。

2009 年 6 月通过的《美国清洁能源法案》规定，美国有权对从不实施温室气体减排限额的国家进口能源密集型产品征收碳关税。此前，法国政府也建议欧盟对发展中国家的进口产品征收碳关税。美欧将应对气候变化与国际贸易联系起来，试图通过碳关税这一贸易措施促使发展中国家在后京都国际气候谈判中承诺采取强有力的减排行动，中国、印度等发展中国家面临巨大的减排压力。如果不设立具体减排目标，则美国有可能对发展中国家的出口产品征收碳关税，欧盟也会仿效。

发达国家实施碳关税使气候成本内部化，将改变国际贸易商品结构，使发展中国家出口商品的比较优势下降甚至逆转。根据世界资源研究所（WRI）对各国各部门碳排放的统计，中国的出口商品中所含的碳排放量是最高的。这也就意味着，一旦实施碳关税，中国的出口商品将受到更大的冲击。目前机电、建材、化工、钢铁等高碳产业

占据了中国出口市场一半以上的比重。作为"高耗能产品"品类之一，2008年中国对美国出口机电产品1528.6亿美元，约占中国对美国出口总额的61%。显然，征收碳关税在短期内对上述行业将产生严重的负面影响。

所谓碳关税，实则为绿色贸易壁垒的新形式。总的来看，发达国家将实行更加严格的环境标准。发展中国家高能耗、高排放、低能效的生产模式还将持续相当长的时间，其产品出口势必越来越频繁遭遇绿色壁垒，并由此引发更多的贸易摩擦。可见，发达国家在低碳经济发展中所拥有的竞争优势，以及他们制定低碳经济"游戏规则"的主导权将影响国际贸易格局，从而为发展中国家"高碳经济"增长带来新的障碍。

3.1.2.4   对中国发展低碳经济的启示

中国作为一个处于工业化和城市化阶段的发展中大国，经济和贸易增长与资源、环境约束的矛盾日益突出，随着世界低碳经济趋势深入发展，传统的高碳经济和贸易发展模式面临严峻挑战。中国应从战略的高度重视低碳经济发展，积极借鉴发达国家低碳经济发展经验，逐步建立中国发展低碳经济的政策框架。

(1)加快研究制定低碳经济发展战略。发展低碳经济，技术创新是根本，制度创新是保障。结合中国建设资源节约型、环境友好性社会的工作目标要求，借鉴和吸收低碳经济的先进理念，深入研究和制定国家低碳经济发展战略，构建完善的低碳经济法律法规体系，推动社会经济朝着低碳方向转型。

(2)加强低碳经济体制机制建设。开展低碳经济试点示范，探索建立适应中国国情、支持低碳经济的政策体系和市场环境，寻求中国特色的低碳经济发展之路。发达国家的经验表明，建立碳交易市场机制是推动温室气体减排的重要手段。从中国的实际情况出发，可试行碳排放强度考核制度，在特定区域和行业内开展碳排放交易。国内区域性排放交易体系的建立需要结合地区经济和产业结构，同时考虑高中低碳排放区域。目前，长江三角洲和珠江三角洲制造业集中，也是高碳排放集中区，可先行建立试点碳交易体系。先从区域入手探索碳交易是循序渐进的一个选择，而行业碳交易的阶段性探索，初期可选择能源、化工等高能耗、高污染等行业试点。

(3)积极调整产业结构和能源结构。要综合运用财政、金融、产业政策，严格控制能耗高、污染重的产业，推进能源节约，重点预防和治理环境污染，促进能源与环境协调发展。逐步形成低碳农业、低碳工业、低碳服务业等完善的低碳经济体系。

(4)构建绿色贸易体系。在一个经济全球化的世界里，发展低碳经济必将和国际贸易联系起来，国际贸易规则在应对气候变化的国际框架下将会有所调整。中国应适时调整贸易政策，绿化外贸出口商品结构，适当限制高能耗产品的出口，并扩大工业制成品进口，建立可持续发展的外贸发展模式。调整和修改中国某些不合时宜的外贸政策法规、环保政策法规，使其适应国际市场绿色贸易发展的趋势，并充分体现中国要履行的国际环保公约的义务，综合考虑贸易活动中环境影响、气候成本内部化等问题。

（5）积极参与低碳化的国际合作。气候变化、温室气体排放是全球性的，因此解决气候变化问题要依靠经济、知识、技术和治理的全球化。中国经济已经融入到世界经济中，不可能完全依靠自己的力量发展低碳经济。作为一个发展中国家，中国不仅要强调自主创新，也要积极开展国际技术合作，通过共同研发，合理转让等方式提高国内的科技水平和创新能力，尽快缩小与先进低碳技术方面差距。

（6）激励企业从事低碳生产和经营。应对气候变化所推动的低碳技术和产业的新兴与发展，将成为未来世界经济发展的大趋势，未来的企业竞争必定是基于低碳产品与技术的竞争。政府应通过低碳产业规划、财政税收的扶持、金融融资的支持，引导企业进入低碳产业、发展低碳产品。同时，鼓励企业积极参与全球建立低碳领域的技术创新机制，力争在清洁和高效能源技术方面取得突破，在国际碳减排市场中取得竞争优势。

3.1.3　欧美低碳经济发展走势

《京都议定书》的附件——国家有强制的碳排放配额，因此，发达国家的低碳政策和经济发展机制比较完善，推动低碳产品成为真正的商品。政府创造市场需求：德国的城市购电法规定，凡是新能源发的电，电网公司一律要收购，而且需要签订长达15年的固定电价合同。这些措施确保了德国新能源的发展。对于投资者来说，可能比化石能源还具有激励性。各家各户自己安装太阳能光伏板发电，用不完亦可卖给电网，随着整个市场的形成，光伏企业形成规模效应，降低了成本。在传统产业，如建筑业，德国政府的法案鼓励租户要求房东出示旧房的节能改造证书，开发了建筑的低碳市场。丹麦政府和企业一起投入风能的研发和生产，市场需求出现后，企业可以通过市场运营，获得经验，降低成本。日本政府扮演了多重关系的角色，鼓励企业发展，同时也有相应的政策来管理、引导、管制、服务企业。日趋活跃的碳交易：附件——国家对一些重点企业有强制性的碳排放配额，基于配额与限定，买卖双方交易由政府或管理者制定和分配的减排配额，譬如《京都议定书》下的分配数量单位（AAU），或者欧盟排放交易体系（EU ETS）下的欧盟配额（EUAs）。另一种是自愿形式。比如美国有5个企业自愿组成了联盟，制定了自己的节能减排指标，自愿承诺一个减排百分比，如果减排数额超出了承诺的指标，他也可以拿到芝加哥交易市场进行交易。此外，欧盟设立的二氧化碳排放的配额"碳积分"，企业或个人通过购买碳积分以消除碳足迹。碳壁垒尚未形成：各个国家并不能自由地设置有关低碳的政策和壁垒。欧元区国家对进口商品有一些化学成分的规定，但是从气候的角度来看。美国曾提出，如果2012年，像中国这样的国家没有他们认可的减排行动（或者说行业减排行动），他们会考虑征收关税。英国一些零售企业要求在产品上加上碳标识，就是产品到底含碳多少，消费者可以根据标识进行自愿选择。如果这已经形成一种趋势，中国企业就要注意了。

3.1.4 低碳经济要求建立全球能源新秩序

低碳经济作为一种理念，最早是环境保护思想对经济发展提出的一种模式要求，它的逻辑基础是经济发展对环境的破坏效应。于是，有关低碳经济的主流研究集中在节能减排技术开发和相关法律法规约束方面。比如，王利（2009）认为，推动低碳经济的发展应加强立法，建立健全法制体系。赵志凌（2010）从低碳经济框架进行了研究，得出主要的路径包括理论方法、意识形态（碳政治）、政策设计（即技术类型，如节能、无碳低碳能源技术、CCS碳捕获和封存技术）、实践探索（低碳城市、低碳经济示范区、低碳CBD）等方面。另外，金涌等（2008）提出，低碳发展应从产业和能源结构调整、科技创新、消费过程优化及政策法规支持等方面着手。

相对经济理论化的研究则集中在"碳金融"方面，其主要原因在于二氧化碳排放权在低碳经济时代是一项有价值的资产，因而围绕二氧化碳排放权交易的很多金融学问题就不可回避了。庄贵阳（2007）认为，实施低碳经济要仔细研究发达国家碳排放定价和碳排放交易等市场工具，以便通过国际合作来有效推动低碳产品和低碳技术的开发利用，达到互利双赢的目的。杨志（2010）认为，中国必须参与构建碳交易市场，以作为参与国际金融市场体系构建的"突破口"。

然而，上述研究却鲜有涉及货币问题的（尤其是货币秩序问题），其实是一种遗漏。任何经济发展态（或模式）都不可避免地要与某种金融态（或模式）联系在一起，而金融态的核心是货币问题。就目前全球低碳经济的发展诉求而言，新的经济发展模式必然产生一个全新的国际货币秩序。本书就是要从货币发行机制的角度，根据世界主导货币的根本属性特征，分析低碳经济条件下国际货币新秩序变更的逻辑基础及过程，以期从国际金融体系和国际货币新秩序的层面，重新理解低碳经济的战略价值。

3.1.4.1 当前国际货币秩序的核心

当前国际货币秩序的总体特征是"一元主导，多元支撑"的局面，"一元主导"是指美元主导整个国际货币体系；"多元支撑"则是指多种国际化货币（以欧元、日元、英镑为代表）以结算货币职能支持整个国际货币体系。而这一体系的核心是"美元主导化"。

美元之所以能主导国际货币体系，主要由于其具备的独特的风险对冲职能。所谓"风险对冲职能"是指货币贬值风险对冲，这种职能要求货币必须具有对冲体(或对冲资产)。金属货币时代，货币天然具有该职能，因为币材本身就是对冲资产。但纸币制度时代，货币的本位体由国家信用取代，因而就失去了天然对冲资产。然而美元由于特殊的历史原因却拥有了两种对冲资产：布雷顿森林体系把它和黄金联系在一起，表面上美元只是黄金的结算货币，但实质上二者的长期负相关关系已经是黄金演变成美元的对冲资产；布雷顿森林体系瓦解之后，美元与黄金之间的对冲关系已经弱化。但是，美元与全球最稀缺的工业资源石油建立了类似的负相关关系，使石油也演变成美元的对冲资产。美元的这种特性是所有货币中独一无二的。

在图 3-1 中，可以清晰地看到布雷顿森林体系瓦解后，美元指数与黄金价格指数的相关性已经非常弱化了。而图 3-2 所展示的美元指数与国际原油价格指数之间却呈现出明显的负相关关系。

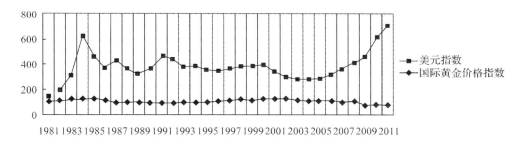

图 3-1　美元指数与国际黄金价格指数走势图

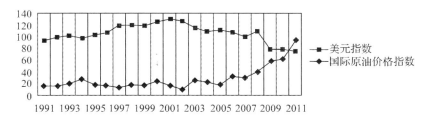

图 3-2　美元指数与国际原油价格指数走势图

3.1.4.2　美元的货币发行机制

到目前，学术界对货币发行的研究主要集中在货币发行的决定因素以及货币价值变动理论上，对于货币的发行机制(亦即货币究竟该遵循怎样的原则和制度发行)鲜有成果。根据目前世界各国货币发行的主要特征，货币的主要发行机制可以归纳为以下三种：

（1）美国式。

美元的发行机制有别于其他货币，其发行的推动机制可以归纳为"双轨制"，即（美国）资本市场驱动制和石油购买驱动制。所谓资本市场驱动制，是指美元发行在一定程度上取决于资本市场对经济的定价选择，当资本市场给予上市公司高定价时，企业市值就会要求更多数量的货币予以表达；而当市场给予整个经济的预期以很高的定价水平时，整个资本市场就会要求以更多的货币数量来表达经济体的价值。假定当前货币总量（按一定投资消费比例折算后）不能满足资本市场对货币数量的要求，根据美联储的相关规定，投资机构可以向美联储要求再贷款，而此时美联储只能以货币发行的方式来满足这种需求。

而所谓石油购买驱动制是指，由于布雷顿森林体系瓦解后国际原油价格大多数以美元为计价货币，因此当石油销售价值总量（销售量与石油价格的乘积）上升时，国际原油市场客观上要求以更多数量的美元来表达。为了维持这种特殊的制度安排，自布雷顿森林体系瓦解后美国就一直是世界上最大的石油购买国。于是，石油购买也成了美元发行的决定因素。

由于美元事实上一直处于国际主导货币地位，因此，美元的货币回笼一直使用美元债券的发行来实现。

美国式货币发行机制的优点在于：从其国内因素看，美元的发行基本符合资本市场对经济发展的预期，加之美国资本市场的高效性，因此这种货币发行机制基本体现了经济发展预期对货币发行的要求以及对货币价值的支撑，较好地避免了人为主观判断的失误以及由此造成的人为发行混乱现象。

但这种发行机制的缺点也很明显：首先，一旦遇到市场失灵，即市场对经济发展预期出现过分高涨情况时，极有可能出现货币发行过度问题；其次，美元的发行机制需要美元的政治主体对国际石油产销有较大的控制力，这种需求在现有世界政治格局下造成了美国对世界产油地区和国家实施霸权主义的利益驱动力，从而造成世界不安定局面。

（2）欧元式。

欧元是一种典型的协议货币，即参与欧元的国家遵守欧元区货币协议，包括欧元发行在内的所有有关欧元的货币行为必须遵循该协议。关于欧元的发行，协议规定"货币发行需满足通胀率、就业率和经济增长等因素的要求"，也就是事先设定一些指标，只有整个欧元区经济指标满足这个指标体系要求时，才能发行欧元。

这种发行机制的优点在于，货币发行的决定因素是客观经济指标，依据经济指标决定货币发行的时机、数量和速度，同样可以避免判断和决策的失误。但其缺点更突出。

首先，其理论基础存在问题，依据通胀水平和就业率决定货币发行，实质上是把物价视为货币价值的函数。但从本质上看，物价水平（或通胀水平）更应该是生产力的函数，即物价取决于总供给与总需求的均衡。如果盲目根据市场通胀水平来调整货币政策，以达到调整货币发行（或货币回笼）的目的，势必忽视了经济发展的本质特征与货币量的匹配关系，从而造成经济发展与货币发行的相位差，进而影响经济价值的稳定与提升。

其次，在主权多元化的区域内以一元化的货币统一货币制度本身就存在致命缺陷。当主权经济体经济发展出现巨大差异，而经济相对落后主权体的主权债务出现偿付困难时，主权体因失去货币政策的自主权而无法自救，这时统一的货币管理机构（这里指欧洲央行）就要进行援助，而援助的代价必然是经济相对发达的主权经济体的利益受到损害，从而造成整个区域经济受到威胁。2010年年初爆发的"希腊主权债务危机"，以及由此开始的一系列欧元区主权债务危机很好地说明了这一点。

（3）出口主导式。

这种货币发行机制几乎出现在所有出口主导型经济体内部，比如日本、中国等国家。这种货币发行机制的核心环节就是盯住式汇率制和结售汇制度。盯住式汇率制的目的在于保证对外贸易顺差，而结售汇制度则是对国内出口企业的激励制度：出口企业实质上把全部汇率风险都转嫁给本国政府。其中，结汇制度决定该经济类型国家的本币发行：出口收入越多（实质就是赚取的外汇越多），根据结汇制度，该国就要用越多的本币兑换外汇，当现有本币（量）水平不能满足结汇要求时，该国就必须发行新货币以表达兑换外汇的价值，由此形成了本币发行的最根本动力。

这种货币发行机制并非发行主体的本意，或者说，没有哪一个国家是主动地运用这种机制来发行本国货币的，它只是出口经济模式中激励机制的副产品，因此，具有货币发行的被动性，它的缺点也恰恰集中表现在这里。

首先，由于货币发行的时机与数量均是被动的，因而发行主体无法根据本国经济发展的实际状况来决定货币发行；其次，由于货币发行由外部因素主导，因而外部因素的变化极易因其本国货币发行的混乱，以及实际币值与名义币值偏差，导致国内货币体系动荡。

3.1.4.3　二氧化碳排放权与世界主导货币放行权

当前国际货币体系的特征表明，美元之所以能够主导这个体系，就是因为它拥有最稀缺的工业资源——石油——作为其对冲资产。这个结论同样表明，未来新的国际货币体系无论由谁主导，这种货币必须拥有对冲资产，而且这种对冲资产要比石油还稀缺。如果一个全球性的二氧化碳排放权交易体系真的建立起来的话，那么，二氧化碳排放权就是比石油更稀缺的资源。实际上，国际货币体系之所以要出现更迭就是由于一个新的二氧化碳排放权交易体系将要建立，而非美国金融危机。

过去，美元之所以能与石油建立其如此坚固的对冲关系，很大程度上由于石油分布的不均匀性。因而，只要美国控制了世界主要石油产油区，就可以巩固美元与石油的对冲关系。而在全球二氧化碳排放权交易体系下，只要排放权的分布是公平的、均匀的，美元再想通过过去那种手段绑架稀缺资源（石油）就几乎不可能了。

根据当前世界主导货币的特征和发行机制，新的世界主导货币的发行机制将借鉴美元的发行机制，基本逻辑如下：

首先，各国将根据协议获得一定数量的二氧化碳排放权配额，再根据本国情况将这些配额分配到不同行业和不同企业。企业在发展过程中必须兼顾排放权配额，一旦企业的发展规模对排放权有更高要求时，它将通过减排技术的开发或直接购买来实现。

企业在发展过程中将面临三种局面：一是所得排放权配额与企业发展规模完全匹配，即企业既无剩余排放权，也不需要购买排放权情况下，企业市值相对稳定。二是企业排放权配额不能满足企业发展速度与规模的要求，即配额不足。这种情况下，无论企业通过什么途径获得更多排放权，都将有损企业市值或者限制市值提升。三是企业通过技术创新不但使企业排放权配额能够满足企业发展需求，还会创造出剩余排放权，进而通过出售这些剩余排放权获得更大的价值。

从微观层面看，当企业能够通过技术创新实现上述第三种情况，则企业的市值将会得到提升；如果这个企业能够创造越来越多的剩余排放权，这个企业的市值就会连续地上升。从宏观层面看，当一个经济体或国家的整体排放水平降低，或者通过技术创新可以创造出整体剩余排放权，那么，这个国家的企业的整体市值就会上升。当这种上升无法用现有货币量足额表达时，这个国家的整体经济水平就会倒逼货币发行机构发行货币，而且这种货币还必须是主导货币。

由此可以得出两个阶段性结论：一是未来世界主导货币的发行不再像现在这样由一个国家或经济体来决定，而是由经济发展最快的国家或经济体通过本国企业市值的快速提升来决定的，而企业市值的提升将在很大程度上取决于企业创造剩余二氧化碳排放权的能力。二是在此种货币发行机制下，未来世界主导货币的名称与发行机构并不重要，至少这些东西说明不了国际货币体系的主导者和主导作用，即便继续现在的国际货币体系模式，即美元主导、美联储发行，但美元的发行权也不再单属美国，而属于所有有能力的国家或经济体。

3.1.4.4　低碳经济的国家战略意义

自 2008 年美国金融危机以来，世界各国都对现有的美元主导型国际货币体系感到担忧，最直接的威胁来自国家外汇储备因美元价值下降而缩水的问题。因此，主导货币多元化就成了世界各国（美国除外）的普遍共识。但对于如何建立未来国际货币新秩序，各方观点分歧很大。

根据上述分析，低碳经济将对这个即将建立的货币新秩序起到至关重要的影响，这就对未来世界各国经济发展方式和产业结构的转变提出新的要求。美国率先作出转变，2008 年金融危机之后，美国新政府提出一系列经济发展战略，其核心在于发展高附加值、低排放的绿色经济。

为此，美国政府甚至放弃了对昔日美国经济支柱产业（包括汽车、钢铁等）的救助，而直接把资金和政策倾斜于新能源、新技术等领域。不仅如此，美国还在全球率先征收所谓的"碳关税"，以此把那些排放水平很高、暂时又不愿意（也无能力）参与"后京都议定书时代"新的二氧化碳排放权交易体系的国家或经济体强行拉入，迫使这些国家接受美国标准。英国也紧跟制定了绿色经济发展战略，并把高排放产业放在首先被调整的名单之列。欧盟也加快了 ETS 交易体系的推广，同样也通过"强迫性"手段迫使欧盟以外的国家接受欧盟准则。

中国在过去 30 年中取得了经济高速发展的骄人战绩，但由于长期依靠低附加值、高排放的劳动密集型产品的出口来推动经济增长，因而在产业结构和产业布局上存在明显缺陷。加之中国又是一个人口大国，所以在"调结构""保增长"和"保民生"方面存在着"天然"的自身矛盾。

然而，国际金融形势的变化不会因中国的特殊情况而改变，中国要想在未来国际货币新秩序中拥有足够的发言权、要想在世界经济大格局中占据重要位置、要想使自己的外汇储备安全且有价值，就必须在未来国际主导货币发行体系中拥有足够的实力，而这个实力就要与低碳经济、与手中拥有（或可创造的）剩余二氧化碳排放权直接相关。从这个意义上讲，转变经济发展模式，调整宏观经济产业结构就成了不可回避的关键环节。

3.1.4.5　结　论

通过上述分析，可以看到低碳经济远非一种简单的清洁经济，也不单单是一种经济发展的理念，它对未来国际货币新秩序有着重要的主导效应。归纳起来，主要有以下几点结论：

（1）世界主导货币的本质特征是存在对冲资产，即持有该货币的贬值风险可以通过持有某种特殊资产头寸进行对冲。在当今国际货币体系中，美元就是这样的主导货币，并拥有石油这种人类最稀缺的资源作为对冲资产。

（2）未来国际货币新秩序也必将存在一种主导货币，这种主导货币也必将拥有一种对冲资产。在低碳经济时代，二氧化碳排放权是一种比石油更稀缺的经济发展资源，因而完全具备成为未来世界主导货币对冲资产的条件。

（3）未来世界主导货币的发行机制很有可能继续沿用当今美元的发行机制，即资本市场倒逼机制。这种机制的最大优势在于，通过市场对未来经济发展预期来决定适应未来经济发展规模的货币发行量。

（4）低碳经济模式下世界主导货币将不再是一种固定发行人的制度安排，而是由经济发展模式最合理、剩余二氧化碳排放权最多的国家或经济体决定主导货币的发行。在这种制度安排下，主导货币是何名称、由谁具体发行都不再重要，最重要的是由谁来主导发行。

3.2 美　国

3.2.1 美国经济重心向低碳经济转移

美国的不少城市也在自发地推行"生态""智能"的理念。比如，俄勒冈州波特兰市在大力推广建筑节能，GE 公司还在帮助该市建立"生态区县"试点。在依阿华州，IBM 在和杜布克市合作，提升城市能源管理效率，力图打造一个"智能城市"。

美国地方政府在促进本地产业的低碳、可持续发展的另一项措施，是建立区域性的强制碳市场。目前，东北部已经有一个运作近两年的区域碳市场试点——RGGI。一年后，加州也将出现区域碳市场。

美国产业发展、转移的历史，伴随着政府政策、市场机制、自然环境和技术创新这些元素之间的互动和均衡。研究这个发展过程中的一些经验和路数，也许有助于中国低碳城市试点的规划。

先来看看美国的堪萨斯州。该州位于北美"大平原"地带，是美国主要的农业州，人口只有 280 万，小麦产量居全美第一。但食品加工业却只是该州第三大产业，排在前两位的是交通设备制造和工业、电脑设备制造业。另外，该州石油工业规模较大，天然气和氦气储量丰富。威奇塔（Wichita）是堪萨斯州一个人口只有 36.5 万的城市，相对于沿海地区是个"内地"城市。然而，该市在航空航天设备制造方面却领先于美国其他城市。在美国航空业发展的早期，一批创业者来到这个曾经以养牛为主的畜牧中心，打造了今天私人飞机行业赫赫有名的三个品牌：Beech、赛斯纳和 Lear。如今，空客和波音在威奇塔都建有制造中心。国家航空研究院和国家航空培训中心也都落户该市。美国州际高速公路体系和现代化机场，使进出威奇塔市十分便利。

第二个例子是美国内布拉斯加州及其主要城市——奥马哈（Omaha）。内布拉斯加州人口 180 万；奥马哈市人口 46 万。毫无疑问，农业是州经济支柱，但与此同时，奥马哈市也是美国保险业和通信业全国性的聚集地之一，电子设备、制药、铁路和运输设备制造也很发达。投资大亨巴菲特的投资公司总部也设在该市。位于奥马哈的内布拉斯加大学吸引了美国一流的信息技术、工程专业的学生，并同全球 180 家跨国企业和政府机构建立了合作伙伴关系。

美国产业向这些远离沿海金融和制造业中心、以农业为主的内陆地区的转移、发展，历时 100 多年。在这个过程中起推动作用的，并非联邦政府"自上而下"的产业规划和政策，而主要依赖本地企业家的创业精神和地方政府的配合。如今，这些地方的人均 GDP 完全可以同美国沿海城市媲美；失业率也远低于沿海城市。

另外一个经验是，政府和私人企业在产业发展、转移过程中，要分工明确。政府应当提供基础设施——不但包括公路交通，而且包括金融和法律体系。联邦政府、州政府和地方政府需要出台透明的法规和监管条例，同时还要有公共财政和国家标准相配套。

美国宪法第一款规定的一个重要原则，是州际之间的自由商业往来不得人为设置障碍。在这个原则下，美国各联邦监管机构——包括联邦州际商务委员会（监管州际铁路和公路交通）、联邦通信委员会（监管广播电视）、联邦贸易委员会（反垄断和消费者保护）——得以有效运作。

联邦政府 1956 年开始推出的美国州际高速公路网络，如今已成为全球最大的公路网。公路建设和维护资金，来自联邦和地方政府。而地方政府融资主要靠州、市政府发行公债。1812 年，纽约市发行了美国第一笔市政公债。如今地方政府的公债金额已经达到 2.8 万亿美元。联邦政府规定，地方公债投资人的利息收入，免交联邦个人所得税。

美国经验表明，在市场经济活动中，政府应当首先明确自身的位置和功能。之后，私人企业、市场（包括金融体系）以及技术创新，才能相继进入一个均衡、互动的循环。

3.2.2　美国积极推动清洁能源技术开发应用

美国将推动在新一代清洁能源技术方面的研发与创新，尤其是将会提供资金开发燃煤发电的碳捕获与埋存技术，并鼓励可再生能源、核能以及先进的电池技术的应用，通过减少对于石油的依赖来确保国家的能源安全和经济发展。

在传统的化石能源的清洁利用以及替代能源的开发应用方面，美国吸引了大量的风险资本和私人投资，联邦政府希望通过立法、税收减免等多项措施起到积极的推动作用。在政府和市场的共同推动下，美国在当前和未来的温室气体减排技术和发展低碳经济方面有可能获取全球优势。

2007年，美国至少有7项涉及应对气候变化的法案在国会讨论，同年7月由参议院提出的《低碳经济法案》更是以低碳经济为名，明确了促进零碳和低碳能源技术的开发与应用，并且通过制度安排为其提供经济激励机制。

虽然美国有关应对气候变化的立法过程仍然面临诸多挑战，但可以看出，发展低碳技术与低碳经济的思路以及相应的国家战略转型，已经得到了美国政府众多高层人士的重视。

2008年1月28日，美国时任总统布什在其任期内的最后一次国情咨文中提出，美国的国家安全、经济繁荣以及环境问题都要求其减少对石油的依赖，并且再次强调了在清洁能源方面科学技术创新的重要作用。美国将推动在新一代清洁能源技术方面的研发与创新，尤其是将会提供资金开发燃煤发电的碳捕获与埋存技术，并鼓励可再生能源、核能以及先进的电池技术的应用，通过减少对石油的依赖来确保国家的能源安全和经济发展。

美国白宫发布了一份奥巴马总统论述"美国经济恢复和再投资计划"的报告，该报告提出美国已将能源、教育、健康和基础设施建设列为最重要的领域。在能源方面，奥巴马提出，为了加速推进清洁能源经济，美国在未来3年内将把风能、太阳能和生物燃料等可再生能源的生产能力再提高1倍，将开始建造新的长达4800km的传输电网，以方便传输这种新的能源。

据悉，奥巴马已公布的能源政策还包括：未来10年，政府将投入1500亿美元资助替代能源研究，风能、太阳能和其他替代能源公司将有可能获得更多的政府资助；到2012年，美国发电量的10%将来自可再生能源（这个指标到2025年将达到25%）；汽车方面，将加大对混合动力汽车、电动车等新能源技术的投资力度，减少石油消费量；在新能源技术方面，政府将大量投资绿色能源——风能、新型沙漠太阳能阵列和绝缘材料等；在建筑方面，将大规模改造联邦政府办公楼，推动全国的学校设施升级，对全国公共建筑进行节能改造。

世界首座环保加油站在美国洛杉矶建成，加油站采用了一系列环保措施，包括使用90块太阳能板获取能源、用不锈钢的顶棚收集雨水灌溉植被、使用低耗能的照明系统并向顾客发放用再生纸制作的节能宣传卡片等措施。

3.2.3 2011 年美国清洁能源与安全法案通过

2009 年 6 月，众议院通过了《美国清洁能源安全法》，虽然参议院对其内容存在很大争议，但该法案中的可再生能源部分已通过审议，表明国会在新能源议题上具有基本共识。在年初发表的首次国情咨文中，奥巴马提出从 2011 年起，除国家安全、医疗和社会保障以外的政府开支将被冻结 3 年，但将继续在新能源、教育和基础设施等方面增加投资。由于美国当前能耗的 69% 用于交通业，奥巴马还要求政府投资 6 亿美元促进消费者购买更加节能的车辆。

3.2.4 加利福尼亚州通过美国首个低碳燃料标准

为遏制全球变暖的趋势，美国加利福尼亚州 2009 年 9 月 23 日通过了一项旨在控制温室气体排放的"低碳燃料"标准，这是美国第一个设立此类标准的州。加州政府宣布，加州空气治理委员会当天以 9 票对 1 票，通过了这一标准。该标准的重点是通过规定"低碳燃料"标准来限制运输业的温室气体排放量。据统计，加州的温室气体排放有 40% 来源于运输行业。

根据这一标准，到 2020 年，在加州销售的汽车燃料，不管是汽油、柴油等化工燃料，还是利用玉米提取的乙醇等，其"碳含量"都必须降低 10%，这就要求产油公司、炼油厂、进口燃油者必须采取相应的技术措施，从燃料的生产到加工、消费环节努力提高燃料"清洁度"，或者采购并销售其他清洁的可替代能源。

据估计，这一"低碳燃料"标准推行后，在未来 10 年内将使加州的碳排放量减少1600 万 t，使得加州 20% 的化石燃料被其他清洁能源所替代。

加州州长施瓦辛格当天发表声明说，加州通过的世界首个"低碳燃料"标准，不仅有助于控制温室气体排放，而且还将"激励技术创新，扩大消费者的选择，鼓励私营企业加大在清洁能源方面的投资，以改变美国的能源结构"。

3.2.5 低碳产业有望成为美国经济新的增长点

奥巴马在就职演说中表达出对发展新能源的热情："将利用太阳、风和土壤来为汽车和工厂提供能源"，他还将与新能源相关的气候变化问题列为本届政府的三大要务之一，其对新能源的关注程度，可与当年克林顿政府倡导互联网技术革命相提并论。奥巴马政府之所以如此高看新能源产业，一是希望以此来应对金融危机，推进美国经济的可持续增长；二是为调整能源供应结构，确保未来的能源安全；三是试图通过创建新型产业来增加新就业岗位；四是为减少温室气体排放。归根结底，美国政府此举是为了保持竞争优势，占领后石油时代的经济制高点。因此新能源产业不仅是个经济问题，更是一个政治问题，美国需要借助于优势产业改变国际资源的分配体制，继续主导世界经贸规则，控制国际战略技术市场，通过降低对传统能源的依赖来提高自身行动的灵活性，为超强的军力提供不受干扰的后勤保障，并在围绕气候变化的全球博弈中占据道义制高点，以维护其在世界上的领导地位。

美国劳工部长希尔达·索利斯在参加第二次全美清洁能源峰会时，就以一场新的"工业革命"来描述未来的新能源产业，充分表达出美国政府对此的重视程度。挽救能源联盟主席查拉罕则表示："在能源效率和清洁能源技术的基础上进行重建经济以及保护环境，是美国重获并且保持全球经济领导地位的最佳途径，也许是唯一的办法。"相较于布什政府时期，奥巴马政府在新能源问题上的战略思考又前进了一步，主要表现为：一是布什时期的重点在于石油进口地的多样化和确保运输通道的顺畅，而奥巴马则把重心放在了开发全新能源方面，这有助于从根本上降低对石化能源的过度依赖；新任美国能源部部长朱棣文就表态说，他的工作重点是推动可再生能源的开发，而不是与欧佩克(OPEC)打交道。二是布什政府侧重于提高传统能源的能效，而奥巴马政府则不仅关注节能问题，同时还注重减少能源污染；三是布什政府将发展新能源视为减少国际依赖的战术目标，而奥巴马政府则将其上升到战略层面，关注新能源对于美国国际竞争力的长远影响；四是布什政府为了眼前利益屈从于国内压力而拒不签署《京都议定书》，奥巴马政府则表现出积极态度，选择绿色能源作为突破口，通过"利己不损人"的方式来化解国际压力，维护美国的国际形象。因此从总体上看，奥巴马的能源政策实现了对布什政策的超越。

3.3　英　国

3.3.1　英国发展绿色能源应对气候变化

英国能源和气候大臣爱德华·戴维在重申该国的绿色发展目标时称，英国将致力发展风能、潮汐能等绿色能源。戴维说，尽管从传统能源向新能源的转化确实面临许多挑战，但是这一变革方向不能改变。他确信能够为经济发展和环境保护找到理想的嫁接方式，要使绿色经济不仅服务于人类星球，而且也有利于提高英国民众的收入和生活水平。

英国副首相尼克·克莱格指出英国拥有丰富的风能、潮汐能资源以及世界顶级的研发基地和工业基础，这一切都会使英国在新能源领域成为最具竞争力的国家。

克莱格说，2011 年，全球向新能源领域内的投资出现突破性进展，中国、印度、韩国、巴西等国家对新能源的投资给予高度重视。因此，英国唯一的选择就是觉醒起来，借助自身优势迎头赶上。他还说，英国应该清楚地认识到，低碳市场将成为未来全球竞争的前沿阵地。

3.3.2　2011 年英国发布"低碳经济"国家战略计划

2009 年 7 月，英国政府正式发布名为《英国低碳转换计划》的国家战略文件，提出到 2020 年将碳排放量在 1990 年基础上减少 34%，其内容涉及能源、工业、交通和住房等多个方面。

英国能源和气候变化大臣埃德·米利班德说："这项计划是英国到 2020 年的行动路线图，它要求所有方面都向低碳化发展。"他说，综合考虑了能源安全、产业发展和适应气候变化等多方面内容，是对气候变化挑战的有力回应。

《英国低碳转换计划》的主要内容均以 2020 年为目标：到 2020 年，40% 的电力来自低碳领域，其中大部分为核电、风电等清洁能源；拨款 32 亿英镑用于住房的节能改造，对那些主动在房屋中安装清洁能源设备的家庭进行补偿，预计将有 700 万家庭因此受益；在交通方面，新生产汽车的二氧化碳排放标准在 2007 年基础上平均降低 40%。

3.3.3　英国积极推广低碳经济发展模式

在全球大力推广低碳经济模式。英国一直强调"低碳经济"不仅对英国，而且对整个世界都有重要意义，不断通过各种渠道在国际上推广"低碳经济模式"。英国前首相布朗多次强调，发展中国家不应再延续发达国家历史上那种高能耗的发展模式，可以考虑发展低碳经济的新模式。由于发展中国家在应对气候变化上情况不尽相同，差别较大，推行低碳经济困难重重，英国提议发达国家给发展中国家提供尽可能多的技术和财政支持。英国还在全球推销其低碳技术，希望通过对发展中国家的低碳技术输出，在全球目前价值达 3 万亿英镑的产业中获得更多的份额，推动其经济发展和充分就业。

3.3.4　英国发展低碳经济促进经济复苏

英国政府出台了《英国低碳过渡计划》以及《英国低碳工业战略》《可再生能源战

略》《低碳交通计划》三个配套文件，目标是要到 2020 年在 1990 年的基础上减排温室气体 34%。该计划标志着英国正式确定了将低碳经济作为促进经济复苏突破口的战略，拟通过抢占低碳经济发展先机，从根本上提升英国国家和企业的核心竞争力，实现英国经济在 21 世纪的可持续发展。

3.3.4.1 培育新的经济增长点

英国政府自国际金融危机以来实施了向银行大规模注资、出台提振制造业战略等多种经济刺激方案，使英国经济近来出现了一些好转迹象。2012 年第二季度商品销售总量较 2011 年同期上升了 1.3%，零售商品较 2011 年同期上升了 2.9%，较上季增长了 0.7%。国际金融危机以来下降约 20% 的住房价格在 2012 年二季度出现了 2.6% 的较大幅度回升，有意购房者数量也连续 7 个月上升。

但是，由于全球经济不景气，英国经济复苏不如预期，英国经济已连续 5 个月下跌，2012 年第二季度继续下跌 0.8%，全年将缩水 3%，预计 2010 年方能出现 0.2% 的回升。同时，英国失业人数继续攀升，2012 年 3～5 月英国失业人数上升了 28 万，达 238 万之众。截至 2012 年 6 月份，英国申领失业救济的人数已增加到 156 万。此外，国际金融危机造成的企业、私人贷款和房屋按揭拖欠，还可能给英国金融业带来超过 1000 亿英镑的巨额坏账，英国政府采取的多种经济刺激方案，也将使英国政府 2009/2010 财政年度净债务达到 2000 亿英镑，英国政府债务将因此持续多年超过其 GDP 的 40%，这表明英国的经济复苏将经历缓慢而曲折的过程。

从英国 2007/2008 财年 GDP 结构来看，服务业占 GDP 比重高达 75.7%，工业占 23.49%，农业占 0.9%。目前英国金融服务、零售业和建筑业复苏缓慢，2011 年提出并开始实施的制造业提振计划仍需一段时间才能见效，农业发展潜力有限，因而英国必须打造新的经济增长点，方能尽快走出经济低谷，而以发展新能源和鼓励科技创新为重要特征的"低碳经济"不仅能解决油价高企、气候变暖等问题，还将创造巨大的内需市场，吸引大量外来投资。因此，发展低碳经济已成为未来英国经济复苏的重要突破口。

据英国商务部统计，目前全球低碳产业产值已达 3 万亿英镑并还在不断增长。联合国环境规划署公布的数据显示，2008 年，绿色能源投资首次超过了石化能源，总额达到了 1500 亿美元，较 2004 年增长了逾 4 倍，全球低碳经济发展已进入到了一个重要分水岭。对此，英国首相布朗明确表示，英国将用"低碳经济"模式帮助经济复苏，在经济衰退的背景下，英国必须走低碳经济的发展之路。《英国低碳过渡计划》的实施，正是要抢占 21 世纪新增长领域的制高点，打造英国的核心竞争力。

3.3.4.2　潜力巨大，效益明显

低碳经济潜力巨大，其影响不亚于一次工业革命。低碳计划带来的经济刺激对英国走出当前经济衰退，实现可持续发展有着显著作用，同时将从根本上提升英国的核心竞争力，建立英国在全球低碳经济中的前沿地位。

第一，《英国低碳过渡计划》对能源、工业、交通、住房等各领域的发展提出了详细的减排要求，将有效促进太阳能、风能等新能源产业的发展。在英国政府的政策刺激下，英国国内和外国的企业将进一步扩大对英国新能源产业的投资，有效地缓解英国当前严峻的就业压力，提高环保产品和服务的收益。

英国政府在 2012 年的预算中专门拨出 4.05 亿英镑，支持绿色产业和绿色技术。旨在扶持关键企业应对气候变化，包括海上风力发电、水力发电、碳捕获及储存。英国还将投资 600 万英镑，开发智能电网；向地方政府拨款 1120 万英镑，加快对可再生能源项目的审批程序；将 1.2 亿英镑投入海上风力发电，6000 万英镑投入海浪及潮汐发电；将 600 万英镑投入地热探索，仅英格兰西南部的地热资源就能满足全英国每年 2% 的用电需求；将 400 万英镑用于帮助制造业，包括核电制造业。英国将力争到 2020 年创造 120 万个绿色就业机会。另外，在英国政府的推动下，欧洲投资银行已准备与英国皇家苏格兰银行、劳埃德银行及 BNP Paribas Fortis 银行联手在未来 3 年内放贷 10 亿英镑，支持英国陆上风能发电，以满足 50 万家庭用电的清洁电力需求。这些投入将纳入欧洲投资银行对英国能源业 40 亿英镑资金支持的一部分，预计欧洲投资银行 2012 年向英国提供的总放贷额将达 100 亿英镑。

第二，《英国低碳过渡计划》将有力地促进传统产业的低碳化升级改造。其中《低碳工业战略》指出，政府将在政策倾斜、产品采购、教育培训、标准化和资金投入等方面予以制造业全面支持，包括软件、制药、化工、发电、汽车、航空等领域，协助解决低碳工业发展的瓶颈，打造创新氛围，包括改变机制、消除壁垒和支持研发等。政府还将在这些领域帮助企业培训员工，提高劳工技能，并在信息服务和咨询方面提供帮助。

第三，可通过碳排放交易获利。据伦敦国际金融局数据显示，2006 年全球碳交易成交量为 16.36 亿 t，而伦敦则是关键性交易市场。该年度伦敦跨洲期货交易中的碳融资合同，占到了欧盟通过交易所交割的碳交易量的 82%。在项目碳交易市场，英国的投资也达到了全球项目交易的 50%，伦敦已逐渐成为全球碳交易中心。《低碳过渡计划》的实施将制造更多的碳排放配额，用来出售交易，在获益的同时，还有利于巩固伦敦作为碳交易的中心地位。

第四，有利于英国抢占低碳经济先机。英国抢先布局低碳经济战略，为其在低碳

经济时代扩大低碳服务和技术产品以及低碳制造业产品抢夺了先机，为其重振昔日全球贸易大国的地位奠定了基础。

3.3.4.3 发展计划具备坚实基础

英国在发展低碳经济方面有着坚实的基础。首先是政策基础。2003年英国首次正式提出"低碳经济"概念，以能源白皮书形式宣布到2050年从根本上把英国变成一个低碳经济国家。2011年英国颁布了"气候变化法案"，成为世界上第一个为温室气体减排目标立法的国家。2012年4月，英国又将低碳目标以法律形式写进2009/2010年度财政预算。英国政府还计划设立7.5亿英镑的投资基金支持包括低碳和先进绿色制造业在内的新兴技术产业。6月17日，英国正式公布了发展"清洁煤炭"的计划草案，要求英国境内新设煤电厂必须首先提供具有碳捕捉和储存能力的证明，每个项目要有在10~15年内储存2000万t二氧化碳的能力，政府同时对这些项目提供相关财政支持。英国能源与气候变化部最近发布的统计数据显示，英国可再生能源发电比例已从1988年的1.81%上升到了2008年的5.54%，2008年英国能源产业占全国GDP的比重已达4.8%，该产业投资已占其国内总投资的7.1%。

其次是资源基础。英国有着海岛国家的自然优势，得天独厚的地理位置决定了其为欧洲风能潜力最大的国家，其风能资源约占整个欧洲的40%。自15年前首座商业风能发电站建立以来，英国商用风能发电事业取得了很大进展，2004年英国风能发电量占全国总发电量的0.3%，2005年在此基础上增长了一倍，2006年其风能发电创下历史新高，占全国总发电量的比重提高到了1.3%。英国政府在2003年出台的能源白皮书中提出，要在未来几十年内大幅提高可再生能源发电量的比例，使其在2020年达到20%，其中80%将来自风能发电。此外，英国的苏格兰地区拥有丰富的潮汐能和波浪能资源。

最后是工业和技术基础。英国海上风能、海藻能源等开发利用已居全球领先水平。苏格兰地区拥有世界上第一个海洋能源中心和第一个并入电网的商业波浪能发电站，世界上装机容量最大的波浪能装置Pelamis以及Seagen潮汐洋流系统都来自英国海洋能源产业。苏格兰还拥有欧洲最大的陆地风电场，提供苏格兰总电量的2%。目前英国已建立了110多个风电场，发电量达1338MW，其中最大的风电场位于威尔士，共有39台涡轮机，发电量可达58MW，在其25年的运营期内可减少400万t二氧化碳排放量。在太阳能领域，英国现有8万多个太阳能热水系统及数千个离网型太阳能光伏发电系统，英国在集热器制造、测试、安装、培训和咨询等领域具有专长，在光伏发电材料研发领域居世界领先水平。全球最大的太阳能电池模块生产商日本夏普公司在英国设有欧洲生产基地。另外，自2000年以来，英国政府已投入200亿英镑，用于帮助数百万户家庭应对能源短缺问题。2001 年英国还成立了碳信托有限公司，目前已累计投入 3.8 亿英镑，主要用于促进研究开发、加速技术商业化和投资孵化器三个方面。该公司成立以来，已帮助众多英国公司累计减排 1700 万 t 二氧化碳，节省能源支出超过 10 亿英镑。

通过这一系列的发展，英国已初步形成了以政府政策为主导，市场运作为基础，以企业、公共部门和家庭为主体的"低碳经济"互动体系，成功突破了发展"低碳经济"的最初瓶颈，为英国实施低碳计划奠定了扎实的基础。

3.3.5　英国低碳经济发展经验借鉴

英国是世界低碳经济的先行者和积极倡导者。作为第一次工业革命的先驱和资源并不丰富的岛国，英国充分意识到能源安全和气候变化的威胁，也充分认识到发展"低碳经济"的重要性。2003 年的英国能源白皮书《能源的未来：创建低碳经济》，首先将"低碳经济"见诸于政府文件。2006 年，前世界银行首席经济学家尼古拉斯·斯特恩牵头的《斯特恩报告》（以下简称《报告》）在英国发布，《报告》指出全球每年 1% 的 GDP 投入可以避免未来每年 5% ~20% 的 GDP 损失，呼吁全球向低碳经济转型。2009 年 4 月，英国正式将具有明确法律约束的碳预算公之于众，成为世界上第一个公布碳预算的国家。2009 年，英国能源与环境变化部发表题为《通向哥本哈根之路》的报告，号召全世界行动起来，大力发展低碳经济。7 月，英国政府正式公布《英国低碳转换计划》，提出 2020 年英国碳排放量在 1990 年基础上减少 34% 的目标。同时，英国政府公布了一系列关于商业和交通的配套改革方案，包括《英国可再生能源战略》《英国低碳工业战略》和《低碳交通战略》等，低碳经济进入实际操作层面。上述可知，英国已经从国家战略的高度推行"低碳经济"，并希望借此大力促进新能源产业的开发，占据技术制高点，使英国再一次引领世界经济发展潮流。近年，英国政府采取了系列措施来推动低碳经济的发展，主要包括三个方面。

3.3.5.1　大力发展新能源

发展低碳经济关键是大力发展可再生能源，提高能源的利用效率。比如，鉴于本国丰富的风力资源，英国近年开始将风能作为新能源开发的一个重点。自 2000 年第一个海上风力发电站获准建设开始，通过政策支持和经济补贴，英国现在已成为全球拥有海上风力发电站最多、总装机容量最大的国家，预计 2020 年英国风力发电总容量将达到 330 亿 kW，将占到全球风力发电总量的 50%。为保证这一计划的顺利实施，英国政府出台了一揽子刺激计划，如政府将投入 1.2 亿英镑用于大力发展海上风能。同时，英国政府也十分关注其他清洁能源的开发，如加强核能、地热等的开发，并对那些在家中安装清洁能源设备的家庭给予补贴等。此外，英国政府还将加强技术监管，以保证上述措施的顺利实施。

3.3.5.2 引导社会向低碳生活方式转变

英国能源问题专家安德鲁·斯皮德曾经说过："在全世界任何一个地方，建设低碳经济面临的一个主要障碍，就是个人不愿意改变浪费能源的生活方式和习惯——习以为常的舒适与富足的生活都是建立在过度消费能源的基础上的。"在积极倡导低碳行为方面，不但英国官方身体力行，一些非政府绿色组织（NGO）在促进社会节能习惯养成方面也发挥了重要作用。他们以多种方式提供和传播低碳经济的信息和知识，引导人们改变以往的生活方式，英国的公益广告有不少都是关于低碳经济的，如"充电器不用时拔下插头每年能节约30镑，换个节能灯每年能省60镑"等。英国政府在潜移默化中引导民众逐渐改变传统的生活方式，使低碳消费日益深入人心，成为一种社会习惯。

3.4 德　国

3.4.1 德国发展低碳经济列入可持续发展战略

3.4.1.1 低碳经济成"稳定器"

（1）向低碳经济转轨。德国政府2009年6月公布了发展低碳经济的战略文件，强调低碳经济为经济现代化的指导方针，它包含6个方面的内容：环保政策要名副其实；各行业能源有效利用战略；扩大可再生能源使用范围；可持续利用生物质能；汽车行业的改革创新以及执行环保教育、资格认证等方面的措施。文件强调，低碳经济是当下德国经济的稳定器，并将成为振兴未来德国经济的关键。为了实现传统经济向低碳经济转轨，德国到2020年用于基础设施的投资至少要增加4000亿欧元。

（2）推动新能源汽车的发展。近年来，德国凭借在可再生能源领域的领先技术，全力推动新能源汽车的发展，新能源汽车产业链已经初现端倪。汽车行业的转型又带动了整个德国发展方式的转变。德国政府于2009年8月颁布了"国家电动汽车发展计划"，目标是到2020年使德国拥有100万辆电动汽车。

（3）大力发展可再生能源。近年来，德国可再生能源产业快速发展，已成为新的经济增长点。2009年可再生能源在德国的销售额达到290亿欧元，可再生能源占德国发电总量的15%。德国新能源企业每年产值达到250亿欧元，创造就业岗位超过25

万个。全世界每三块太阳能电池板、每两部风力发电机中，就有一个来自德国。

（4）大力投资气候变化研究。应对气候变化是德国科研政策的一个重点，德国政府计划在未来 6 年里，投资约 20 亿欧元，用于应对气候变化技术研究。

（5）开放气候变化预测图。德国在互联网上对公众开放气候变化预测图，任何人都能在图上方便地查到截至 2100 年德国各地气候变化预测结果，便于公众和决策者分析利用。

3.4.1.2　列入可持续发展战略

德国政府着眼长远，将保护气候、发展低碳经济列入其可持续发展战略。

（1）实施气候保护高技术战略。计划在未来 10 年内额外投入 10 亿欧元用于研发气候保护技术。该战略确定了未来研究的 4 个重点领域，即气候预测和气候保护基础研究、气候变化后果、适应气候变化的方法和与气候保护措施相适应的政策机制研究。将太阳能开发应用技术、能源存储技术、新型电动汽车和二氧化碳分离与存储技术，作为重点研究方向。

（2）完善低碳法律体系。在构建促进低碳经济建设的法律框架方面，德国是欧洲国家中法律框架最完善的国家之一。从 20 世纪 70 年代开始，德国政府启动了一系列环境政策、法律，把低碳经济提高到战略高度并建立了配套的法律体系。

（3）提高能源使用效率，征收生态税。生态税是以能源消耗为对象的征税，是德国改善生态环境和实施可持续发展计划的重要政策，税收促进了能源节约、优化能源结构，提高了德国企业的国际竞争力。鼓励企业实行现代化能源管理，发挥工企业巨大的节能潜力是德国气候保护的重要目标。推广"热电联产"技术。热电联产即将发电中产生的热能收集用于供暖，既减少了热量的流失，又为发电企业带来额外的供暖收入。实行建筑节能改造。德国政府计划每年拨款 7 亿欧元用于现有民用建筑的节能改造，目的是充分挖掘其节能潜力。

3.4.2　德国减少碳排量建设低碳社会

3.4.2.1　实施气候保护高技术战略

自 1977 年始，德国先后出台了 5 期能源研究计划，以达到保护气候的目的。最新一期的计划从 2005 年开始实施，以提高能源利用效率和开发利用新能源为重点。2006 年 8 月，德国推出了第一个涵盖所有政策范围的"高技术战略"，用以持续加强创新力量，在未来的全球技术市场上占据前列。"高技术战略"启动以来，德国科学界和经济界共筹集了 30 多亿欧元的私人资本用于企业技术研发。2007 年，德国联邦教育与研究部又在"高技术战略"框架下制定了"气候保护高技术战略"。根据此战略，联邦教研部将在 10 年内额外投入 10 亿欧元用于研发气候保护技术，德国工业界也将相应投入一倍的资金用于开发气候保护技术。

3.4.2.2　重视低碳技术的研发利用

煤炭在德国中长期能源利用中将继续发挥重要作用，必须发展效率更高、能应用清洁煤技术的发电站。为此，德国政府将发展低碳发电站技术作为减少二氧化碳排放量的关键。通过调整产业结构，建设示范低碳发电站，加大资助发展清洁煤技术、收集并存储碳分子技术等研究项目，已达到大幅减少碳排放的目的。并积极推广"热电联产"技术，减少热量流失、为发电企业带来额外供暖收入。它既可用于火力发电站的节能改造，又可用于制造微型发电机，在小范围内解决供电和供暖问题，帮助用户降低对发电站的依赖。政府计划到 2020 年将"热电联产"技术供电比例较目前水平翻番。

3.4.2.3　促进可再生能源的使用

近年来，德国可再生能源产业发展迅速，已成为新的经济增长点，主要涉及以下几方面：①节能能源的开发与推广。2004 年通过的《可再生能源法》确定清洁电能的使用率由 2004 年的 12% 提高到 2020 年的 25%～30%，将热电年供的使用率提高 25%。为充分挖掘建筑以及公共设施的节能潜力，德国政府计划每年拨款 7 亿欧元用于现有民用建筑的节能改造，包括建筑供暖和制冷系统、城市社区的可再生能源生产和使用、室内外能源储存和应用等。至 2020 年，建筑取暖中使用太阳能、生物燃气、地热等清洁能源比例将由 2004 年的 6% 提高到 2020 年的 14%。可再生能源占整个德国能源消费的比重已由 2003 年的 3.5% 提高到 2008 年的 8.7%，2008 年发电行业中使用可再生能源所占的比重已达到 17%。②可再生能源产业的建设。德国计划到 2020 年将沼气使用占天然气使用的比重提高到 6%，到 2030 年提高到 10%。③新能源汽车产业的开发。同时，德国凭借在可再生能源领域的领先技术，全力推动新能源汽车的发展，汽车行业的转型又带动了整个德国发展方式的转变。德国政府于 2009 年 8 月颁布了"国家电动汽车发展计划"，目标是到 2020 年使德国拥有 100 万辆电动汽车。

3.4.3　德国可再生能源产业蓬勃发展

德国是欧洲国家中构建低碳经济建设法律框架最完善的国家之一。从 20 世纪 70 年代起，德国政府启动并实施了一系列环境政策。

3.4.3.1　整体环境规划法案

1971 年德国公布了第一个较为全面的《环境规划方案》，1972 年德国重新修订并通过了《德国基本法》，赋予政府在环境政策领域更多的权力。2004 年德国政府出台了

《国家可持续发展战略报告》，专门制定了"燃料战略——替代燃料和创新驱动方式"，达到减少化石能源消耗以及温室气体减排的目的。

3.4.3.2　废弃物处理法案

德国于 1972 年制定了《废弃物处理法》，1986 年将其修改为《废弃物限制及废弃物处理法》，经过在主要领域的一系列实践后，1996 年德国又提出了新的《循环经济与废弃物管理法》，2002 年出台了《节省能源法环球瞭望案》，将减少化石能源和废弃物处理提高到发展新型经济的思想高度，并建立了系统配套的法律体系。

3.4.3.3　新能源开发法案

为开发新能源，德国于 2000 年颁布《可再生能源法》，并于 2004 年、2008 年分别进行了修订。规定新能源占全国能源消耗的比例最终要超过 50%。2009 年 3 月，德国政府通过了《新取暖法》，扶持重点逐渐向新能源下游产业转移。

3.4.3.4　发展低碳经济战略文件

2009 年德国环境部公布了发展低碳经济的战略文件，强调低碳经济为经济现代化的指导方针，强调低碳技术是当下德国经济的稳定器，并将成为未来德国经济振兴的关键。

3.4.4　德国推动城市节能照明的绿色进程

德国环保局日前提出"新绿色照明竞赛计划"，倡导全德国范围内共建节能照明城。德国各联邦州大小城市均可以参与，提出针对自己的合理节能环保的城市灯光改造计划案。之后这个最终方案还将作为一个范本向全德国各城市推广实施，最终实现老旧城市照明系统的逐步绿色更新，减轻城市照明对气候环境的破坏，实现"低碳经济"。

以竞赛方式推动城市照明的绿色进程，并不是德国环保局的独创。早在 2003 年，全球照明行业领导者飞利浦公司就面向全球设立了一个国际奖项，意在利用先进、超前的 LED 绿色光源点亮城市，并通过灯光所特有的视觉性和效果勾勒出流光溢彩的城市夜景，从而使城市更加个性化、人性化。

3.4.5　德国发展低碳经济的政策措施

随着全球变暖，气象灾害频繁发生，气候变化已经成为人类面临的重大挑战之一，也是当今世界各国讨论的焦点。目前来看，应对气候变化的主要方向是减少温室气体排放，而温室气体主要来源于石油、煤炭等能源的使用，因此，提高能源使用效率和开发新能源成为应对气候变化的主要手段。德国作为发达的工业国家，能源开发和环境保护技术处于世界前列。德国政府实施气候保护高技术战略，将气候保护、减少温室气体排放等列入其可持续发展战略中，并通过立法和约束性较强的执行机制制定气候保护与节能减排的具体目标和时间表。德国在应对气候变化和发展低碳经济方面的一些做法和经验，值得学习和借鉴。

3.4.5.1 实施气候保护高技术战略

为实现气候保护目标，从 1977 年至今，德国联邦政府先后出台了 5 期能源研究计划，最新一期计划从 2005 年开始实施，以能源效率和可再生能源为重点，通过德国"高技术战略"提供资金支持。2007 年，德国联邦教育与研究部又在"高技术战略"框架下制定了气候保护高技术战略。根据这项战略，联邦教研部将在未来 10 年内额外投入 10 亿欧元用于研发气候保护技术，德国工业界也相应投入一倍的资金用于开发气候保护技术。该战略确定了未来研究的 4 个重点领域，即气候预测和气候保护的基础研究、气候变化后果、适应气候变化的方法和与气候保护措施相适应的政策机制研究。根据这项战略，德科技界和经济界将就有机光伏材料、能源存储技术、新型电动汽车和二氧化碳分离与存储技术 4 个重点研究方向建立创新联盟。

3.4.5.2 提高能源使用效率，促进节约

（1）征收生态税。生态税是以能源消耗为对象的从量税，是德国改善生态环境和实施可持续发展计划的重要政策，税收收入用于降低社会保险费，从而降低德国工资附加费，这样一方面促进了能源节约、优化能源结构，另一方面提高了德国企业的国际竞争力。生态税自 1999 年 4 月起分阶段实行，对油、气、电征收生态税。

（2）鼓励企业实行现代化能源管理。发挥工业经济巨大的节能潜力是德国气候保护的重要目标。德国工业还蕴藏着巨大的提高能效的潜力，如动力装置、照明系统、热量使用和锅炉设备等都有进行节能改造的空间。德国政府计划，在 2013 年之前与工业界签订协议，规定企业享受的税收优惠与企业是否实行现代化能源管理挂钩。对于中小企业，德国联邦经济部与德国复兴信贷银行已建立节能专项基金，用于促进德中小企业提高能源效率，基金主要为企业接受专业节能指导和采取节能措施提供资金支持。

（3）推广"热电联产"技术。热电联产即将发电中产生的热能收集用于供暖，这样既减少了热量的流失，又为发电企业带来额外的供暖收入，可谓一举两得。热电联产技术一方面可用于火力发电站的节能改造，另一方面也可用于制造微型发电机，在小范围内解决供电和供暖问题，帮助用户降低对发电站的依赖。德联邦政府为支持热电联产技术的发展和应用，制定了《热电联产法》（2002 年 4 月生效）。该法主要规定了以热电联产技术生产出来的电能获得补贴额度，例如 2005 年年底前更新的热电联产设

备生产的电能，每千瓦可获补贴 1.65 欧分。德国政府计划，到 2020 年将热电联产技术供电比例较目前水平翻番。

（4）实行建筑节能改造。德国政府计划每年拨款 7 亿欧元用于现有民用建筑的节能改造，另外还有 2 亿欧元用于地方设施改造，目的是充分挖掘建筑以及公共设施的节能潜力。改造内容包括建筑供暖和制冷系统、城市社区的可再生能源生产和使用、室内外能源储存和应用等。对于新建房屋，德国相关法律还规定了多项节能技术要求，主要集中在建筑供暖和防止热量流失方面。另外，政府还提倡居民使用节能型家用电器。遵照欧盟规定，在德国销售的冰箱、洗衣机、烘干机和家用照明设备都须标注能耗等级，分为 A ~ G 共 7 个等级，A 级为最节能电器。这种做法有利于居民在购买电器时有意识地选择节能电器，为环境保护做贡献。自这一分级标注规定实施以来，A 级和 B 级电器销量显著增加，而最低几个等级的电器在竞争中逐步被市场淘汰。

3.4.5.3　大力发展可再生能源

政府通过《可再生能源法》保证可再生能源的地位，对可再生能源发电进行补贴，平衡了可再生能源生产成本高的劣势，使可再生能源得到了快速发展。近几年，德国的可再生能源发展取得了很大成功。目前，德国可再生能源的发电比重近 13%，可再生能源使用占初级能源使用的 4.7%，这两项指标已经超过了德国制定的 2010 年目标水平。在广泛发展各种可再生能源的同时，德国也确定了以下几个重点领域：

（1）促进现有风力设备更新换代、发展海上风力园。应用第一代风力发电技术的发电设施能效较低，因此德国已将更新现有发电设备作为下一步发展风能的重点，并在 2008 年《可再生能源法》的修改中予以体现。

德国政府相信，未来风能发展的最大潜力在于海上风能。如果能提高能源效率、降低成本，海上风力园未来 30 年的发电总量可达到 2.0 万 ~ 2.5 万 MW。为此，德国能源署开展了一项海上风力园实验项目，但目前仍处于计划和初步实施阶段。

（2）促进可再生能源的使用。由于可再生能源发电（除水电）起步晚、规模小、成本高，没有独立的电力传输网络，而现存的电网几乎都为大型电力集团所有，这就导致可再生能源发电难以通过电网输送给用户。为解决这一问题，德国 1991 年出台了《可再生能源发电并网法》，规定了可再生能源发电的并网办法和足以为发电企业带来利润的收购价格。

德国计划到 2020 年将沼气使用占天然气使用的比重提高到 6%，到 2030 年提高到 10%。与电力相似，沼气的生产也存在并网和补贴问题。为此，德国相关部门制定了沼气优先原则，促使天然气管道运营商优先输送沼气，并参考天然气制定沼气的市场价格，从而确定补贴额。

此外，德国还制定了《可再生能源供暖法》，促进可再生能源用于供暖，计划到2020年，将可再生能源供暖的比例提高到14%（2006年为6%）。

3.4.5.4 减少二氧化碳排放

（1）发展低碳发电站技术。德国政府认为，尽管可再生能源发展迅速，但褐煤和石煤发电站在中期和长期内还将继续发挥作用，因此必须发展效率更高，应用清洁煤技术（CCS）的发电站。CCS技术可将二氧化碳气体分离并存储起来，只有这样才有可能实现二氧化碳减排目标。为此，德国政府计划制定关于CCS技术的法律框架，具体措施包括，向欧盟递交建议书，促进在欧盟层面上制定CCS法律框架；在德国国内，以德国环境法规来保障发展CCS技术的措施；根据2007年11月公布的欧盟指令，制定德国关于二氧化碳分离、运输和埋藏的法律框架；建设示范低碳发电站等。

（2）降低各种交通工具的二氧化碳排放。针对机动车，德国目前新售出汽车的平均二氧化碳排量约为164g/km，而根据欧盟规定，2012年新车二氧化碳排量应低于130g/km。德国政府计划通过修改机动车税规定来推动这一目标的实现。也就是说，排量低的汽车可以享受较低税额，而大排量车则要缴纳较高税款。德国还规定新车要标注能源效率信息，并努力根据欧盟指令完善标注方法，同时将二氧化碳排量纳入标注范围。

对于载重汽车，德国自2005年开始在联邦高速公路和几条重要的联邦公路上对12t以上的卡车征收载重汽车费，此举对提高货运效率，增加低排量汽车比例起到了积极的作用。

针对空运，德国政府积极主张将其列入欧洲二氧化碳排量交易系统中，以促进竞争。同时，德国政府也支持"欧洲航空一体化"建议，希望通过一体化将航空领域产生的二氧化碳减少10%。德国法兰克福和慕尼黑机场还将从2008年开始进行为期3年的航段实验，根据二氧化碳排量给在上述机场着陆的航空公司进行奖罚。如果实验结果证明这种方法有效，德国政府还会将其推广到其他机场。

（3）排放权交易。德国政府开展二氧化碳排放权交易的主要目的是通过市场竞争使二氧化碳排放权实现最佳配置，减弱排放权限制给经济造成的扭曲，同时也间接带动了低排放、高能效技术的开发和应用。德国于2002年开始着手排放权交易的准备工作，当时联邦环保局设立了专门的排放交易处，并起草相关法律，目前已形成比较完善的法律体系和管理制度。实施前，德国对所有企业的机器设备进行调查研究，以研究结果作为发放排放权的基础。发放排放许可后，如企业排放超过额定量，就必须通过交易部门购买排放量，否则就要缴纳罚款。

3.4.5.5　开展国际合作

德国同许多国家，尤其是发展中国家都开展了气候保护领域的合作。近年来，德国积极主张将美国这二氧化碳排量大国纳入应对气候变化的行动中，并将此作为跨大西洋对话的重点之一。德国担任欧盟轮值国主席期间，发起了欧盟与美国间的"跨大西洋气候和技术行动"，重点是统一标准、制定共同的研究计划等，并在 2007 年 4 月召开的欧盟与美国首脑会议上确定了该项行动的具体措施。此外，德国政府也认识到德国在国际清洁发展机制中所占比例很低（仅为 3%），表示今后将加大在该项目中的投入。

3.4.6　2012 年德国新增太阳能光伏装机容量大

从 2011 年下班前起市场就不断传出德国步入削减光伏太阳能光伏板补贴的消息，进入 2012 年，德国政府多次明确表示，要削减光伏太阳能光伏板补贴，力度更是不断加大。如今，新一轮削减将持续 3 个月，到 4 月 1 日为止。德国环境部长菲利普·罗斯勒日前表示，政府还将削减上网电价补贴，小型屋顶式太阳能光伏发电削减 20%，而大型电厂将达到 30%。

2012 年德国的太阳能光伏补贴削减政策可谓一轮接着一轮。据《卫报》报道，下一轮补贴削减预计从 7 月 1 日开始，削减幅度为 15%。继 2010～2011 年光伏上网电价补贴降低约 40% 后，自 2012 年 1 月 1 日起，每度电的补贴又降低了 15%～24.43%。目前，德国的零售电价约为每度电 0.23 欧元。过去几年，德国的太阳能光伏行业一直处于世界领先地位，目前德国约有 4% 的电力来自太阳能光伏，太阳能光伏装机容量高达 2500 万 kW。2011 年新增装机容量 750 万 kW，较政府原定目标翻番。政府计划到 2030 年实现 6600 万 kW 的太阳能光伏装机，每年新增装机容量控制在 250 万～350 万 kW。

由于受到不利天气条件的制约，太阳能光伏发电仍然不太稳定，大规模发展仍然需要补贴政策的支持。但往往政府的补贴最终都被转嫁到了消费者的头上。对于光伏上网电价补贴，德国消费者需要每年支付约 70 亿欧元。财政压力也是政府决定削减补贴的原因之一。2012 年 3 月初，德国政府公布了当年前两个月新增光伏装机量达到 200 万 kW。根据之前德国政府在削减补贴时的表态，2012 年全年德国新增光伏装机的目标为 350 万 kW。但照此速度计算，该目标完成时间较原计划将至少提前 9 个月。这也是德国政府决定加速削减太阳能光伏补贴的原因之一。

但德国太阳能光伏支持者对削减太阳能光伏补贴的做法表示强烈反对，他们警告说此举会影响该行业的就业。由于太阳能光伏行业的迅速发展，截至 2012 年年底，德国约有 10 万人从事与太阳能光伏产业相关的工作。德国太阳能光伏行业协会主席卡斯顿·科尼格表示："德国数千个职位都将受到威胁，太阳能光伏行业无法承受 20%～30% 的削减，这样做将会大幅降低太阳能光伏在德国的发展速度。"

德国光伏太阳能板的生产商们承诺太阳能光伏系统的使用寿命为 20 年，但补贴却一降再降，从 2007 年的每度电 0.49 欧元，降至 2012 年年底的 0.23 欧元。补贴是由消费者承担，他们每度电要为此多支付 0.02 欧元。由于政府早前决定放弃核电，因此，太阳能光伏支持者认为政府此时不应削减补贴，而是应继续支持太阳能光伏产业的发展，以填补放弃核电留下的空白。

3.5   日   本

3.5.1   日本逐步向低碳社会转型

2007 年 6 月，日本内阁会议制定的"21 世纪环境立国战略"中指出，为了克服地球变暖等环境危机，实现"可持续社会"的目标，需要综合推进"低碳社会""循环型社会"和"与自然和谐共生的社会"的建设。

2008 年 7 月，日本内阁通过了《建设低碳社会的行动计划》并向全社会公布。这是中央环境审议会地球环境部会为明确实现"低碳社会建设"的努力方向，针对其基本理念、具体构想以及实施战略进行广泛讨论和争取意见基础上形成的。

2008 年 7 月，日本政府选定了 6 个积极采取切实有效措施防止温室效应的地方城市作为"环境模范城市"。被选中的城市有：人口超过 70 万的"大城市"如横滨、九州，人口在 10 万人以下的"地方中心城市"如带广市、富山市，人口不到 10 万的"小规模市县村"如熊本县水俣、北海道下川町等。日本创建"环境模范城市"的出发点就是建立低碳社会，以城市为单位的生活方式转变、改善城市功能以及交通系统等也是重要内容。这些"环境模范城市"将通过开展多项活动加快向低碳社会转型的步伐，包括削减垃圾数量、开展"绿色能源项目""零排放交通项目"等。

2009 年 4 月，日本环境省又公布了名为《绿色经济与社会变革》的政策草案。其目的是通过实行减少温室气体排放等措施，强化日本的低碳经济。

3.5.2   2009 财年日本加大低碳经济财税支持力度

日本 2009 财年的预算支出规模将达创纪录的 102 万亿日元(约合 1 万多亿美元)。

其中，60% 以上投向企业信贷担保、金融机构注资，40% 投向低碳、医疗、基础设施等领域。

　　根据补充预算方案，日本政府计划通过加大财政支出和减税力度等措施，在 2009 财年追加 13.9 万亿日元，将 70% 的额度投放到促进环保的"低碳革命"领域、充实医疗和护理服务的"健康长寿社会"领域、完善旅游观光和基础设施等"发挥日本魅力"领域，希望在未来 3 年内拉动 40 万亿 ~60 万亿日元(约 4 万亿元人民币)的内需。方案甚至提出了"低碳革命""健康长寿""焕发潜力"的发展口号，明确要推动日本 2020 年实现太阳能发电规模扩大 20 倍的"世界第一太阳能计划"、全球率先普及电动汽车计划以及 2030 年实现新建造公共建筑废弃物零排放的目标。

　　围绕这些宗旨和目标，该补充预算案提出了一系列财税措施。比如，建立"以旧换新"的环保车补贴制度和积分回馈的购买家电制度，促进公车、私车加快更换为环保车，加快节能家电普及。具体来说，如果废弃车龄超过 13 年的汽车，换购达到国家 2010 年耗油标准的汽车，可获政府 25 万日元补贴(轻型汽车 12.5 万日元)。如果汽车使用了几年不想废弃，但换购达到国家 4 星低排放标准且达到国家 2010 年耗油标准15% 以上的汽车，可获得 10 万日元的财政补贴(轻型汽车 5 万日元)。如果购买节能家电，可通过"5% 环保积分"回馈方式获得财政补贴。

3.5.3　日本政府倡导节能减排发展低碳经济

　　受地理环境等自然条件制约，全球气候变暖对日本的影响远大于世界其他发达国家。面对气候变暖可能给本国农业、渔业、环境和国民健康带来的不良影响，日本各届政府一直在宣传推广节能减排计划，主导建设低碳社会。

　　为降低温室气体排放量，近 10 年来，日本政府多次修改《节约能源法》，特别是 2008 年 6 月，时任日本首相福田康夫提出了防止全球气候变暖对策"福田蓝图"，设定了日本温室气体减排的长期目标，即到 2050 年使日本的温室气体排放量比目前减少60% ~80% 。同年 7 月份，日本政府又通过了"低碳社会行动计划"，阐述了未来 3 ~5 年内将家庭用太阳能发电系统的成本减少一半等多项有关减少温室气体排放内容，并吸收了"福田蓝图"的部分内容。

　　在对企业执行国家节能环保标准的监督管理方面，日本有一套完整的"四级管理"模式。以首相为首的国家节能领导机构负责宏观节能政策的制定；经济产业省及其下属的资源能源厅和各县的经济产业局为节能的指挥机关，具体负责节能和新能源开发等工作，起草、制定涉及节能的详细法规方案。受政府委托的近 30 家节能中心，负责对企业的节能情况进行检查评估，提出整改建议，并负责能源管理员资格考试等工作。

节能法规定，一定规模以上的企业、办公楼必须设能源管理员岗位，负责监督企业节能和按时向政府节能管理部门上报企业的能源使用计划和节能措施，能源管理员要通过节能中心组织的全国考试，合格后方可上岗，目前日本有数万名能源管理员。

在政府的引导下，日本企业纷纷将节能视为企业核心竞争力的表现，重视节能技术的开发。日本节能中心每半年公布一次节能产品排行榜。目前，日本节能电器产品发展迅速，绝大部分空调的耗电量已降到 10 年前的 30%～50%。日本政府还通过改革税制，鼓励企业节约能源，大力开发和使用节能新产品。如果企业达到节能标准，或采用节能产品，可以享受一定的减免税负的优惠。新修改的节能法还加大了对没有达标企业或产品的处罚力度，如果企业没有达到节能标准，可被处以 100 万日元(1 美元约合 95 日元)以下的罚款。

在使民用产品达到节能标准的同时，日本政府和相关团体通过电视、网络、发行刊物、举办讲座等形式向消费者普及节能知识，进行节能宣传教育。如今，节能措施已细化到日本人日常生活的方方面面。

日本环境省从 2005 年起提出民众夏天穿便装，秋冬两季加穿毛衣的倡议；夏天要求男士不打领带，将空调温度由原先的 26℃调到 28℃，秋冬可调到 20℃。据统计，仅夏天空调温度调高 2℃一项，即可节能 17%；如果换算成石油，日本全国每年可节约原油 155 万桶。在饮食方面，日本人总结了一整套从购买、保存到烹饪等各个环节详尽的节能窍门。在购买食物环节，提倡消费者购买应季蔬菜和水果，因为生产反季节的蔬菜和水果往往耗费更多能源；尽量选择产地较近的产品，从而鼓励商家从邻近地区进货，以缩短运程节省能源。在出行方面，目前多数日本家庭的轿车只在外出游玩时使用，平时上下班多选择搭乘公共交通工具。开车时，不急起步、不猛加速，提倡保持"经济速度"等。

作为政府追加经济对策的一项措施，旨在促进节能环保家电消费的"环保积分制度"，2009 年 5 月 15 日起在日本全国开始实施。具体为，对购买符合一定节能标准的空调、冰箱和数字电视的消费者返还"环保积分"，空调和冰箱的返还比例为 5% 左右，数字电视则在 10% 上下，所获积分可用于兑换消费券。

在政府的倡导下，建设低碳社会已深入人心。一项调查显示，有 90.1% 的日本人认为应该实现低碳社会。

3.5.4　2012 年日本生物燃料消费量上升

2010 年前 6 个月，日本的生物燃料消费量为 99.0983 万 t，比 2009 年同期的

84.3178 万 t 上升了 18%。其中，主要电力企业的消费量为 8.3694 万 t，上升了 79%。另据日本电力协会的统计，2012 年 6 月，日本发电用生物燃料的需求从 2011 年同期的 14.4447 万 t 上升至 16.9097 万 t，增长幅度达 17%。其中，日本 10 大发电企业共消费生物燃料 2.2622 万 t，比 2011 年同期增加 13.9%；批发商与其他消费者的消费也比 2011 年同期上升 9%，达到 14.6475 万 t。

在生物燃料需求增加的同时，2012 年 6 月，日本的燃煤消耗量从 2011 年同期的 590 万 t 下降到 550 万 t，下降幅度为 7%。能源咨询机构阿格斯认为，这表明生物燃料在日本发电燃料市场所占份额开始增加。

3.5.5　2012 年日本确定 15 个海外低碳减排项目

2012 年，日本经济产业省宣布，日本政府和相关企业将启动一项国家计划，开展共 15 个项目向以亚洲为中心的 9 个国家转移最先进的低碳技术和设备，同时换取技术接受国相应的温室气体排放权。这些项目以东南亚为中心分布在 9 个国家，主要由东京电力、东芝、三菱商事等企业实施。此举可使对方国家获得先进的环保技术，日本则可从对方国家购买排放权，日本企业也能在享受政府支持的同时扩大业务：计划在印度尼西亚开展的项目有 4 个，越南、菲律宾、印度和泰国分别有 2 个，中国和秘鲁各有 1 个，此外还将在老挝和缅甸继续开展水泥工厂的节能化。

据悉，拟向中国出口的低碳技术，主要是日本野村综合研究所和有关住宅建筑公司联手向中国推出中低层住宅相关技术，该技术融太阳能发电、高保温、热能多重自然循环和家庭生活垃圾再生利用等多种最新环保技术为一体。野村综合研究所研究员科野宏典指出，这将是日本政府全力推进的以低碳技术换取外国温室气体排放权的国家计划的一部分。

截至 2012 年，日本政府已经与印度尼西亚、越南、菲律宾、印度等国家基本达成了意向。并且也将开始与泰国、老挝、缅甸、中国以及秘鲁等国家进行磋商。日本官员称，首批试行转移的 15 项日本企业所持有的技术和有关设备，包括计划在印度尼西亚实施的地热发电站和高效率煤炭火力发电厂，以及在越南将新建的采用尖端"超临界压型"技术的高效率煤炭火力发电厂。该计划遵循 2009 年 12 月哥本哈根世界气候大会达成的协议实施。当某国难以按期实现减排目标时，可通过向他国出口减排技术，帮助减少温室气体排放，从而完成自己的减排目标。

3.6 其 他

3.6.1 韩国政府确立低碳增长战略

韩国长久以来一直是以发展高能耗的重工业为中心，而不注重环保。韩国作为全球第13大经济体，水泥生产量为日本的2倍，且耗能量为日本的3倍以上。韩国政府表示，韩国必须要向环保转型，以增强其竞争力，且越早实施低碳经济对韩国越有利。为此，2008年9月，韩国政府出台了《低碳绿色增长战略》，为韩国未来经济发展指明了方向。所谓低碳绿色增长，就是"以绿色技术和清洁能源创造新的增长动力和就业机会的国家发展新模式"。韩国政府认为，这一战略将成为支撑、引导未来经济发展的新动力。该战略提出要提高能效和降低能源消耗量，要从能耗大的制造经济向服务经济转变。到2030年，韩国经济的能源强度要比目前降低46%。另外，要增加清洁能源的供应并降低化石燃料的消耗。实现低碳绿色增长战略的基础是改善能源结构。韩国为了满足日益增长的电力需求，将在电力产业投资37万亿韩元，预计在2009～2022年间，将新能源的发电量扩至3237万kW。这个项目囊括12个核电站、7个煤电厂和11个天然气发电厂。韩国国家能源委员会审议通过了《第一阶段国家能源基本计划(2008～2030年)》，提出要努力减少石油、煤炭等燃料在整个能源结构中所占的比重，大幅度提高新能源、再生能源所占的比重。到2030年，化石燃料将从目前占能源消耗总量的83%降低到只占61%，而可再生能源的用量将从2.4%增加到11%，核能的用量将从目前占14.9%提高到27.8%。就可再生能源产业而言，政府希望2030年太阳能光伏发电量达到2007年水平的44倍，风能利用量增长36倍，生物燃料增长18倍，地热能增长50倍。韩国政府和企业将在2030年前投入11.5万亿韩元(约合87.4亿美元)用于绿色技术研发；确保公民能够用得起能源，使低收入家庭的能源开支不超过其总收入的10%。

2009年1月6日，韩国总统李明博主持新年的第一次国务会议，会上通过了政府提出的"绿色工程"计划。该计划将在未来4年内投资50万亿韩元(约380亿美元)开发36个生态工程，因此创造大约96万个工作岗位用以拉动国内经济，并为韩国未来的发展提供新的增长动力。这一庞大计划被称为"绿色新政"。"绿色新政"的主要内容为：基础设施建设、低碳技术开发和创建绿色生活工作环境。具体来说，治理四大江河、建设绿色交通系统、普及绿色汽车和绿色能源；扩增替代水源以及建设中小规模的环保型水坝等。韩国政府将推动全国范围的绿色交通系统建设，包括建设低碳铁路、自行车道路和公交系统。修建中小型环保型水坝，增加河流的储水功能，减缓洪水和其他水灾。政府将投资生产低碳汽车，开发混合型汽车和开发太阳能、风能和其他可再生的清洁能源。作为环保努力的一部分，将投资 3 万亿韩元用于扩大森林面积，提供 23 万个就业岗位；在全国修建 200 万个绿色住宅和办公室，即建设 200 万户具备太阳能热水器等的绿色家庭，并将 20% 的公共照明设施更换为节电型灯泡。

韩国总理韩升洙说，政府推行"绿色新政"的目的是创造更多的就业岗位，同时实现生态环境友好型的经济增长，提高韩国的竞争力。韩国企划财政部长官姜万洙说，尽管一些基础设施开发工程与"绿色新政"计划重叠，但是"绿色新政"的目标有 3 个：创造就业岗位、扩大未来增长动力和基本确立低碳增长战略。

2010 年 4 月 14 日，韩国政府公布了《低碳绿色增长基本法》，主要内容是在 2020 年以前，把温室气体排放量减少到"温室气体排放预计量（BAU）"的 30%。韩国构筑的绿色增长基本框架，今后将依法全面推行低碳绿色增长计划。此举阐明了韩国建立绿色环境的坚决意愿，为韩国成为国际社会上的主要绿色国家奠定了基础。《低碳绿色增长基本法》的主要内容包括制定绿色增长国家战略、绿色经济产业、气候变化、能源等项目以及各机构和各单位具体的实行计划。此外，还包括实行气候变化和能源目标管理制、设定温室气体中长期的减排目标、构筑温室气体综合信息管理体制以及建立低碳交通体系等有关内容。

基本法生效后，将对绿色产业施行绿色认证制，可获得认证的项目包括新生和再生能源、水资源、绿色信息通信、环保车辆和环保农产品等 10 个项目、61 项重点技术。对于大型建筑物，将实行"能源、温室气体目标管理制"，严格限制能源的使用。环境部将新设"温室气体综合信息中心"，负责推行在 2012 年以前将能源消耗量平均每年减少 1% ~6% 的有关计划。韩国此次推行低碳绿色增长计划的预算总额仅次于中国和美国在低碳增长方面的投入，为 310 亿美元。联合国环境规划署（UNEP）和世界银行等机构对韩国积极推行绿色增长计划给予了高度评价。

按照韩国的规划，到 2012 年，韩国研发支出占 GDP 的比例要从 2006 年的 3.23% 增至 5%（政府研发投入占 1.25%，民间研发投入占 3.75%），政府研发支出从 2008 年的 10.8 万亿韩元增至 2012 年的 16.2 万亿韩元。此外，加大对民间研发的资金支持力度，出台研发优惠税制，放宽企业研究相关规定，如将研发设备投资税收抵扣从 7% 增至 10% 等。近些年来，纳米技术、生物技术等前沿技术及其融合技术作为各国的科技重点，受到了政府的重视和大力支持。韩国国家科学技术委员会通过了《国家融合发展基本计划（2009~2013）》，对融合技术（纳米技术、生物技术、信息技术和认知科学四种科学有机结合的技术)的研发及产业化发展作出系统规划。基本计划主要内容包括：加强创意性融合技术研究，加强创意性研究人才的培养，发掘新的融合性技术产业，依靠融合技术提升现有产业水平，创建高附加值产业，增加就业机会，完善政府法规，成立尖端、融合、复合型技术发展促进委员会，建立部门间合作协调机制。

3.6.2　巴西大力发展低碳经济

巴西燃料乙醇的日产量从2001年的3000万L增加到2005年的4500万L，已能满足国内约40%的汽车能源需求。用蔗糖生产乙醇是目前世界上制造乙醇最便宜的方法，在未来3年中，巴西计划将新建40~50家大型乙醇加工厂，为了保证原料供应，甘蔗的种植面积也将不断扩大，甘蔗加工能力将达到5亿t。与此同时，巴西正在加快专用管道的建设，以便提高乙醇的运输能力。除了燃料乙醇外，巴西将重点提高生物柴油技术的研发能力以及推广和使用，这些用大豆油、棕榈油、葵花油等为原料加工生产的生物柴油，可以添加在普通柴油中，作为卡车和柴油发电机的动力燃料。

巴西政府还专门成立了一个跨部门的委员会，由总统府牵头、14个政府部门参加，负责研究和制定有关生物柴油生产与推广的政策与措施。巴西政府于2004年颁布了有关使用生物柴油的法令，规定从2008年起，全国市场上销售的柴油必须添加2%的生物柴油；到2013年添加比例应提高到5%。目前在巴西的27个州中，已经有23个州建立了开发生物柴油的技术网络。

为了支持低碳产业的发展，巴西政府还推出了一系列金融支持政策。比如，国家经济社会开发银行推出了各种信贷优惠政策，为生物柴油企业提供融资。巴西中央银行设立了专项信贷资金，鼓励小农庄种植甘蔗、大豆、向日葵、油棕榈等，以满足生物柴油的原料需求。

3.6.3　加拿大循环经济战略及主要举措

加拿大已连续3年被联合国评为世界上最适合人类居住的地方之一，其政府、企业和社会都非常重视发展循环经济，加拿大政府的相关政策与做法值得借鉴。

3.6.3.1　发展战略

由于加拿大有较好的相关产业和科技基础，加政府正在与企业共同建立一种联合机制，进行循环经济科技的发展与进步工作，推动解决本国和世界的环境与资源问题。加拿大政府以及环保产业正在从管道末端污染的控制技术转向污染预防和更加有效、清洁生产，同时也朝如何彻底解决环境污染与适应环境需要的方向努力。

在确定的发展战略中，联邦政府强调加大污染防治工作的力度；公布有毒物质清单；建立全国性的污染防治信息发布机构，并通过它使得工业界和环保产业界在污染防治活动过程中可分享信息和技术；对于防治污染工作有成效的机构予以奖励。在控制有毒物质排放方面，建立更加有效的确认、识别、评估和管理有毒物质的程序；有效清除最危险物质；制定达标时间表，同时，使其他各种有毒物质得到控制。另外，从燃料、机动车尾气及其他发动机的废气排放出发，制定新的全国标准，指定执法部门；确定全国燃料指标。

1994 年 9 月，加拿大联邦政府出台了《加拿大环境工业战略》，该战略强调政府和工业、企业界之间的合作，强调多个企业和组织间加强联合的必要性，确立加拿大在全球环境保护中的重要作用。

3.6.3.2　主要做法

加拿大政府发展循环经济主要着眼于创建一个健康的环境，减少环境灾害的安全体系，建设一个绿色社会。

政府的主要做法包括：第一，确认国家意义上的环境事务（如空气、水的质量、濒危物种等），确保国家环保政策、标准得到贯彻执行。第二，在发展循环经济中担当重要角色，与工业界及其他伙伴相互理解、支持；与加拿大人民一起促进循环经济的发展。第三，执行联邦既定计划，确保支持国家经济基础设施的完善；以科技为基础，创造良好自然环境，提高人类健康水平；建设、完善全国循环经济预测、警报系统。第四，帮助原住地居民搞好环境与资源的管理。第五，加强国际间的合作：承担国际责任，促进全球行动。

3.6.4　丹麦低碳经济发展模式分析

用全球的气候领跑者或者绿色能源的领先者来形容丹麦，一点都不为过。2010 年 12 月，《联合国气候变化框架公约》缔约方峰会在丹麦首都哥本哈根举行，确实选对了地方。因为丹麦一直被认为是全球低碳经济的领先者，堪称低碳经济的典范。近 30 年来，丹麦经济增长了 45%，二氧化碳排放量却减少了 13%，能源消耗只增长了 7%，创造了减排和经济繁荣并不矛盾的"丹麦模式"。

3.6.4.1　政府高度重视，成立专门机构

丹麦政府高度重视低碳经济的推行，将低碳经济提升到国家战略层面，明确战略目标，并成立专门机构负责。1973 年能源危机后，丹麦政府将能源安全置于国家经济发展的特殊地位，并采取一系列措施解决能源安全和供给效率问题。丹麦政府认识到需要有一个专门的政府机构主管这项工作，统筹制定国家能源发展战略并组织监督实施。于是，1976 年丹麦能源署正式设立。能源署的设立最初是为了解决能源安全问

题，其后，管理职能逐渐涵盖国内能源生产、供应、分销和节能，近年来更是在绿色能源和二氧化碳减排方面发挥越来越大的作用。这意味着能源署承担了能源生产和供应制定政策，能源安全、成本效率和国际义务等多重职能。能源署已经成为丹麦政府推进低碳经济强有力的组织机构和深具凝聚力的领导内核。

3.6.4.2 充分利用财税金融等经济政策，引导低碳经济发展

丹麦政府经济激励政策在推动低碳经济发展中扮演着重要的角色。强有力的经济措施使得低碳经济在较短的时间内，得到迅速发展并取得了明显的社会经济成效。其一，财政补贴。丹麦在能源领域采取了一系列措施推动可再生能源进入市场，包括对"绿色"用电和近海风电的定价优惠，对生物质能发电采取财政补贴激励。从 20 世纪 90 年代起，各种各样的优惠政策为个人和企业投资风电提供了机遇，尽管在过去的 20 多年中，国际油价时常处于低谷，使得风力发电一度处于竞争劣势，但丹麦始终坚持风电发展，几乎未受到油价波动的影响。其二，价格调节，绿色推进。通过价格调节机制，积极支持绿色能源的生产、发展和市场推广，如采用固定的风电电价，以保证风能投资者的利益。其三，税收改革，赏罚分明。从 20 世纪 80 年代初期到 90 年代中期，丹麦风机发电所得的收入都不征税；对可再生能源不但不征税，还有补贴。相反，丹麦国家对化石能源的税收非常高，丹麦是最早开征碳税的国家之一。在丹麦，为每度电支付的电费中所包含的税额高 57%，如果不采取节能方式，用户会付出高昂的代价。政府运用税收价格机制，确保稀缺资源得到合理使用，用绿色能源替代传统的以化石燃料为主体的能源。

3.6.4.3 重视低碳技术研发，提升低碳科技创新

低碳技术创新是提高能源效率，促进低碳经济发展的动力和关键。丹麦早已认识到开发并掌握相关低碳技术的重要性，因此投入巨资进行低碳技术研发，努力提升低碳科技创新，提升能源效用。丹麦大力开发超超临界技术，由于该技术具有效率高、排污小的特点，丹麦已将超超临界发电机组作为国家主力机组，目前投运的 2 台超临界机组可使热效率由 42% 提升至 47% ~49%，处于国际领先水平。丹麦也致力于生物质能的研发，丹麦 BWE 公司率先研发出秸秆燃烧发电技术，并于 1988 年诞生了世界上第一座秸秆燃料发电厂。1989 年以后，丹麦瑞索国家实验室和有关公司共同投入大量资金进行燃料电池研究并取得重要进展。不仅如此，丹麦技术大学、丹麦瑞索国家实验室等将发展目光已聚焦在氢技术及氢能方面。丹麦从 1997 年开始加大了废物回收力度，约有超过 1/4 的废弃物在热电联产厂中焚烧，能够处理利用 90% 左右的可燃性废物，真正实现变废为宝。

3.6.4.4 制定并完善低碳法律框架，形成制度保障

完善的法律制度体系是低碳经济发展的重要保障。为此，丹麦力求通过一系列法律法规大力发展低碳经济，这些法律法规对于全国各个行业的节能减排规定了明确的法律约束和指标控制。20 世纪 70 年代中后期，丹麦颁布了《供电法案》和《供热法案》。80 年代又先后通过了《可再生能源利用法案》与《住房节能法案》。

2000 年又推出《能源节约法》，并于 2004 年 12 月进一步修订，要求到 2025 年将能耗水平保持在目前状态。同时，丹麦还致力于签署和推进国际减排协议，是国际减排合作的积极倡导者和践行者。

3.6.4.5 提倡绿色出行，建立低碳生活方式

丹麦政府从消费者和企业入手，以节能的方式来减少能源的消费量。能源与环保一体共生，是丹麦人的生活方式。在丹麦，对各种交通工具的重视程度为：自行车居首，公共交通其次，私人轿车最末。丹麦和荷兰被认定为欧洲领先的自行车王国，哥本哈根被国际自行车联盟任命为 2008～2011 年世界首个"自行车之城"，市政府还为市民和游客提供免费的自行车服务。如果你来到哥本哈根的市中心，可以免费骑上一辆自行车在市中心随意畅游，所要做的只是找到 110 个免费自行车停放点中的一个，向车锁中投入 20 丹麦克朗，就可以把车骑走。当你把车归还至任何一个停放点，就可以将 20 克朗押金拿回。丹麦 2008～2009 年共投入 2500 万欧元为自行车建造更多、更安全的专用道路及停车场，他们还将继续通过改善基础设施，在市内推动自行车的使用。目前，在市内停放汽车是相当昂贵的，平均每小时 20 克朗，未来开私家车的成本将更加昂贵，市政府正考虑效仿伦敦的做法，对进入市中心的车辆征收拥堵费。

在建筑方面，丹麦有严格的建筑标准，推广节能建筑。丹麦建筑节能的主要措施是：要求开发商提供节能建筑标识，按照能耗高低将建筑分类分级管理，使用户根据需要选择；简化节能检测方法，重视和监管门窗、墙壁的保温效能，使得开发商无法偷工减料，确保节能效果；为既有建筑节能改造提供补助，例如窗户改换、外墙保暖，又可以得到政府财政补贴。丹麦通过大力推广建筑节能技术和对建筑设施能耗实行分类管理，大大降低了建筑能耗。与 1972 年相比，丹麦的建筑供热面积增长了 50%，而相应的能源消耗却减少了 20%，相当于单位面积的建筑能耗降低了 70%。

3.6.4.6 加强低碳教育，培养社会公众的低碳意识

低碳社会意味着从生产方式到生活方式的全面变革，传统的生产和生活观念将面对巨大的冲击与挑战。政府长期担负起提升市民文明素质的重要职责，从而把人的素质教育摆在很高的位置，并且已经形成了一种民族意识。为提高人们的低碳意识，丹麦还开展很多公益性质的活动。

如2009年8月8日，Danfoss公司为14~18岁的年轻人举办气候和创新夏令营，目的是让这些年轻人为应对气候变化贡献智慧。此前，丹麦教育部要求在2008~2009年间所有教学大纲都要增加与气候相关的内容。而在丹麦能源局播放的一个电视片中，反复讲述丹麦的气候行动，其中最引人注目的是丹麦确定的6个生态城市。电视片宣称，若以200万的丹麦家庭参加的节电行动为例，其能源消耗可以降低73%。在这个行动中，节能灯、节能建筑、风能等都将被应用于实际生活之中。

丹麦每个市政区都拥有一座垃圾回收厂，当地居民每周都会将自家可回收的垃圾拿到这里，这里已经成为丹麦人的一个重要社交场所。每周来垃圾回收厂送自家垃圾的可达到1500辆车、3000多人。尽管垃圾回收在丹麦已经实行了20余年，但政府仍然不断向市民宣传垃圾回收知识，包括在网络上播放宣传片、组织学生们到垃圾处理厂实地实践等。通过政府长期的努力，节能的观念已渗透到社会的各个角落。

3.6.5 法国推动新能源产业快速发展

法国是核电能源大国，价廉物美的核电为法国经济和民众生活提供了充足的能源，同时在一定程度上也限制了法国新能源产业的发展。为应对全球气候变化和发展新型产业，特别是应对金融危机后法国工业企业竞争力减弱的趋势，法国政府积极出台新能源政策和优惠措施，大力支持新能源产业发展，希望尽快改变法国新能源产业发展在全球相对滞后的局面。法国环境问题多方协商会议第二阶段制定的法律势必推动法国新能源产业快速发展。

法国生态、可持续发展、交通及住房部(简称生态部)近日公布的数据显示，法国太阳能光伏发电2012年一季度增长69%。由于全国特别是西南部的阿基坦大区和东南部的普罗旺斯-阿尔卑斯-蓝色海岸大区的太阳能光伏发电并网速度稳定增长，到2012年6月底为止，法国光伏发电的装机容量已突破500MW大关。由于法国政府对家庭用光伏系统提供税务优惠以及法国电力公司稳定的光伏电力收购价，目前法国对0.36MW和1MW光伏系统装机的申请出现较快增长。

法国生态部部长博尔洛日前表示，2010年一季度法国风能发展速度放缓，但二季度风电并网速度加快，法国风力发电装机总容量已经超过5000MW。

3.6.6 欧洲超越可再生能源目标

据欧洲能源理事会(European Energy Council，EREC)于2010年9月30日发布的统计，欧盟的可再生能源已超越了2010年目标，并且有望达到联盟2020年的目标。由欧盟在比利时布鲁塞尔总部于1997年起就发布的白皮书预计，2010年欧盟已超越了 16GW 光伏目标 5 倍、1GW 地热目标 3 倍和风能 75GW 目标的 80%。联盟深信，欧洲将不仅会满足 2020 年约束性指标至少 20%，而且会明显地超越。这种趋势使现在正在继续为超越欧洲 2020 年设置的目标而努力，欧盟已设定 20% 的能源将来自可再生能源。

在其最近的"欧盟 2030 年能源发展趋势"报告中，联盟委员会也对 20% 目标表示乐观，而预测到 2020 年之后新的能源比例上升速度将下降，到 2030 年仅使可再生能源比例微升至 22.8%。但是，EREC 认为对这一前景的预测过于悲观。

3.7　国际低碳经济发展的启示

发达国家在低碳经济发展方面一直走在前列，取得的成果也较为突出。他们的成功给中国低碳经济的发展提供了宝贵的经验。总体来看，发达国家推动低碳经济的方法主要包括低碳理念的宣传，政策法规的保障，低碳技术的研发，经济手段的激励。

第一，推广低碳经济、低碳生活的理念十分重要，只有全民参与到低碳经济的建设中才能使低碳经济长久的发展下去。如英国 2007 年启动了一个长达 20 年的计划——"CO_2 行动"，还在贝丁顿建成英国最大的碳平衡生态区。通过采取广泛的节能减碳措施，在保证同等生活质量的前提下，将该区的采暖能耗降低了 88%，用电量减少了 25%，用水量减少了 50%。发达国家环保的意识观念本身就很强，通过政府大力宣传碳足迹，低碳生活，教育人们温室气体的排放对环境的重要危害，减少碳排放对经济长远发展的意义，逐渐改变人们的生活消费习惯，使每个人都愿意为低碳事业作出贡献。并且，通过低碳城市的示范作用，将低碳的理念渗透到生活的方方面面。

第二，将低碳经济提升到国家战略的高度，制定政策规划，并出台有效的法律法规保障低碳经济的运行，这是低碳经济能够发展起来的坚强后盾。2003 年 2 月 24 日，英国首相布莱尔发表的能源白皮书，明确宣布到 2010 年二氧化碳排放量在 1990 年水平上减少 20%，到 2050 年把英国建成一个低碳经济体。作为气候变化政策的重要组成部分，英国在 2002~2007 年实施的排放贸易制度，以企业自愿参与为主要特征，并建立了专门的电子注册系统对参与者的信息、交易情况和上报的排放数据进行管理。从效果来看，2003 年累计减排 520 万 t 二氧化碳当量，2004 年增至 590 万 t。2008 年 6 月，时任日本首相的福田康夫提出了防止全球气候变暖对策"福田蓝图"，设定了到 2050 年使日本的温室气体排放量比目前减少 60%~80% 的长期目标。发达国家从能源、工业、交通各个方面进行规划，使得低碳经济按照具体的步骤稳健推进。法律的出台也让一切的运转有法可依，使政策的落实有了切实的保障。

第三，通过发展低碳技术，开发清洁能源，提高能源利用效率的方法实现低碳经济的发展。技术是发展的引擎，是经济发展的根本推动力。要实现低碳产业、可再生能源的发展只有靠技术的推动。英国在2005年制定了《减碳技术战略》，并建立了3500万英镑小型示范基金，高度重视碳捕获与埋存技术的研发；从2003年以来还先后启动了"清洁化石燃料计划""氢战略框架""超级发电计划"等研究计划。目标是到2020年可再生能源在能源供应中要占15%。美国政府制定低碳技术开发计划，将投资的重点放在太阳能、生物燃料方面；2009年5月19日，美国公布关于汽车的节能减排新计划。规定美国汽车制造商自2012年起必须逐年改善汽车的燃油效率；到2016年，美国小型汽车和轻型卡车所耗费的汽油量将不超过6.6L/100km，比当前的汽车耗油量减少40%。日本推出"先进光伏发电计划"，太阳能的利用技术世界领先，不但节约了能源资源，还带来了可观的经济效益。正是有了这些新技术的发明与应用，才使得低碳经济在这些国家有了飞速的发展。

第四，经济手段是低碳经济发展的有效激励措施，有了资金的支持，低碳技术的研发、低碳政策的实施才能大步推进。英国是第一个推行"碳预算"的国家，在与低碳经济相关的产业上追加了104亿英镑的投资，政府对可再生能源的使用和运用低碳技术的生产者采取了一系列财政补贴措施，还成立碳基金公司。美国的财政支持力度也很大，2009年约有500亿美元的预算投入到提高能效和清洁能源开发上面；日本政府从2009年开始，向购买清洁柴油车的企业和个人支付补助金，目的在于推动环保车辆的普及。通过税制改革、辅助金制度和特别会计制度的配套政策辅助低碳经济的发展。从效果上看，补贴等经济奖励手段对低碳经济的发展起到了非常有效的促进作用。

第 2 篇
产 业 篇

第4章 中国林产工业发展现状分析

4.1 产业结构

4.1.1 产业结构

2010 年林业产业总产值为 22779.02 亿元，比 2009 年增加 5285.29 亿元，增长 30.21%。第一产业产值 8895.21 亿元，占全部林业产业总产值 39.05%，比 2009 年增长 23.11%；第二产业产值 11876.95 亿元，占全部林业产业总产值的 52.14%，比 2009 年增长 36.24%；第三产业产值 2006.86 亿元，占全部林业产业总产值的 8.81%，比 2009 年增长 29.43%。林业第一、二、三产业的比例已从 1999 年的 67.0:29.2:3.8 发展成为 2010 年的 39.05:52.14:8.81，第二产业产值占全国林业产业总产值比重超过第一产业产值所占的比重。同时，林业产业的第三产业，已经成为继第二产业之后的新的经济增长点，加速了林业产业向资源消耗低、吸收就业多、附加值高的产业升级，林业产业结构不断得到优化。

但是，在国民生产总值中，林业产业所占比重较低。在林业总产值中，第二、第三产业产值所占比例也依然过低。据联合国粮农组织（FAO）统计，在全球总产值中，林业产业所占比重为 7%，而中国在 GDP 中，林业产业增加值所占比重仅为 0.97%，

表 4-1 中国林业产业结构
单位：亿元

	2009 年	2010 年	增长率
总产值	17493.73	22779.02	30.21%
第一产业	7225.26	8895.21	23.11%
第二产业	8717.92	11876.95	36.24%
第三产业	1550.56	2006.86	29.43%

数据来源：2009~2010 年《中国林业发展报告》。

还不到百分之一。在林业总产值中，世界发达国家第二、第三产业产值所占比重一般超过 70%，高的达 90%，而中国为 60% 左右。

4.1.1.1　木材加工业

自 20 世纪 90 年代开始，中国木材工业一直以高于国民经济平均增长的速度快速发展，已经形成具有教学、科研、设计、生产、设备制造较为完整的工业体系。在走出了单纯依靠采伐原木、增加木材产量来增加产值的产业模式后，中国已经成为一个木材生产大国、加工大国和消费大国。林业产业总产值在多种经营、加大科技投入的基础上大幅度增加。

（1）锯材。目前中国国有制材企业 95% 以上处于停产和拆机变卖状态。现存企业普遍存在管理水平低下、机械设备陈旧、投入资金严重不足、原料利用率不高、制材工艺技术水平落后等一系列问题。

（2）木地板。目前，中国的实木地板企业 5000 多家，年产量达 4000 万 m^2。大中型企业大多从国外引进设备，其产销量占市场的 40% 左右；多数企业规模较小、设备落后，整体技术设备水平较低，年产量达 5 万 m^2 以上的企业只占 3%~5%，由于人员素质、技术设备和管理水平较低，难以控制，存在一定的资源浪费现象。

（3）人造板。2010 年中国人造板产量 15360.83 万 m^3，较 2009 年的 11546.65 万 m^3 增长了 33.03%，是近五年增长速度最快的一年。已有人造板企业 6000 多家，生产规模超过 15000 万 m^3，目前已成为世界人造板生产和消费第一大国。因全球经济危机等因素，2008 年中国人造板产量 8171 万 m^3，较 2007 年的 8839 万 m^3 下滑 7.56%，但 2009 年开始又呈现增长趋势。

一是胶合板。至 2010 年，中国具有一定规模的胶合板企业超过 5000 家，主要分布在河北、山东、江苏、浙江、广东等省，其中 90% 的企业规模在年产 1 万 m^3 以下，少数达到年产 2 万 m^3 以上。受世界经济危机和市场购买力不足影响，2008 年中国胶合板产量下滑，以小规模为主的胶合板企业约有 50% 以上停产，甚至倒闭。2008 年，胶合板出口出现了负增长，出口共 717.66 万 m^3，进口胶合板 29.39 万 m^3。比 2007 年同期对比，出口下降 18.28%，减少数量达 160.52 万 m^3；进口下降 3.95%，减少 1.21 万 m^3。但 2009 年开始又呈现增长趋势，2010 年中国胶合板产量 7139.66 万 m^3，比 2009 年增长 60.40%，占全部人造板产量的 46.48%。

二是纤维板。2008 年，受房地产低迷、家具、装修和强化地板等用板量大大减少影响，纤维板产量急剧下滑。2008 年纤维板进口 50.5 万 m^3，同比 2007 年的进口 70.3 万 m^3，降低 28.2%；2008 年出口 238 万 m^3，同比 2007 年出口的 306 万 m^3，下降 22.2%。往年出口一直大幅度增长的中纤板自 2008 年以来首次出现负增长。但从 2010

年开始又呈增长趋势，2010 年产量为 4354.54m³，比 2009 年增长 24.82%。

三是刨花板。目前，刨花板成为人造板中产量增长最快的板种，增长速度几乎达到 50%，2010 年中国刨花板的生产能力已经达到 1264 万 m³。目前中国的刨花板生产企业超过 600 家，生产线超过 800 条，主要分布在吉林、江苏、福建、广东等省，大部分企业规模为年产 1.5 万 m³。2010 年，中国刨花板进口刨花板 54 万 m³，出口 16.6 万 m³。与 2009 年同期（2009 年进口 44.7 万 m³，出口 12.5 万 m³）对比，进口上升 20.8%，出口上升 32.8%。中国刨花板主要出口到俄罗斯，占中国刨花板出口量的 25.11%。

四是其他人造板（细木工板）。自 2001 年以来，其他人造板的产量一直随中国人造板产业的发展而稳步增加，所占比例一直在 20% 左右。细木工板则占据了其他人造板类的绝大部分。

4.1.1.2　家具制造业

中国是家具制造大国，全国规模以上企业超过 5934 家，主要集中在珠江三角洲、长江三角洲以及环渤海地区。2010 年木质家具总产量 26073 万件，比 2009 年增长 27.18%。过去十几年的高速发展中，家具制作生产实现了工业化，拥有了一批有较先进的生产设备，适应市场竞争的生产企业，能为市场提供品种繁多的各类家具，并在全国形成了一大批便于流通的家具市场。同时，与家具工业配套的相关产品也得到较大的发展，家具产品出口快速增加，国际竞争力不断提高。

4.1.1.3　纸及纸制品业

造纸行业是国民经济重要基础原材料产业之一，产品与人民生活的水平密切相关，纸和纸板的消费水平已成为衡量一个国家现代化水平和文明程度的一个重要标志。造纸工业具有资金技术密集和规模效益显著的特点，其产业关联度大，较大的市场容量和发展潜力已成为拉动林业、农业、机械制造、化工、自动控制、交通、环保、印刷、包装等产业发展的重要力量，形成中国国民经济发展的新的增长点。

自 1978 年中国实行改革开放政策后，中国造纸业就进入持续发展阶段，最近的 30 年是中国造纸业从弱小走向强大，从落后走向先进，从固封国内到走向世界舞台的过程。截至 2010 年，全国规模以上纸及纸板生产企业约有 10270 家，产能约 9270 万 t。2010 年全国规模以上纸和纸板工业总产值 10434.06 亿元，较 2009 年的 8264.36 亿元增长 26.25%。

4.1.2　产品结构

4.1.2.1　原材料

中国木材产量从 1981 年的 4942.31 万 m³ 增至 2010 年的 8089.62 万 m³，年均增长 1.66%。其中 1981～1995 年木材产量呈波动性增长，1996～2002 年持续下降，2003～ 2010 年出现恢复性增长（图 4-1）。

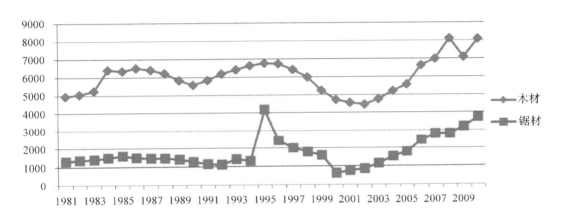

图 4-1　历年中国木材与锯材产量（万 m³）

（数据来源：2011 年《中国林业发展报告》）

中国锯材产量从 1981 年的 1301.06 万 m³ 增至 2010 年的 3722.63 万 m³，年均增长 3.57%。其中 1981～1994 年锯材产量较为平稳，1994～1995 年骤然猛增，1996～2000 年大幅回落，2001～2010 年出现恢复性增长。

4.1.2.2　中间产品

中国胶合板产量从 1981 年的 35.11 万 m³ 增至 2010 年的 7139.66 万 m³，年均增长 19.4%；纤维板产量从 1981 年的 56.83 万 m³ 增至 2010 年的 4354.54 万 m³，年均增长 15.56%；刨花板产量从 1981 年的 7.67 万 m³ 增至 2010 年的 1264.20 万 m³，年均增长 18.55%（图 4-2）。总的来看，1994 年之后中国人造板产量增长加快。

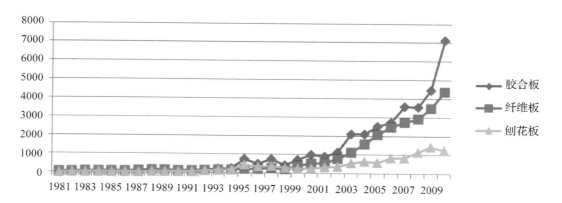

图 4-2　历年中国人造板产量($万 m^3$)

(数据来源：2011 年《中国林业发展报告》)

4.1.2.3　最终产品

中国木质家具产量从 2000 年的不足 5000 万件增至 2010 年的 26073 万件，年均增长 9.92%；机制纸及纸板从 2000 年的 2486.97 万 t 增至 2010 年的 9270.00 万 t，年均增长 12.7%（图 4-3）。

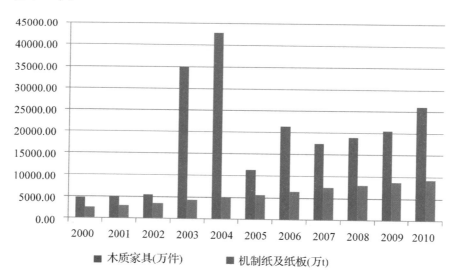

图 4-3　历年中国木质家具产量及机制纸、纸板产量

(数据来源：2011 年《中国林业发展报告》)

4.2　产业规模

4.2.1　木材加工业

4.2.1.1　全部从业人员平均人数

从图 4-4 中可清晰地看到木材加工业从业人员年平均人数呈现 U 形特征，1999 年的 17.17 万人向左右两方呈逐年上升趋势，说明从业人员由 1995 年的 73 万人开始逐年下降，到 1999 年年平均下降 30%，但是从 1999 年开始又呈逐年上升趋势，到 2010 年的 142 万人，年平均上升 21%。

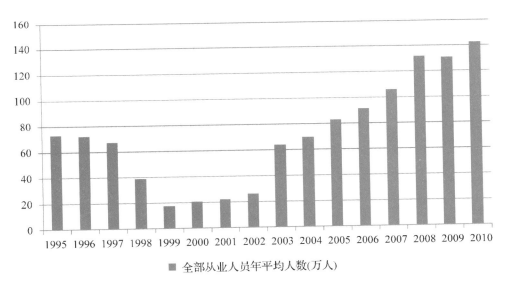

■ 全部从业人员年平均人数(万人)

图 4-4　木材加工业从业人员平均人数

(数据来源：1996~2011 年《中国统计年鉴》)

4.2.1.2　工业总产值

木材加工业工业总产值 2003 年为 992.79 亿元，以前上升幅度很小，2004 年无数据，2005 年相对以前各年有很大幅度上升。由 1995 年的 71.40 亿元增加到 2013 年的 9973.33 亿元，年平均上升 32%(图 4-5)。

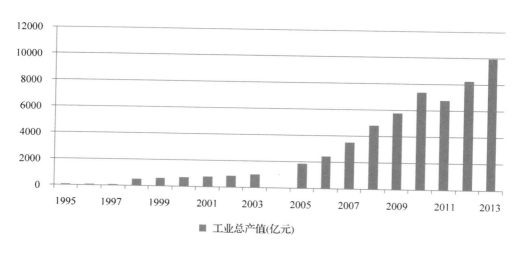

图4-5　木材加工业工业总产值

（数据来源：1996～2014年《中国统计年鉴》）

4. 2. 1. 3　企业单位数

木材加工业企业单位数量呈现逐年增加趋势，增加幅度较大，从1995年的1265个至2013年的8498个，年均增长量为11%（图4-6）。

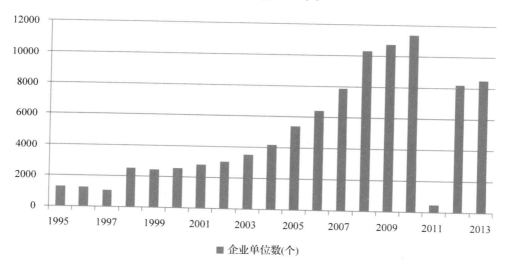

图4-6　木材加工业企业单位数

（数据来源：1996～2014年《中国统计年鉴》）

4. 2. 1. 4　单位企业产值

木材加工业单位企业产值从1995年的0.06亿元，逐年上升，且上升幅度较大，到1999年的0.23亿元为止年平均上升29%。但是1999年后上升幅度趋缓，2004年无数据，2013 年相对 2007 年有较大上升（图 4-7）。

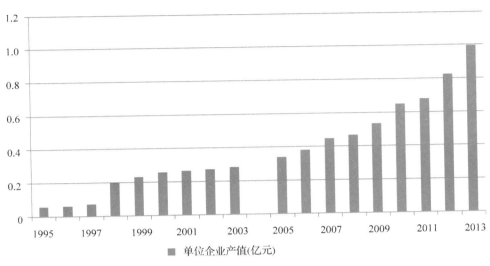

图 4-7　木材加工业单位企业产值

（数据来源：1996～2014 年《中国统计年鉴》）

4.2.1.5　资产总计

　　木材加工业企业资产总计从 1998～2003 年维持平稳，从 1998 年的 615.09 亿元到 2013 年的 4441.30 亿元，呈持续上升趋势，年均增长率为 13%（图 4-8）。

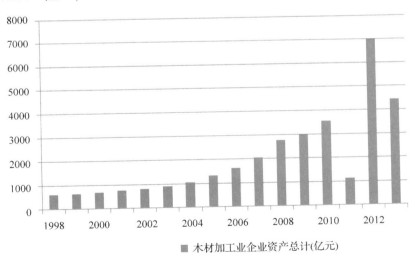

图 4-8　木材加工业企业资产总计

（数据来源：1996～2014 年《中国统计年鉴》）

4.2.1.6　总资产贡献率

木材加工业企业总资产贡献率在 1998~2003 年基本维持不变，从 2004~2010 年开始持续增长(图4-9)。

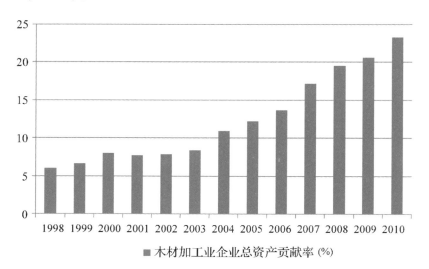

图4-9　木材加工业企业总资产贡献率

(数据来源：1996~2011 年《中国统计年鉴》)

4.2.1.7　成本费用利润率

木材加工业企业成本费用利润率由 1998 年的 0.43% 快速增长到 2010 年的 7.8%，维持在一个较为平稳的增长率上，年均增长 30%(图4-10)。

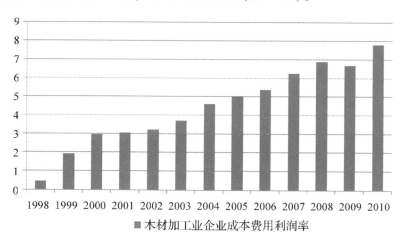

图4-10　木材加工业企业成本费用利润率

(数据来源：1996~2011 年《中国统计年鉴》)

4.2.2　家具制造业

4.2.2.1　全部从业人员年平均人数

家具制造业全部从业人员年平均人数从 1995 年的 35 万开始到 2010 年的 112 万。从图 4-11 可以清晰地看到，家具制造业全部从业人员年平均人数在这 15 年间呈现出两种不同的走势，从业人员从 1995 年的 35 万下降至 2002 年的 8 万人，年平均下降 19%，但从 2003 年开始呈现明显的上升趋势，到 2010 年年平均上升 15%。

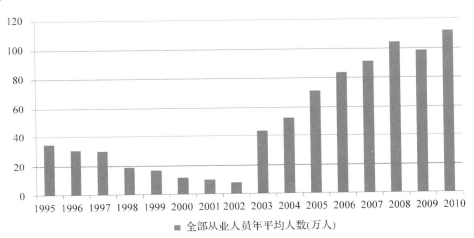

图 4-11　家具制造业全部从业人员年平均人数

（数据来源：1996～2011 年《中国统计年鉴》）

4.2.2.2　工业总产值

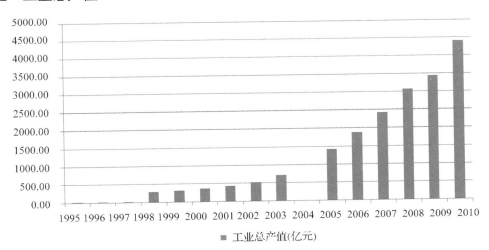

图 4-12　家具制造业工业总产值

（数据来源：1996～2011 年《中国统计年鉴》）

家具制造业工业总产值，除2004年无数据外逐年增加，增长趋势较大，从1995年的20.18亿元增长到2010年的4414.81亿元，年均增长43%（图4-12）。

4.2.2.3 企业单位数

家具制造业企业数量经过1998～2001年平稳后，2002年开始逐年增加，增长趋势较大，从1995年的549个增长到2013年的4559个，年均增长12%（图4-13）。

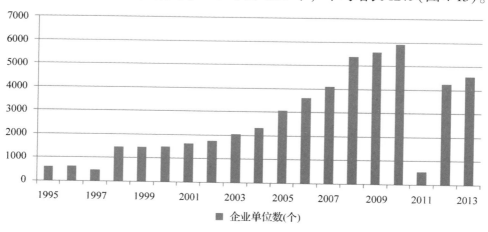

图4-13 家具制造业企业单位数

（数据来源：1996～2014年《中国统计年鉴》）

4.2.2.4 单位企业产值

家具制造业单位企业产值，除2004年无数据外逐年增加，增长趋势较大，从1995年的0.03亿元增长到2010年的0.74亿元，年均增长24%（图4-14）。

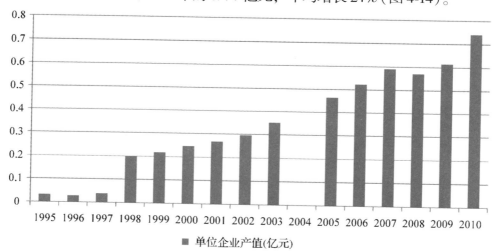

图4-14 家具制造业单位企业产值

（数据来源：1996～2011年《中国统计年鉴》）

4.2.2.5 资产总计

家具制造业企业资产总计经过 1998～2002 年的平稳后，从 2002 年的 298.08 亿元开始到 2013 年的 3545.86 亿元，呈现持续增长，年均增长率约 17%（图4-15）。

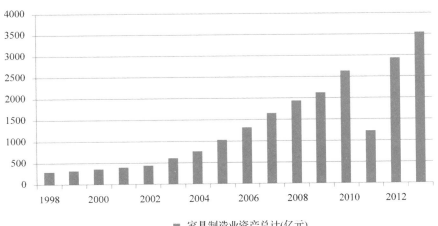

■ 家具制造业资产总计(亿元)

图4-15 家具制造业企业资产总计

（数据来源：1996～2014 年《中国统计年鉴》）

4.2.2.6 总资产贡献率

从图 4-16 中可以看到，家具制造业企业总资产贡献率在 1998～2003 年维持在一个较平稳的水平，从 2003 年的 8.73% 起到 2010 年的 16.86% 持续增长，年均增长率为 10%。

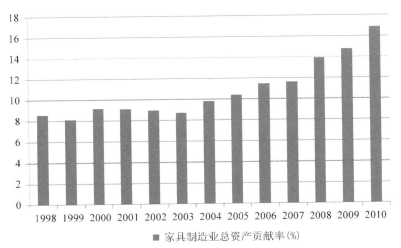

■ 家具制造业总资产贡献率(%)

图4-16 家具制造业企业总资产贡献率

（数据来源：1996～2011 年《中国统计年鉴》）

4.2.2.7 成本费用利润率

从图 4-17 中可以看到，家具制造业企业成本费用利润率在 1998～2008 年变化不大，从 2008～2010 年开始出现明显的上升。

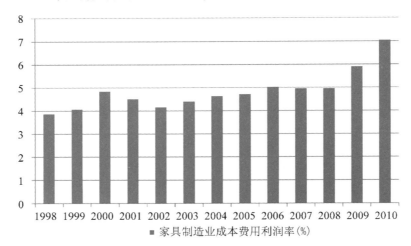

图4-17 家具制造业企业成本费用利润率

（数据来源：1996～2011 年《中国统计年鉴》）

4.2.3 纸及纸制品业

4.2.3.1 全部从业人员年均人数

根据图 4-18，纸及纸制品业全部从业人员年均人数总体呈现上升趋势，但是在此区

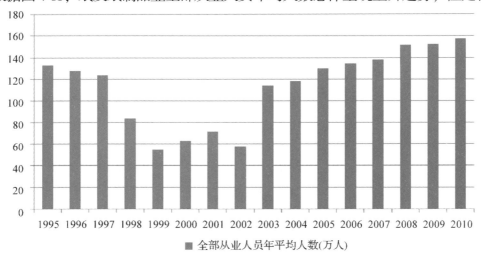

图4-18 纸及纸制品业全部从业人员年均人数

（数据来源：1996～2011 年《中国统计年鉴》）

间曾呈 U 形,从 1995~1999 年持续下降,1999~2002 年略有波动,2003 年开始缓慢上升。

4.2.3.2　工业总产值

根据图 4-19,纸及纸制品业工业总产值总体呈现上升趋势,2004 年无数据,2003 年后上升趋势较快。从 1995 年的 378.7 亿元到 2010 年的 10434.06 亿元,年均增长 25%。

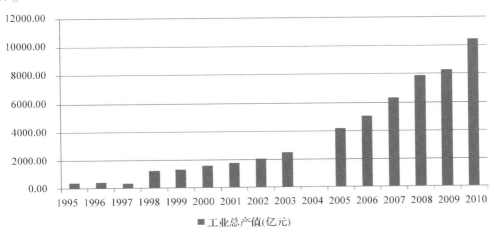

图 4-19　造纸及纸制品业工业总产值

(数据来源:1996~2011 年《中国统计年鉴》)

4.2.3.3　企业单位数

根据图 4-20,纸及纸制品业企业数量总体呈现上升趋势,除 1997~1998 年有较大

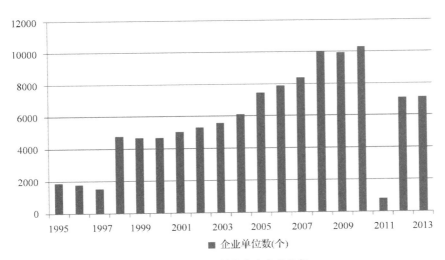

图 4-20　纸及纸制品业企业单位数

(数据来源:1996~2014 年《中国统计年鉴》)

幅度上升外，1998 年以后上升趋势较平稳，从 1998 年的 4763 个到 2013 年的 7128 个，年平均增长率为 8%。

4.2.3.4　单位企业产值

根据图 4-21，纸及纸制品业单位企业产值总趋势呈现上升，2004 年无数据，总体上升趋势缓慢，从 1995 年的 0.199 亿元到 2010 年的 1.016 亿元，年平均增长量为 11%。

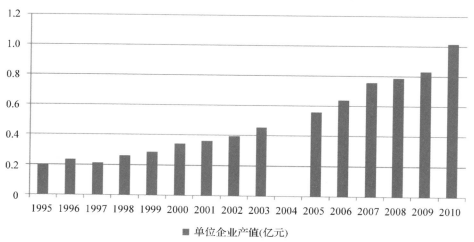

图 4-21　纸及纸制品业单位企业产值

（数据来源：1996～2011 年《中国统计年鉴》）

4.2.3.5　资产总计

根据图 4-22，纸及纸制品业企业资产总计从 1998 年的 1969.82 亿元到 2013 年的 11862.73 亿元持续增长，年平均增长 14%。

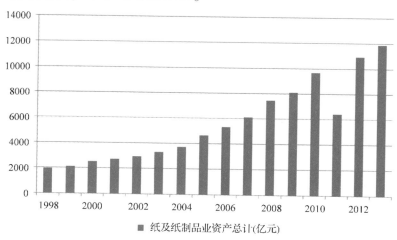

图 4-22　纸及纸制品业企业资产总计

（数据来源：1996～2011 年《中国统计年鉴》）

4.2.3.6 总资产贡献率

根据图 4-23，纸及纸制品业企业总资产贡献率 1998～2007 年持续增长，2007～2010 年基本维持在较高水平。

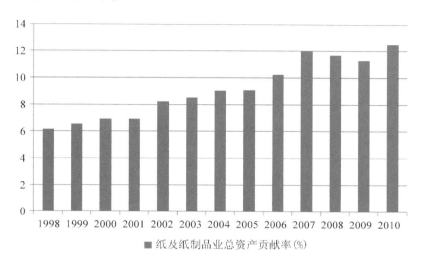

图 4-23 纸及纸制品业企业总资产贡献率

（数据来源：1996～2011 年《中国统计年鉴》）

4.2.3.7 成本费用利润率

根据图 4-24，纸及纸制品业企业成本费用利润率从 1998 年的 1.79% 到 2010 年 7.64% 呈波动上升趋势，年均增长率为 13%。

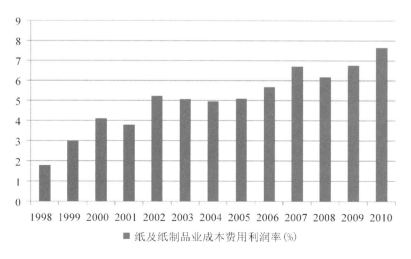

图 4-24 纸及纸制品业企业成本费用利润率

（数据来源：1996～2011 年《中国统计年鉴》）

4.3　产业组织

4.3.1　企业组织与管理

据不完全统计，中国目前林业及相关企业数量达数 10 万家，直接从事林业产业生产的人员遍及城市和乡村，总量达 140 万人。涉及家具、竹产品、油茶、木板、胶合板、刨花板等各个林业行业。林业企业的产业集群现象十分明显，如广东的家具企业数量庞大，福建的竹产品加工企业，等等。在快速发展的同时，中国林业企业也面临着较大的问题，主要有以下几点。

4.3.1.1　企业规模普遍较小

中国林业企业一般都规模较小，生产设备简陋，加工方式粗放，一些小型的加工企业甚至采用家庭作坊式的运作管理模式，企业发展缓慢。同时，由于初级加工的产品对原料消耗大，木材的综合利用率较低，造成对原材料的争夺和浪费。

4.3.1.2　企业创新能力弱

中国林产品加工企业中，大多从事加工贸易，产品结构单一，创新能力非常弱。产品结构中，中间产品的比例偏大，主要集中在单板，锯材方面，产品结构趋同，因此会导致产品同质化企业之间的无序竞争。而对于一些附加值较高的家具、地板等产品又缺乏核心的竞争力，大多数企业都是模仿国外设计的产品并支付高昂的专利费，这样很难保持长久的竞争优势。大多数木材加工企业的自主研发力量薄弱，难以进行技术改造。企业缺少产品设计创新意识，产品缺少自主知识产权和科技含量，缺乏核心竞争力。虽然拥有一定的市场空间和一些品牌优势，但从整体来看，大多数企业还停滞在模仿多、创新少的低水平发展阶段。

4.3.1.3　企业劳动者素质低

中国林业系统劳动力文化素质总体来说有以下三个特点：一是中国林业劳动力文化程度偏低。据不完全统计，中国林业劳动力文化程度在农、林、牧、渔中有较明显的优势，但却明显低于国民经济其他行业的文化程度构成。二是木材采运业劳动力文化程度明显高于作为"林业"行业劳动力的文化程度。三是林区初、高中升学率偏低的状况反映了林区教育发展滞后的问题。就目前的情况而言，在林业生产方面，人才队伍总量不足，结构不合理，整体素质不高，尤其是缺乏高层次、复合型的人才，体制和政策障碍尚多，影响人才资源的整体开发和合理利用。而林产品加工业是木材的加工产品和其他林产品加工产品，产品原料或产品本身都要受到自然条件的影响，不同环境、不同自然条件下，产品存在较大的品质差异。同时，林产加工产品种类繁多，由于劳动者素质不高，因而就很难加工出深层次的林产品，使得初级加工产品比重较大，技术含量低，无法适应市场竞争，从而影响到林产品的流通。

4.3.1.4　企业市场化程度低

林业生产者在中国经济体制改革不断深入的情况下，逐渐从传统的计划经济体制下走出来，成为市场的主体，但不能否认的是，他们的市场化程度很低，市场意识不强，具体表现在以下两个方面：

（1）产品结构与市场结构的不对称。中国实行市场经济改革已经有 30 多年的时间，但在这 30 多年的时间里，中国并未实现真正的政企分开，尤其是在国有林业企业中，政企不分的现象还很严重，计划经济时期的管理体制仍在发挥作用。这就使得林业生产者不能成为真正的市场主体，不能很好地了解市场需求，往往出现生产出的产品并不是市场真正需要的现象。

（2）对市场信息的把握能力不强。市场的供需对林业生产者的影响往往是滞后的，如果对市场的需求信息不能提前把握，那么可能出现这一时期紧缺的产品而过一段时间就供过于求的现象。事实上，目前林业生产者还不是真正意义上的市场主体，对于市场需求信息也就不能很好把握，因而，常造成流通的盲目性。①

4.3.2　企业战略选择

中国的林产品加工企业在战略规划与战略管理上，整体表现比较薄弱。大多数企业缺少科学合理的战略安排。受到企业家素质和企业规模的限制，大部分企业还停留在"靠天吃饭"的被动状态。特别在目前这样国际形势复杂变换，国内政策瞬时调整的情况下，缺少全局意识、前瞻意识，对一个企业的发展是致命的。

以安吉的企业为例，企业规模相对永安要稍大一些，大部分制成品企业的销售以国际市场为主，整个安吉县产品有 70%～80% 外销。对于这样一个销售渠道高度对外的产业来说，生存环境更加复杂，企业的战略意识也应该更浓厚才是。但是在调查中发现，几乎所有的企业，包括规模相对较大的地板、转椅企业，都对目前的环境变化处于被动的承受状态，缺乏对未来发展方向的合理规划，只能走一步算一步。比如，目前的大环境对企业的经营非常不利，人民币升值、原材料价格上涨，劳动力价格上涨，一系列成本的上升，销售价格却保持稳定，内外夹击，最终导致了利润空间不断

---

① 　资料来源：中国林产品流通、市场与贸易。

下降。而大部分出口企业只能自己消化这些损失，或者部分转嫁给上游的半成品加工企业。对外没有议价能力和规避风险意识，对内没有能够使企业走出困境和提高竞争优势的好的战略规划。企业战略管理意识的缺失，将使整个产业在现阶段徘徊，很难提高竞争层次。

所以，林业企业要想获得长远的发展，必须要有战略意识和战略管理。必须在充分分析企业内外环境和自身优劣势的基础上，科学制定企业长期的发展规划，确定经营领域、经营目标、竞争优势的构建方式以及实现战略的具体措施，并随着经营环境的变化进行适当的调整，以保证企业的各项活动的实施符合企业竞争力的发展方向，更好的实现战略目标。

4.3.3 企业竞争模式

林产品加工企业主要依靠的是资源优势，整体规模偏小，产品差异化程度低，缺乏产品创新，这就决定了企业间的竞争模式是恶性的低价竞争。以乐从家具市场为例，乐从家具产业发展至今所依靠的主要是基本的生产要素的优势，由于企业研发能力不强，缺少专业的家具设计企业和研发机构，家具的设计大多是大公司抄国外，小公司抄大公司，相互模仿、跟风的现象十分严重，产品定位雷同，缺少差异化特色，唯一能够获得竞争优势的方式只能是尽量压缩成本，压低价格。同时，由于缺少准确的市场定位，导致出口渠道狭窄，目标市场集中，国际市场的竞争也日益激烈。长期守旧的市场范围与定位，不仅限制了对国外市场的开拓，甚至遭到一些国家贸易保护主义的制裁。

4.4 产业布局

4.4.1 木材加工业

4.4.1.1 整体布局

根据表4-2，2006～2010年中国木材加工业的区位集中度波动比较大，木材加工业总产值排名前五位地区所占比重2006年为61.28%，而2007年为40.08%。2006～2010年木材加工业总产值排名前五位的地区主要集中在东部沿海地区。其中，浙江、江苏、山东、福建、广东等5省份始终居于木材加工业总产值的前五位。

表 4-2　2006～2010 年中国木材加工业的区位集中度　　　　单位:%

2006 年		2007 年		2008 年		2009 年		2010 年	
地区	比重	地区	比重	地区	比重	地区	比重	地区	比重
江苏	16.17	浙江	14.70	浙江	13.80	浙江	16.9	江苏	13.73
广东	16.03	江苏	12.72	江苏	12.72	江苏	14.9	山东	13.14
浙江	12.45	福建	10.03	福建	10.34	广东	8.75	浙江	10.78
山东	8.82	山东	9.31	山东	7.97	福建	8.55	福建	8.36
福建	7.81	广东	8.02	广东	6.82	山东	8.23	广东	7.24
合计	61.28	合计	40.08	合计	37.85	合计	57.33	合计	53.25

数据来源:2006～2010 年中国林业统计年鉴。

注:表中所示为中国木材加工业总产值排名前五位的地区,数据来源于历年中国林业统计年鉴,木材加工业包括锯材和木片加工业、人造板制造业、木制品制造业、木质工艺品和木质文教体育用品制造业。

4.4.1.2　各产业布局(表 4-3)

(1)原木。2010 年,原木产量为 7513.21 万 m³,比 2009 年增加 16.01%;2008 年,原木产量为 7357.32 万 m³,比 2007 年增加 13.33%;2006 年,原木产量为 6611.78 万 m³,比 2005 年增加 18.91%。原木产量超过 400 万 m³ 的省份有广西、福建、湖南、黑龙江、吉林、江西。

(2)锯材。2010 年,全国锯材产量为 3229.77 万 m³,比 2009 年增长 13.69%;2009 年全国锯材产量为 2840.95 万 m³。全国锯材生产大省主要有浙江、内蒙古、湖南、山东、广西、河南、河北。

(3)木片。2010 年,木片产量超过 60 万 m³ 的有山东、广西、辽宁、江苏、河南、广东、福建等 7 省份,总量约占全国总产量的 80%。

表 4-3　原材料产品生产分布

产品	地区分布
原木	广西、福建、湖南、黑龙江、吉林、江西
锯材	浙江、内蒙古、湖南、山东、广西、河南、河北
木片	山东、广西、辽宁、江苏、河南、广东、福建

数据来源:2007 年中国林业产业与林产品年鉴。

(4)木家具。全国规模以上木家具企业超过 5000 家,主要集中在珠江三角洲、长江三角洲以及环渤海地区。家具生产主要分布在广东、广西、浙江、安徽、吉林、辽宁、四川、河北、江西。产量位列前三位的是广东、浙江、福建。其中，广东为生产家具大省。

中国自改革开放以来也已形成 4 个大型家具产业区：以沈阳、大连为中心的东北家具产业区，以北京、天津和河北、山东为中心的华北家具产业区，以浙江、江苏、上海为中心的华东家具产业区和以广东、福建为中心的华南家具产业区。近年来，在中国家具业发达地区如广东、浙江等正在兴办家具工业（园）区，表现出产业集聚的趋势。

（5）木地板。2010 年，中国木地板产量为 47917.15 万 m²，比 2009 年增长 27%。中国木地板行业产地呈明显区域性分布（表4-4），实木地板生产企业主要分布在以浙江南浔为中心的产业带，实木复合地板生产企业主要分布在以上海为中心和吉林为中心的产业带，强化木地板生产企业华南地区以常州为主的产业带，中西部地区以武汉为主的产业带，东北地区以沈阳为主的产业带，竹木地板生产企业主要分布在以浙江临安为中心的产业带。

表4-4　地板产品生产分布

地板种类	地区分布
实木地板	浙江、江苏、上海、广东、云南、北京、东北
强化木地板	江苏、上海、福建、湖南、湖北、四川、北京、辽宁
实木复合地板	东北、北京、天津、山东、广东、云南、浙江、江苏
竹地板	浙江、江西、湖南、贵州、福建、安徽、辽宁
软木地板	东北三省和陕西

数据来源：2007 年中国林业产业与林产品年鉴。

一是实木地板：到 2010 年为止，企业有 4000 多家，年产量可达 11176 多万 m²。实木地板业属于民族行业，为了保护中国的森林资源，90% 的原材料以进口为主，近几年来部分实木地板已经开始出口。主要分布在浙江、江苏、上海、广东、云南、北京和东北等地。

二是复合地板：2010 年为止，企业有 100 多家，年产量约为 26821 万 m²，主要分布在东北、北京、天津、山东、广东、云南、浙江和江苏等地。

三是竹地板：2010 年为止，全国拥有企业 100 多家，年产量约为 3940 万 m²，主要分布在浙江、江西、湖南、贵州、福建、安徽和辽宁等地。

四是软木地板：中国此类地板企业少，目前还没有形成规模，主要分布在东北和陕西一带，原材料大多以进口为主，增长缓慢。

（6）人造板业。截至 2010 年年底，中国人造板生产年均增长速度均超过 20%，已有人造板企业 6000 多家，生产规模超过 15000 万 m³。2010 年，全年生产人造板 15360.83 万 m³，比 2009 年的 11546.65 万 m³ 增长了 33%。主要集中在中东部地区浙江、山东、江苏、河北等人造板生产大省。

一是胶合板：2010 年，胶合板产量为 4451.24 万 m³，比 2009 年增加 25.71%。中国胶合板生产相对集中，在 20 世纪 80 年代末 90 年代初开始发展，相继有：邢台中国胶合板城，左各庄胶合板生产聚集区，全国最大的临沂胶合板基地，嘉善胶合板生产基地，邳州胶合板生产基地，漳州松木胶合板生产基地，菏泽胶合板生产基地，南宁桉树胶合板生产聚集区等（表 4-5）。

表 4-5　不同地区胶合板企业数量

聚集区	邢台	左各庄	临沂	嘉善	邳州	漳州	菏泽	南宁
企业数	250	1300	2200	150	250	1000	200	200

数据来源：中国胶合板产业调查报告。

从目前中国胶合板产地分布看：75% 胶合板产量集中在长江以北，黄河以南地区，整个西南，西北地区胶合板产量不到全国的 4%，昔日胶合板主厂区东北，如今产量不足全国的 5%，约 90% 的胶合板生产都集中在沿海经济发达地区。至 2010 年，中国具有一定规模的胶合板企业超过 5000 家，主要分布在河北、上海、江苏、浙江、广东等省份，其中 90% 的企业规模在年产 1 万 m³ 以下，少数达到年产 2 万 m³ 以上。

二是纤维板：2010 年，中国纤维板产量为 3488.56 万 m³，比 2009 年增长 20.02%。中国纤维板生产能力分布在全国 28 个省份，主要集中在华东和华南区。华东区包括山东、上海、江苏、浙江、安徽、福建、江西，这一地区是中国纤维板主要生产区。

三是刨花板：2010 年，中国的刨花板生产企业约为 600 家，生产线超过 800 条，生产刨花板 1264.20 万 m³，比 2009 年的 1431 万 m³ 减少了 11.66%。主要分布在吉林、江苏、福建、广东等省，大部分企业规模为年产 1.5 万 m³。

四是其他人造板（细木工板）：2010 年中国其他人造板的产量为 2602.43 万 m³，比 2009 年增长 19.61%。2008 年，中国其他人造板的产量为 1820.29 万 m³，比 2007 年增长 5.95%。2006 年，细木工板产量 1155.32 万 m³，占其他人造板总产量的 83.12%。细木工板产量超过 200 万 m³ 的省份有河北、山东、江苏、浙江等 4 省，产量占总产量的 59%。

4.4.2　家具制造业

根据表4-6，2006～2010年中国木质、竹藤家具制造业的区位集中度都比较高，大约在70%，这说明中国木质、竹藤家具制造业的产业集聚程度日益明显。2006～2010年木质、竹藤家具制造业总产值排名前五位的地区主要集中在东部沿海地区。其中，浙江、四川、福建、广东始终居于木质、竹藤家具制造业总产值的前五位，广东异军突起，占据了中国木质、竹藤家具制造业的半壁江山。

表4-6　2006～2010年中国木质、竹藤家具制造业的区位集中度　　　　单位:%

2006 年		2007 年		2008 年		2009 年		2010 年	
地区	比重	地区	比重	地区	比重	地区	比重	地区	比重
广东	49.06	广东	40.23	广东	37.39	广东	46.7	广东	36
浙江	13.32	浙江	14.63	浙江	13.49	浙江	10.36	浙江	11.6
福建	8.11	福建	9.85	四川	10.42	四川	9	四川	9
四川	3.98	四川	5.46	福建	9.14	福建	7.8	福建	7
辽宁	3.47	江苏	4.38	江苏	3.93	辽宁	4.1	辽宁	4.5
合计	77.94	合计	70.17	合计	61.30	合计	77.96	合计	68.1

数据来源：2006～2010年中国林业统计年鉴。

注：表中所示为中国木质、竹藤家具制造业总产值排名前五位的地区，数据来源于历年中国林业统计年鉴。

4.4.3　纸及纸制品业

根据表4-7，2006～2010年中国木、竹浆造纸及纸制品业的区位集中度呈现小幅波动，不过一直在75%左右徘徊。对于木、竹浆造纸及纸制品业而言，2006～2010年东部地区所占比重较高。其中，广东和福建是中国木、竹浆造纸及纸制品业的主要聚集地。

表4-7　2006～2010年中国木、竹浆造纸及纸制品业的区位集中度　　　　单位:%

2006 年		2007 年		2008 年		2009 年		2010 年	
地区	比重	地区	比重	地区	比重	地区	比重	地区	比重
福建	41.29	广东	37.23	广东	31.83	广东	42.23	广东	46.36
广东	10.44	福建	29.26	福建	29.42	福建	20.4	福建	12.81
海南	7.74	海南	5.04	海南	5.09	湖南	6.6	上海	7.3
四川	5.28	四川	4.30	湖北	4.05	广西	5.12	江苏	6.05
山东	4.75	山东	4.01	广西	3.98	四川	3.7	广西	5.05
合计	69.49	合计	75.83	合计	74.37	合计	78.05	合计	77.57

数据来源：2006～2010年中国林业统计年鉴。

注：表中所示为中国木、竹浆造纸及纸制品业总产值排名前五位的地区，数据来源于历年中国林业统计年鉴。

4.5　产业技术

中国林业产业技术的状况，可以通过家具制造业、纸及纸制品和木材加工及竹藤棕草业的 7 个与科技相关联的指标来进行分析。此部分的数据全部来自中国科技统计年鉴，所选数据均为大中型企业的数据，这部分企业中不包括三资企业。

4.5.1　木材加工业

4.5.1.1　企业的基本情况分析

在企业的基本情况中，企业数与有技术开发机构的企业数在 2000～2010 年中是不断上升的。其中企业数由 2000 年的 155 家上升到 2010 年的 451 家，企业数量增加较多，有技术开发机构的企业数由 2000 年的 19 家增加到 2010 年的 67 家，数量呈缓慢上升趋势。

虽然企业总数与有技术开发机构企业数在 2000～2010 年中不断上升，但是有技术开发机构企业占企业总数的比重在最近几年起伏不定，且 2012 年、2013 年与之前相比有较大的下降。其图形变动可以由图 4-25 看出。

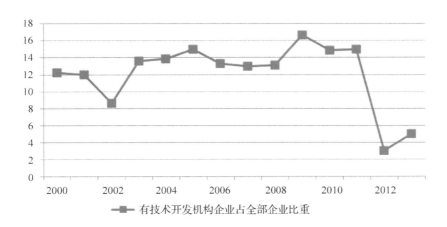

图 4-25　木材加工业有技术开发机构企业占企业总数比重

（数据来源：2001～2014 年《中国科技统计年鉴》）

2000 年至 2003 年年末企业职工人数是不断上升的，由 2000 年的 94396 人增加到 2003 年的 209509 人，增加的人数较多。2004 年有个短暂的回落，从 2005 年开始又呈现上升趋势，至2010年年底，企业职工人数达312446人。其具体变化趋势可以由图4-26看出。

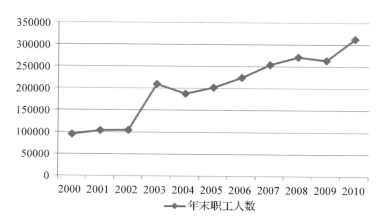

图4-26 木材加工业年末职工人数

（数据来源：2001～2011年《中国科技统计年鉴》）

在产品的销售中，产品的销售收入总收入与新产品销售收入在最近几年都是呈上升趋势的，其中产品的销售收入由2000年的166亿元提高到2013年的10300亿元，产品的销售收入得到了很大的提高。新产品的销售收入由2000年的18.6亿元提高到2013年的3232亿元，提高的幅度也比较大。但是新产品销售收入占产品销售总额的比重波动比较大，在2002年之后得到了很大的提升，在2005年之后开始下降。其具体情况可以由图4-27看出。

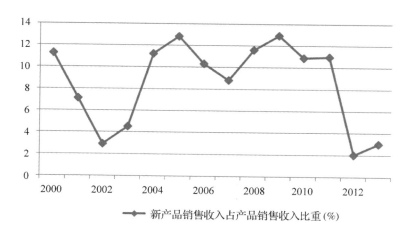

图4-27 木材加工业新产品销售收入占产品销售总额比重

（数据来源：2001～2014年《中国科技统计年鉴》）

企业的生产设备原值由 2000 年的 1274156 元提高到 2008 年的 2239209 万元，有很大的提高，并具有了一定的规模，但是 2009 年开始有了大幅度的回落，至 2010 年生产设备原值仅为 43795 万元，其具体情况可以由图 4-28 看出。

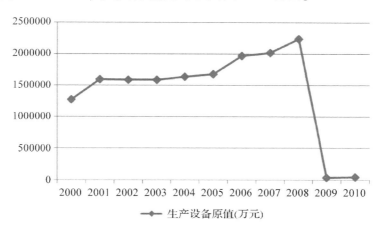

图 4-28　木材加工业生产设备原值

（数据来源：2001～2011 年《中国科技统计年鉴》）

4.5.1.2　企业技术开发筹集经费情况

企业技术技术开发筹集经费情况可以由图 4-29 看出，企业技术开发经费筹集总额呈上升趋势，企业资金筹集经费在时间序列中也呈上升趋势，但是在 2009 年这两项指标都出现了回落。政府资金虽然在时间序列上呈上升趋势，但是由于其所占份额比较小所以表现并不明显。

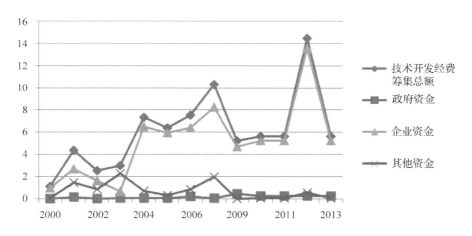

图 4-29　企业技术开发筹集经费情况（亿元）

（数据来源：2001～2014 年《中国科技统计年鉴》）

虽然政府资金、企业资金与其他资金在时间序列上总体呈稳定上升趋势，但是各自在技术开发经费筹集总额中所占的比例波动很明显，具体由图 4-30 看出。企业资金比例在 2003 年之后呈上升趋势，这对企业能起到很好的促进作用，但其他资金比例在 2003 年后出现了很大回落。

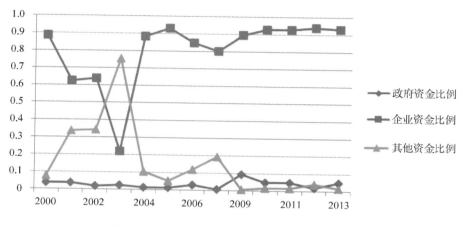

图 4-30 各资金来源占所筹集经费总额的比重(%)

(数据来源：2001～2014 年《中国科技统计年鉴》)

4.5.1.3 技术开发经费支出情况

企业技术开发经费支出情况中内部支出总额在 2000～2008 年中得到了很大提高，由图 4-31 可以看出，内部支出总额在 2000 年之后快速增加并不断呈现出上升趋势，2009 年出现了大幅回落，至 2012 年达到顶峰，为 14.47 亿元。用于开发新产品费用、固定资产构建费用、仪器设备费用和技术开发人员劳务费在 2000～2008 年间都呈现上升趋势，到了 2009 年都出现了大幅回落，2010 年开始又呈现上升趋势，至 2012 年达最高点。

4.5.1.4 其他科技活动经费支出情况

其他科技活动经费支出情况，主要涉及方面为技术改造经费、技术引进经费、消化吸收经费与购买国内技术经费。其具体可以由图 4-32 看出，在图中技术改造经费波动很大在 2005 年后急剧下降，2006 年之后又缓慢上升；技术引进经费则是缓慢上升；购买过国内技术经费由于所占份额较小上升趋势不明显；消化吸收经费则最为不明显，但是仍然可以看出其呈缓慢上升趋势。

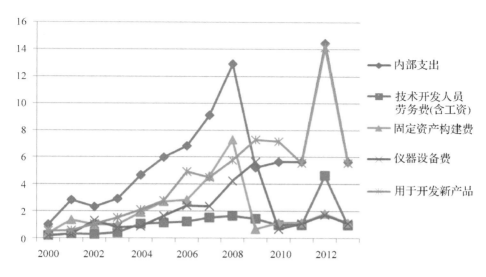

图 4-31 木材加工业技术开发经费支出情况(万元)

(数据来源:2001~2011 年《中国科技统计年鉴》)

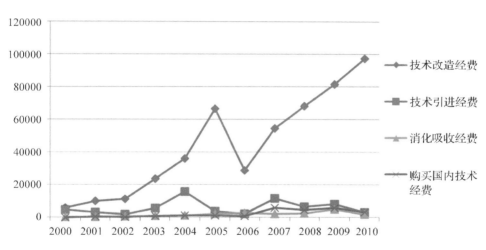

图 4-32 其他科技活动经费支出情况(万元)

(数据来源:2001~2011 年《中国科技统计年鉴》)

4.5.1.5 技术开发产出情况

技术开发产出情况主要涉及两个方面是技术开发项目数与专利申请项目数,这两个指标在 2000~2010 年中数量波动比较大,具体数量变化情况可以由图 4-33 看出。在图中,技术开发项目数和专利申请项目数都呈波动上升趋势,并且在 2009 年时其数量都达到了最大值。在 2005 年以前,新产品开发数一般大于专利申请数,在 2005 年以后,专利申请数一直大于新产品开发数。

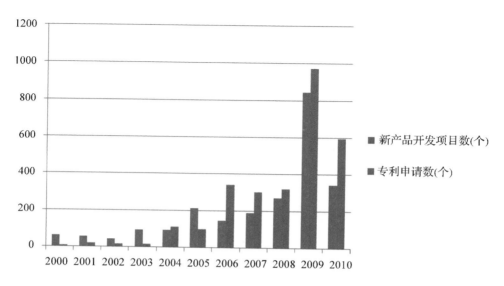

图4-33　木材加工业技术开发产出情况

（数据来源：2001～2011年《中国科技统计年鉴》）

专利申请项目中最主要的是发明专利项目数与拥有发明专利项目数，两个指标在时间序列上数量都是呈波动上升趋势，但是拥有发明专利数的上升幅度比发明专利数大很多，其具体情况可以由图4-34看出。

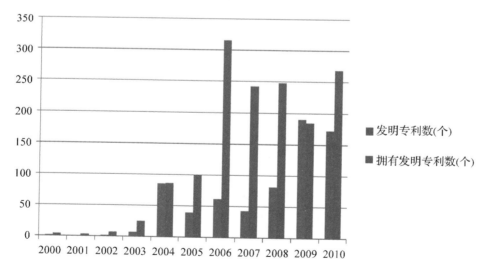

图4-34　木材加工业发明专利数与拥有发明专利数

（数据来源：2001～2011年《中国科技统计年鉴》）

4.5.2 家具制造业

家具制造业在林业产业中具有很重要的地位，由于家具是技术密集型的产品，所以其技术状况在很大程度上能够反映林业产业技术的发展状况。下面就以 7 个不同的指标对中国家具制造业的技术情况做如下分析。

4.5.2.1 企业的基本情况分析

家具制造业的基本情况涉及企业数量、工程技术人员数量、生产设备中微电子控制设备资产量和新产品销售收入占销售总收入的比重。

由图 4-35 可以看出，家具企业的数量自 2000 年开始迅速增加，由 2000 年的 71 家增加到 2013 年的 4559 家。而在这些企业中有科技活动的企业数量在 2000 年时为 11 家，但是到 2013 年时就增加到了 240 家，一直呈上升趋势。

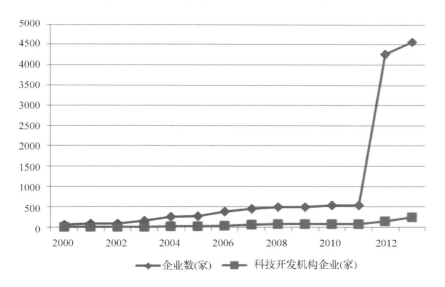

图 4-35 家具制造业企业数量情况

（数据来源：2001～2014 年《中国科技统计年鉴》）

2000～2010 年年末职工人数呈不断上升趋势。由 2000 年 46439 人增加到 2010 年的 4719477 人，人员增加的数量很大。但在 2009 年有一个短暂的回落，其变化图可以由图 4-36 看出。

在家具制造业中，生产设备的科技含量水平也是技术发展的一个重要衡量标准。在家具制造业中，生产设备的原值体现企业对技术的投入情况，2000 年，家具制造业的生产设备原值为 371983 万元，2008 年为 1874158 万元。从中可以看出，中国家具制造业对设备的投入有了很大的提高。在这些生产设备中，对科技含量更高的微电子设

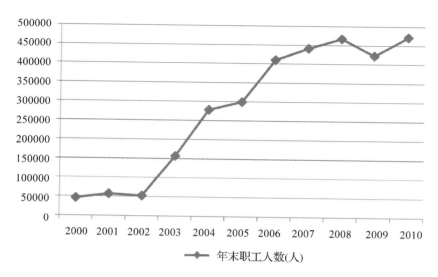

图4-36　家具制造业年末职工人数

（数据来源：2001～2011年《中国科技统计年鉴》）

备的投入也在逐年扩大，由2000年的21098万元增加到2008年的134511万元，而且微电子控制设备在生产设备中所占的比重也在逐年扩大，在2006年之后开始下降，其变化情况可以由图4-37看出。

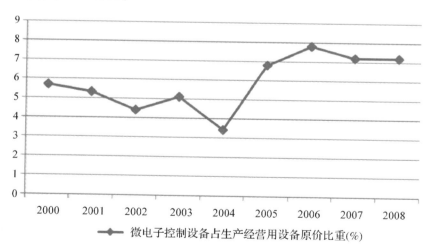

图4-37　家具制造业微电子控制设备在生产设备中所占比重

（数据来源：2001～2009年《中国科技统计年鉴》）

　　家具企业的销售收入与新产品的销售收入在逐年扩大，造成这方面的原因：一方面是因为人民生活水平的提高；另一个重要的原因是家具科技水平的提高，使得其更能满足人民生活中的需要。虽然销售收入是在逐年扩大，但是在2000～2003年中新产

品的销售收入在销售总收入中是下降的，在 2003 年之后其比重逐步上升，呈上升趋势
（图 4-38）。

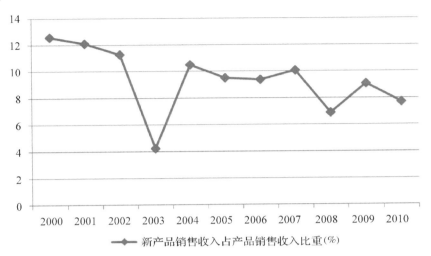

图 4-38 家具制造业新产品的销售收入在销售总收入中的比重

（数据来源：2001 ~ 2011 年《中国科技统计年鉴》）

4.5.2.2 企业技术开发筹集经费情况

企业技术开发筹集的经费情况主要的指标为，技术开发经费筹集总额、政府资
金、企业资金和其他资金四个指标：2000 年技术开发经费筹集总额为 0.3 亿元，到
2013 年技术开发经费筹集总额为 4 亿元；政府资金 2000 年为 180 万元，到 2013 年政
府资金为 145 万元；2000 年企业资金为 2897 万元，到 2013 年为 38391 万元；2000 年
其他资金为 54 万元，到 2013 年为 1830 万元，这四个指标在观察期间大体是呈上升趋
势的。其变化图可以由图 4-39 看出。

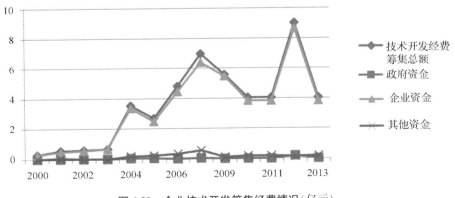

图 4-39 企业技术开发筹集经费情况（亿元）

（数据来源：2001 ~ 2014 年《中国科技统计年鉴》）

由图4-39可以看出，在企业技术开发筹集经费的情况看，近几年来各种指标都是呈上升趋势的。但是，在企业技术开发所筹集的经费中，一般企业资金占技术开发筹集经费的绝大部分份额，其各资金来源占所筹集经费总额的比重可以由图4-40看出。企业资金比例没有很大的变化，政府资金比例很小可以忽略不计，其他资金比例波动比较小。

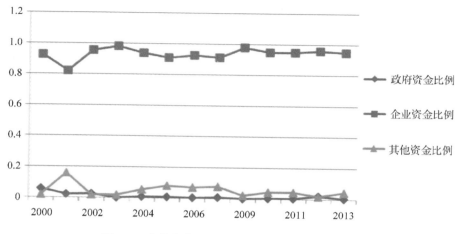

图4-40　各资金来源占所筹集经费总额的比重（%）

（数据来源：2001~2014年《中国科技统计年鉴》）

4.5.2.3　技术开发经费支出情况

技术开发经费支出的情况可由以下几个部分指标来进行衡量：内部支出总额、技术开发人员劳务费、固定资产构建费、仪器设备费用和用于开发新产品的费用。这几项指标虽然在2000~2008年这段期间有所波动，但是基本上都是呈上升趋势的，从2009年开始除了用于开发新产品的费用，其他都出现回落，其变化图可以由图4-41看出。其中技术人员劳务费用、仪器设备费、固定资产构建费的增长明显慢于内部支出和新产品开发费。技术人员劳务费用、仪器设备费、固定资产构建费占总支出的比重明显小于新产品开发费，说明近几年来企业一直不断注意开发新产品。

4.5.2.4　其他科技活动经费支出情况

其他科技活动经费支出情况中的指标主要为：技术改造经费、技术引进经费、消化吸收经费和购买国内技术经费。技术改造经费和技术引进经费占主要的份额，消化吸收经费和购买国内技术经费波动比较大而且所占份额也比较小。其具体情况可以由图4-42看出。

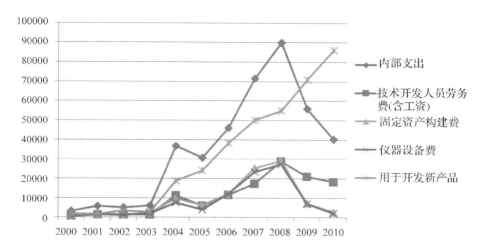

图 4-41　家具制造业技术开发经费支出情况(万元)

（数据来源：2001~2011 年《中国科技统计年鉴》）

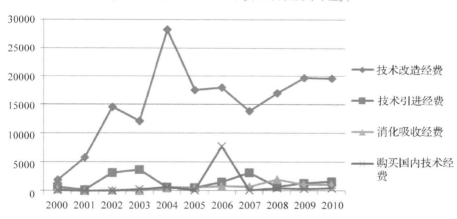

图 4-42　家具制造业其他科技活动经费支出情况(万元)

（数据来源：2001~2011 年《中国科技统计年鉴》）

4.5.2.5　技术开发产出情况

技术开发产出情况主要涉及新产品开发项目数和专利申请项目数，这两种指标在技术开发产出中是主要的量化指标。其两个变化情况可以由图 4-43 看出，在图中，专利申请数在 2000~2013 年期间是呈上升趋势，新产品开发项目数波动比较大。

而专利申请中涉及的发明专利数与拥有发明专利数的变化情况可以由图 4-44 看出。在图中，发明专利数与拥有发明专利数波动都比较大，其中拥有发明专利数一直高于发明专利数，说明企业技术开发中不太重视研发产品的专利。

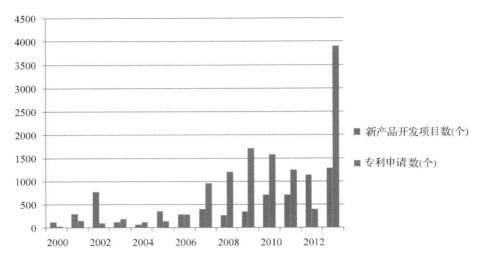

图4-43 家具制造业主要技术开发产出情况

（数据来源：2001～2014年《中国科技统计年鉴》）

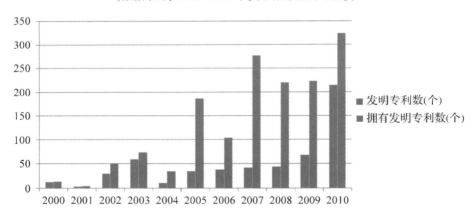

图4-44 家具制造业发明专利与拥有发明专利数

（数据来源：2001～2011年《中国科技统计年鉴》）

4.5.3 纸及纸制品业

此部分的技术情况分析与家具制造业的技术分析情况很相似，主要是对企业中技术含量高的指标做具体分析。

4.5.3.1 企业的基本情况分析

在纸及纸制品业中，企业数与有科技机构的企业数的变化情况可以由图4-45看出。在图4-45中，企业数在2003年之后是呈上升趋势的，2003年达到其谷点，此时的企业数仅有525家。有技术开发机构企业数在时间序列中变化情况不大。

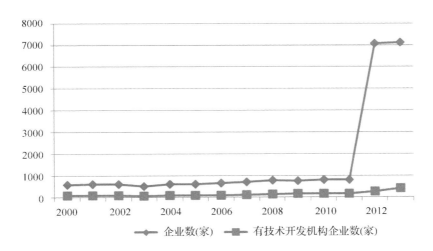

图 4-45　纸及纸制品业的企业数量情况

（数据来源：2001 ~ 2014 年《中国科技统计年鉴》）

有技术开发机构企业数在企业总数中所占比重，可以由图 4-46 看出，在 2000 ~ 2010 年呈上升趋势，在 2001 年之后是缓慢上升的，所占比重并没有很明显的变化。

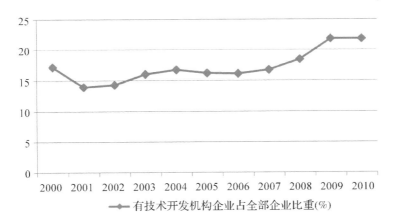

图 4-46　纸及纸制品业技术开发机构企业在企业总数中所占比重

（数据来源：2001 ~ 2011 年《中国科技统计年鉴》）

年末职工人数在 2000 ~ 2011 年中是呈上升趋势的，其变化情况可以由图 4-47 看出。

纸及纸制品产品在 2001 ~ 2010 年中，其销售额不断上升，自 2001 年的 8276528 万元上升到 2013 年的 125014913 万元，其上升的幅度比较大。新产品的销售收入也是不断上升的，由 2001 年的 1009674 万元上升到 2013 年的 11255337 万元，两个指标的变化情况可以由图 4-48 看出。

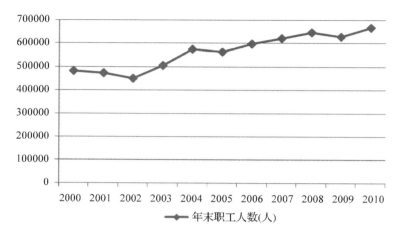

图 4-47　纸及纸制品业年末职工人数

（数据来源：2001～2011 年《中国科技统计年鉴》）

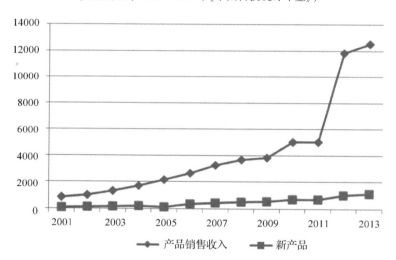

图 4-48　纸及纸制品业产品销售情况（亿元）

（数据来源：2001～2014 年《中国科技统计年鉴》）

　　虽然产品销售收入与新产品的销售收入在 2001～2010 年中是不断上升的，但是新产品销售收入占销售总收入的比重在 2004～2006 年中变化情况比较大。其变化情况可以由图 4-49 看出。

　　家具企业中，生产设备原值与微电子控制设备的数量在 2000～2008 年中是不断上升的。生产设备原值由 2000 年的 6131156 万元上升到 2008 年的 19934463 万元，微电子控制设备由 2000 年的 488244 万元上升到 2008 年的 2857554 万元。

　　微电子控制设备价值在生产设备价值中所占的比重可以由图 4-50 看出，在图中，

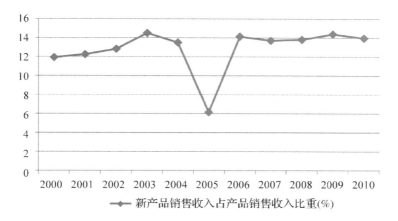

图4-49　纸及纸制品业新产品销售收入占销售总收入的比重

（数据来源：2001～2011 年《中国科技统计年鉴》）

微电子控制设备占生产设备原值的比重在 2000～2008 年中是不断上升的，可见，在纸及纸制品业中，生产设备的科技含量不断提高。

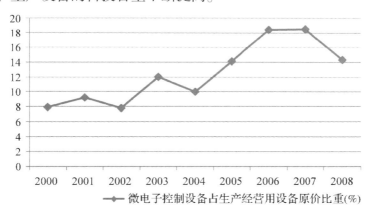

图4-50　微电子控制设备价值占生产设备原值的比重

（数据来源：2001～2009 年《中国科技统计年鉴》）

4.5.3.2　企业技术开发筹集经费情况

　　企业技术开发筹集经费情况，主要涉及纸及纸制品业的技术开发经费筹集总额、政府资金、企业资金与其他资金。这几个指标的变动具体情况可以由图4-51 看出。由图可以看出，技术开发经费筹集总额与企业资金在时间序列上是呈上升趋势的，除了 2009 年有短暂的回落，政府资金在时间序列上变动的情况不明显，但是呈上升趋势。

　　企业资金、政府资金和其他资金在技术开发经费筹集总额中所占比重变动情况可以由图4-52 看出。从图中可以看出，企业资金在技术开发经费总额中所占的份额很大，在 2006 年有所回落后一直呈上升趋势；政府资金所占比重要比企业资金所占比重

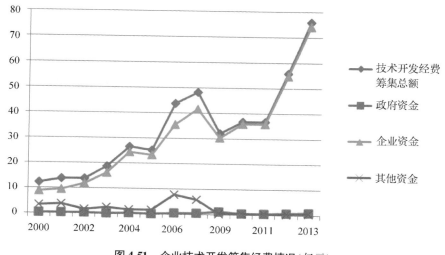

图4-51 企业技术开发筹集经费情况（亿元）

（数据来源：2001～2014年《中国科技统计年鉴》）

小很多，并且变化不大，说明政府对纸及纸制品业的支持力度远远不够。其他资金的比重却呈现下降趋势。

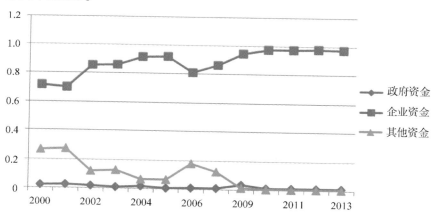

图4-52 各资金来源占所筹集经费总额的比重（%）

（数据来源：2001～2014年《中国科技统计年鉴》）

4.5.3.3 技术开发经费支出情况

纸及纸制品业的技术开发经费支出情况图4-53看出，内部支出总额在2001～2007年是不断上升的，上升速度比较快，在2008年出现了比较大的回落，2009年开始又呈现上升趋势。固定资产构建费用、用于开发新产品费用、技术开发人员劳务费和仪器设备费用在2001～2008年是不断上升的，固定资产构建费用、仪器设备费用在2009年有所下降。

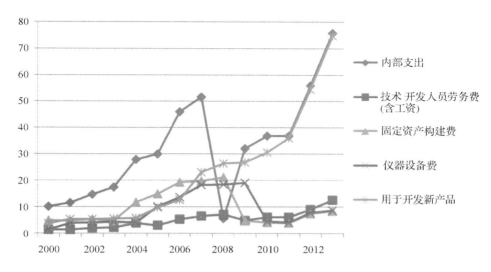

图 4-53　纸及纸制品业技术开发经费支出情况（亿元）

（数据来源：2001～2014 年《中国科技统计年鉴》）

4.5.3.4　其他科技活动经费支出情况

在其他科技活动经费支出情况指标中，主要涉及的变量为技术改造经费、技术引进经费、消化吸收经费和购买国内技术经费。其具体变化情况可以由图 4-54 看出。通过图可以看出，在其他科技活动经费支出中，份额所占比重比较大的为技术改造经费和技术引进经费。可见，纸及纸制品业在近几年在技术改造和引进方面力度很大。

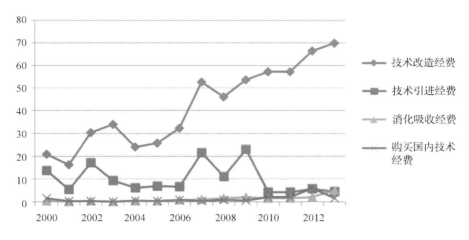

图 4-54　纸及纸制品业其他科技活动经费支出情况（亿元）

（数据来源：2001～2014 年《中国科技统计年鉴》）

4.5.3.5　技术开发产出情况

技术开发产出情况主要涉及新产品开发项目数和专利申请项目数，这两种指标在

技术开发产出中是主要的量化指标。其两个变化情况可以由图 4-55 看出，在图 4-55
中，这两个指标在 2004 年之前是一直降低的，而在 2004 年之后是一直上升的。在
2010 年以前，新产品开发项目数一直大于专利申请数。

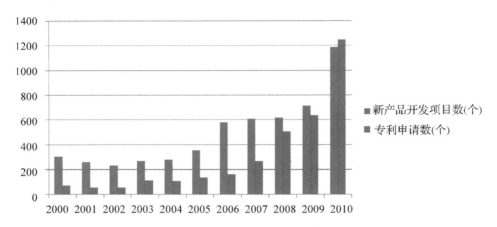

图 4-55　纸及纸制品主要技术开发产出情况

（数据来源：2001～2011 年《中国科技统计年鉴》）

虽然在专利申请中，发明专利数与拥有发明专利数在时间序列上是呈上升趋势的
（图 4-56），但是从 2005 年开始拥有发明专利数一直多于发明专利数，说明这几年企
业的专利发明方面做得还不够。

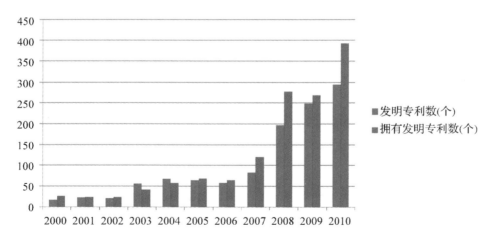

图 4-56　纸及纸制品发明专利与拥有发明专利数

（数据来源：2001～2011 年《中国科技统计年鉴》）

4.6　产业能耗

4.6.1　木材加工业

　　1998 年木材加工业能源消费总量为 310.14 万 t 标准煤，2002 年为 324.27 万 t 标准煤。从图 4-57 中可以看出 1998～2002 年期间，木材加工业的能源消费总量一直比较稳定。但是从 2003 年开始，木材加工业能源消费总量呈不断上升的趋势，由 2003 年的 420.51 万 t 标准煤增长到 2009 年的 1049.09 万 t 标准煤，年均增长率高达 13.95%。

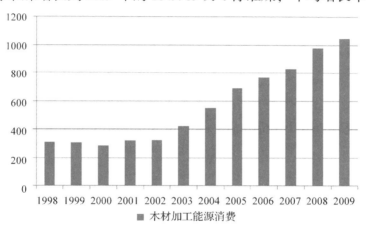

图 4-57　木材加工业能源消费量(万 t 标准煤)

　　2001 年木材加工业的废水排放总量为 3491 万 t，废水排放达标量为 2310 万 t，达标率为 66.17%。从图 4-58 中可以看出，2001～2004 年木材加工业废水排放总量和达标量都呈现上升趋势，到 2004 年废水排放总量为 8355 万 t，废水排放达标量为 7480 万 t，达标率为 89.53%，比 2001 年分别增长了 139.33%、223.81% 和 23.36%。但是，在 2005～2008 年期间，废水排放总量和达标量都呈现下降趋势。2009 年出现反弹，废水排放总量和达标量分别上升到 6137 万 t 和 5703 万 t，2010 年比 2009 年分别下降了 17.94% 和 19.2%。

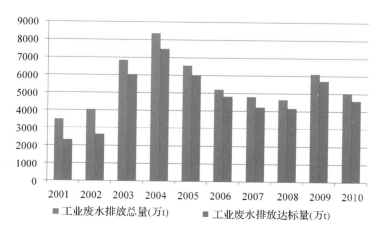

图 4-58 木材加工业废水排放情况

4.6.2 家具制造业

从图 4-59 可以看出,家具制造业和木材加工业比较类似。总体看来,家具制造业的能源消费总量远少于木材加工业。1998 年家具制造业能源消费总量为 80.07 万 t标准煤,2002 年为 87.95 万 t 标准煤。从图 4-59 中可以看出 1998~2002 年,家具制造业的能源消费总量一直比较稳定。但是从 2003 年开始,家具制造业能源消费总量呈不断上升的趋势,由 2003 年的 108.3 万 t 标准煤增长到 2009 年的 183.81 万 t 标准煤,年均增长率高达 7.85%。

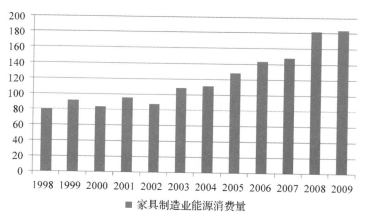

图 4-59 家具制造业能源消费情况(万 t 标准煤)

2001 年家具制造业的废水排放总量为 2947 万 t,废水排放达标量为 2876 万 t,达标率为 97.59%。从图 4-60 中可以看出,2002~2010 年家具制造业废水排放总量和达标量都呈现上升趋势,增长迅速,到 2010 年废水排放总量为 2146 万 t,废水排放达标量为 2114 万 t，达标率为 98.51%，分别是 2002 年的 7.2 倍和 8.13 倍。

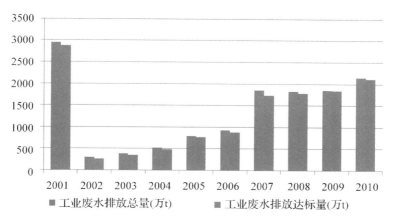

图 4-60　家具制造业废水排放情况

4.6.3　纸及纸制品业

　　总体看来，纸及纸制品业的能源消费总量远高于木材加工业和家具制造业。从图 4-61 中可以看出，1998～2009 年纸及纸制品的能源消费总量呈上升趋势。1998 年纸及纸制品业的能源消费总量为 1915.98 万 t 标准煤，2009 年为 4101 万 t 标准煤，年均增长率高达 6.55%。

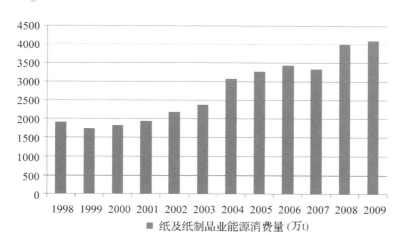

图 4-61　纸及纸制品业能源消费情况

　　从图 4-62 中可以看出，2001～2007 年造纸业的废水排放总量和废水排放达标量都呈现上升趋势。2001 年造纸业的废水排放总量为 309804 万 t，废水排放达标量为 244854 万 t，达标率为 79%。2007 年废水排放量和达标量分别增加到 424597 万 t 和

382974 万 t，达标率 90.2%，比 2001 年分别增加了 37%，56.41% 和 11.2%。但是，2008~2010 年废水排放总量和达标量都呈现下降趋势。2010 年废水排放总量下降到393699 万 t，比 2008 年下降了 3.4%。

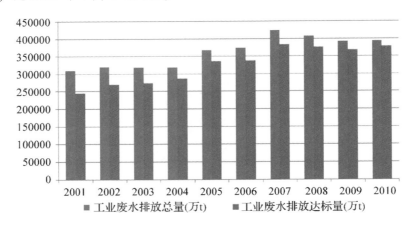

图 4-62 纸及纸制品业废水排放情况

4.7 产业市场

中国木材消费主要集中在建筑、家具、造纸、煤炭等行业，车船制造、铁路、化纤和化工等行业消费量占总消费量的比重很小。从图 4-63 可以看出，2002~2010 年中国造纸用材量不断增加，由 2002 年的 963 万 m³ 增长到 2010 年的 12773.12 万 m³，年均

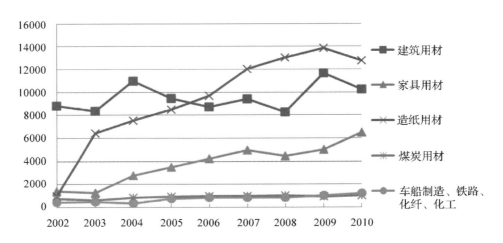

图 4-63 木材消费结构情况（万 m³）

增加率高达。同样可以发现，2002～2010 年期间，中国家具用材量呈不断上升趋势，由 2002 年的 1402.8 万 m^3 增长到 2010 年的 6493.24 万 m^3，年均增长率高达。建筑用材量波动比较大，这九年间，最低为 2008 年的 8287.6 万 m^3，最高为 2009 年的 11664.15 万 m^3。煤炭用材量在这期间也有缓慢增加，由 2002 年的 734.9 万 m^3 增长到 2010 年的 1019.36 万 m^3，增长了 38.7%。车船制造、铁路、化纤和化工等行业总消费量也呈上升趋势，由 2002 年的 438.14 万 m^3 增加到 2010 年的 1219.59 万 m^3，增加了 178.4%。

第 5 章　中国林产工业低碳化发展
存在的主要问题

　　学术界研究显示：①储量变化法、生产法和大气流动法估算中国 1961～2020 年木质林产品的碳储量，结果证明目前中国的木质林产品是一个碳库，并且这个碳库的碳储量呈不断增长的趋势。②1961～2004 年各种在用木质林产品的碳储量，人造板、木浆纸和纸板的碳储量在近十几年来呈现快速增长趋势。③原木基本密度、含碳率和薪材含碳率对碳排放和碳储量结果的影响较大，是灵敏度比较高的因子。各类木质林产品含碳率变化对中国木质林产品碳储量和碳流动结果的影响中，其他工业原木含碳率变化影响反应灵敏。木浆纸和纸板的使用寿命变化对木质林产品的碳储量和碳流动的结果比较灵敏。通过延长在用木质林产品的使用寿命，均会不同程度地增加木质林产品的碳储量。④利用 IPcc 缺省法、储量变化法、生产法和大气流动法分别估算中国 1961～2020 年木质林产品的碳排放量结果表明：中国木质林产品的碳排放量在不断增长，估算中国 1990～2004 年的锯材、人造板、纸和纸板以及其他工业原木的碳排放量结果表明：这四类木质林产品的碳排放均有不同程度的增加，人造板、纸和纸板的碳排放量在这一期间年增长较为突出。⑤国内加工木质林产品过程中产生的废料即木材加工成其他木制品后损失掉的那部分，利用储量变化法、生产法和大气流动法分别进行估算，1990～2004 年中国加工木质林产品过程中废料产生碳排放结果呈波浪式上升。

　　工业低碳化发展是发展低碳经济的重点和关键，低碳化发展也是今后中国林产工业发展的必然趋势。林产工业包括木材加工、家具制造、造纸等主要行业，这些产业具有各自的特点，在低碳化发展中也将面临着不同的问题。

5.1　中国木材加工业低碳化发展存在的问题

5.1.1　木材的多 R 特性与低碳加工

5.1.1.1　木材加工应用

　　木材加工技术包括木材切削、木材干燥、木材胶合、木材表面装饰等基本加工技术以及木材保护、木材改性等功能处理技术。切削有锯、刨、铣、钻、砂磨等方法。由于木材组织、纹理等的影响，切削的方法与其他材料有所不同。木材含水率对切削加工也有影响，如单板制法与木片生产需湿材切削，大部加工件则需干材切削等。干燥通常专指成材干燥。其他木质材料如单板、刨花、木纤维等的干燥，都分别是胶合板、刨花板、纤维板制造工艺的组成部分。木材胶粘剂与胶合技术的出现与发展，不仅是木材加工技术水平提高的主要因素，也是再造木材和改良木材，如各种层积木、胶合木等产品生产的前提。木材表面涂饰最初是以保护木材为目的，如传统的桐油和生漆涂刷；后来逐渐演变为以装饰性为主，实际上任何表面装饰都兼有保护作用。人造板的表面装饰，可以在板坯制造过程中同时进行。木材保护包括木材防腐、防蛀和木材阻燃等，系用相应药剂经涂刷、喷洒、浸注等方法，防止真菌、昆虫、海生钻孔动物和其他生物体对木材的侵害；或阻滞火灾的破坏。木材改性是为提高或改善木材的某些物理、力学性质或化学性质而进行的技术处理。

　　木材加工业由于能源消耗低，污染少，资源有再生性，在国民经济中也占重要地位。现在产品已从原木的初加工品如电杆、坑木、枕木和各种锯材，发展到成材的再加工品如建筑构件、包装容器等木制品，以至木材的再造加工品即各种人造板、胶合木等，从而使木材工业形成独立的工业体系。木材加工业是木材资源综合利用的重要部门。

　　例如，中国人造板行业的快速发展，缓解了中国木材供需矛盾，也成为节约木材资源的重要途径，更顺应了加快建立资源节约型社会的要求。在低碳经济下，人造板是解决全球气候变暖环境下森林资源保护加强、木材供应紧张与需求增长之间矛盾的主要出路。

　　中/高密度纤维板属于资源依赖性产业。森林资源是与石油、煤炭、矿产等自然资源同等地位的储备性资源，但又有别于上述自然资源，其区别在于它具有可再生性。中/高密度纤维板正是利用这一资源的特点而发展，使用木材的同时，可大量回收利用其废旧家具等剩余物及其他纤维素材料，经加工可制造成优质板材。因此，中/高密度纤维板的生产，提高木材资源的综合利用率，符合国家的产业政策。一般而言，1m³ 的中高密度纤维板相当于 3～4m³ 的木材的使用效果。因此，中/高密度纤维板制造业的发展，对木材实施节约代用和综合利用，对缓解木材类产品供求矛盾、保护森林资源和生态环境、促进可持续发展，发挥了突出的作用。为鼓励中/高密度纤维板产业的发展，2001 年财政部和国家税务总局联合出台了《关于以三剩物和次小薪材为原料生产加工的综合利用产品增值税优惠政策的通知》对利用三剩物和次小薪材为原料生产的产品，实行增值税即征即返的优惠政策。

5.1.1.2　木材的多 R 特性与低碳加工

木材具有的多 R 特性与环境保护的"4R"守则有着紧密的关系，木材作为工业和生活用材比同种用途的其他材料彰显固碳减排、低碳节能的优越性。顺应"低碳经济"之路发展木材工业是时代进步的必然，用"低碳经济"的理念、低碳科学理论与技术，重新审视以往木材工业发展的技术和生产状况，查找与"低碳技术""低碳产业"水平的差距，规划、设计和创新中国的木材工业，将会卓有成效地推动木材工业的发展进程。

木材是树木在天然环境中生长形成的一种绿色材料，是森林生态系统中储量巨大的一种生物质。树木在生长过程中，作为"生产者"（有生命部分）和环境（无生命部分）共处于一个生态系统之中。它们之间有着天然的密不可分的关联。树木被采伐后，其木质部就是木材。木材仍可视为是树木生命的延伸。因为木材保留着生长时形成的生物结构以及色、气、质、纹等天然形成的品质。与其他材料相比，木材拥有与环境和谐、永续利用和实现节能减排，有利于经济社会可持续发展的多 R 特性。

日本曾在 1990 年提出发展 3R 型社会的基本方针，旨在通过节省资源（reduce）、废旧产品再使用（reuse）、废弃物再资源化（recycle），实现资源的循环利用，并且已经取得很大进展，积累了成功的经验。继 3R（reduce、reuse 和 recycle）之后，中国香港环保署提出了"环保 4R"是以 4 个 R 为首的环保守则，又称为环保四用，是用来解决环境问题的 4 个原则。至于第四个 R 有不同的说法：有的认为应该是"replace"（替代），也有认为应该是"recovery"（回收再用）。

国际公认的环保"4R"是：reduce（减少使用量）、reuse（重复使用）、recycle（循环使用或重制再用）和 recovery（回收再用，回收能源或改变化学性质再用），其主要用意是遵守"4R"守则，实现废弃物的回收利用，既创造新的价值，又减少了对环境的污染，保持节约、清洁的社会形象。

比较环保"4R"守则的内涵和目的，木材及木质材料的利用比相同场合下使用的表现同一用途的其他材料更适应"4R"守则。就木材而言，还具有与另外 2"R"（re-growth、replace）响应的特点。

节省资源（reduce）：木材易于加工。木材是一种硬度低、密度小、多孔性的植物纤维材料，具有良好的加工性能。对它可以进行任何形式的机械加工、功能性化学加工和表面装饰，在彼此之间及与其他材料之间容易进行良好的多种形式的连接，可以成型为家具、各种各样的木材制品及其木结构建筑等；应用高新技术和现代加工设备可以获得低消耗（资源、能量，加工费用等）、无污染和质量高的产品。木材的强质比高。强质比是材料的极限强度与密度的比值。木材的强质比较一般工程材料大。例如，与钢同样断面的桦木，强度相当于钢的 1/5～1/4，而质量只为钢的 1/15。木材强质比的这个特点，使它很适合做结构用材。因木材细胞壁物质呈薄壳状分散分布，这对木材的弯曲刚度有重要作用。一定量的材料排列成散布的管状结构就会大大地增加梁、柱用材的弯曲抗力。所以，在长梁和柱的应用中，木材比其他实心结构材料的刚性指标好。由于木材具有易于加工、强质比高的特点，自然会在加工利用中达到资源用量少和成品效率高的要求。

废旧产品再使用（reuse）：使用多年的家具、木制品、木地板、木天棚及木壁板等，可以通过砂光、涂饰或简单修补等方法使之焕然一新，重复使用会使人爱不释手，这是其他一些材料所不能比拟的。由于木材极易进行各种修补性的加工，不但使原来的产品可以重复使用，而且也节省能源的消耗。

废弃物再资源化（recycle）：木质废弃物具有广泛的来源，主要有两大类：一类产生于加工产品、制品的全过程，主要有森林采伐剩余物、原木造材剩余物、木材加工剩余物（即三剩物），也包括果壳、核等森林副产品的废弃物；另一类产生于人们生活中使用后作为垃圾被废弃的木质制品和木质纤维制品。木质废弃物的形式也非常复杂，有木屑、锯末、刨花、板皮、枝丫、截头、木片、废旧纸箱、纸板和废旧木材等，据统计，这些废弃物甚至可以占到原木材积的 50%。如此之多的木质废弃物，急需全面回收、重制，提高中国木材的综合利用率和综合利用的技术水平。随着科学技术的进步，中国相关领域的科技工作者和生产企业，针对木质废弃物的形态、尺寸等自身特点全面地进行了多种途径的重制利用。诸如：利用木质废弃物制造各种人造板、新型木质复合材料；生产生物质洁净能源；采用热解、水解、萃取等方法制造出多种化学精细产品等。这已大大推动了中国林产工业的迅速发展，创造了巨大的经济价值，保障了国民消费，减少了环境污染。

再回收利用（recovery）：对木质废弃物而言，其内涵与 Recycle 相似，只是更有侧重于能源回收和经化学处理后再用。与其他类别的废弃物相比，木材也具有很好的符合度。

根据木材自身的性质，以下的两个"R"也顺应环境保护的需要，因此可以说木材拥有与环保守则相适应的多 R 特性。

替代（replace）：以水溶性油漆代替溶剂油漆，以耐用的用具代替用完即弃的物品，尽量选用环保的代替品，例如可天然分解的清洁剂和垃圾袋，并使用毒性较弱的化学物质。用于同一目的，在选择使用何种材料时，若比较加工或生产过程中所消耗的能源，木材具有显明的优势。研究结果表明：木材与水泥、钢材、塑料和铝等材料的代用当量的能源消耗相比，只相当于后者的 1/10、1/20、1/30。中国由于技术上的原因，这些材料生产过程中能源消耗比较大，除了水泥以外，木材耗能与其他材料耗能比值更大。木材代替其他原材料节省能源消耗，形成的二氧化碳减排效果成倍数增加。

再生长（regrowth）：通过植树造林，加强森林经营管理，增加木材的年生长量，成熟后既可采伐利用，也可实现木材资源的永续利用。木材是四大建材中唯一在自然界可天然生长形成的有机材料，具有与环境友好，有益于人体健康等一系列优良的环境学品质，是人类生活中不可缺少的耐久性好的材料。产品使用的生命周期很长，其废弃物可以经过不同的处理方法，按照环保"4R"的要求，可重复再用、循环使用，是响应环保守则的首选材料，并且在加工利用时还具有固碳、节能作用。

木材中含有 50% 的碳元素。树木生长时由于光合作用，吸收了大气中的二氧化碳，经过生物化学作用，形成了有机高分子聚合物，这就是木材的主体。因此，木材的碳储量丰富，是树木碳汇的延伸。当木材进行加工、利用时，须采取科学的加工和保护方法，使碳素的储存继续稳固，以减少二氧化碳的排放量。

目前，世界各国十分重视发展低碳经济，走"低碳"发展之路。低碳经济的关键是"低碳科技"和"低碳产业"，木材加工业是其中的重要组成部分。木材工业具有资源可再生、加工能耗少、环境污染小等独特的优点，是环境友好型的低碳产业。但是，木材加工业在生产过程中如何适应低碳经济的要求，仍然有进一步提升的空间，木材加工业的低碳发展具有十分重要的意义。

5.1.2 中国木材加工业低碳化发展存在的主要问题

5.1.2.1 原料来源

随着消费者环境意识的不断提高，越来越多的国家开始对木材产品提出环境要求，据了解在欧洲如没有通过"森林认证"（像对食品进行"绿色食品"认证一样，"森林认证"就是给符合环保标准的木材产品贴上"标签"，以确保森林的可持续发展)的产品可能会被拒之门外，而国内生产企业对此往往认识和重视不够。

近年来，美国对进口木制品的要求越来越严格。2010 年 9 月 1 日起实施的《雷斯法案》修正案规定，凡出口到美国的木制品、活植物、鳞茎、木浆、纸、纸制品、乐器、家具等林产品，必须标明木材的种类和来源，否则美国将拒绝这些产品进入，违法产品将被没收。

无独有偶，欧盟于 2010 年年底通过的《原产国标签法》已于 2013 年 3 月 3 日生效。该法案要求，进口到欧盟市场的木制品必须获得"身份证"，即证明生产企业采购的木材产自合法开发的森林。欧盟通过的法案与此前美国出台的《雷斯法案》较为类似，都是旨在确保买家清楚地知道在欧洲销售的进口商品原材料产地。然而，由于目前国内部分企业所采购的原木和木材产品或多或少都还存在一定的非法采伐问题，取得森林认证的难度较大，所以，这些企业出具证明存在相当大的困难。因此，欧盟出台的《原产国标签法》的实施，对相关企业的影响也十分巨大。以家具行业为例，中国是家具制造大国，出口欧盟的家具数量占到出口家具总量的 1/3 以上。但是，欧盟提高进口家具门槛后，初步估计将有三成左右中国家具企业难以进入欧盟市场。同时，国内一些企业需要从俄罗斯、马来西亚、印度尼西亚、所罗门群岛及巴布亚新几内亚等国进口原木和木材产品，而这些供应国中不少国家都存在非法采伐问题，因此，欧洲的原木"身份证"要求可能会使一些家具企业错失订单。"各国的管理法规不同，很难证明木材来源是否合法，而一些进口木材原产地来源更是无从核查，这对中国木制品出口企业，特别是中小型木制品出口企业将会产生较大影响，甚至可能会迫使他们退出欧洲市场。"

5.1.2.2　产品结构

胶合板的生产需要优质大径材，受资源再生性的制约，供给资源面临枯竭，加上世界大多数国家出于生态保护之考虑，限制原木出口，政府以增加消费附加税等手段，控制其消费量。纤维板和刨花板的生产，以"次、小、薪"材为原料，适合中国资源再生性、速生性的特点，供给上又享受国家政策的扶持，资源供给矛盾不突出。中国刨花板由于应用范围较小，而且产品质量普遍偏低，因此发展速度不快。

比较而言，中(高)密度纤维板(中纤板)的市场前景看好。这是因为其产品材质细密、性能稳定，原材料资源利用率高以及近年来在中国建筑、房地产、家具、木地板等行业快速发展的推动下，市场需求迅速增加的缘故。产量增长的同时，在人造板产品结构中的份额也越来越高。而其他板，比如细木工板、竹材人造板、秸秆人造板和功能型、结构性人造板等，所占比例不断提升。其中细木工板市场潜力良好，上升趋势明显。

目前，中国以优质大径级木材为原料的胶合板比例偏高，其占人造板总产量的比例已经超过了世界的平均比例；以采伐和加工剩余物、城市废料为原料的刨花板比例偏低。定向刨花板、高性能复合板、无胶人造板、非木质资源和农作物秸秆板等产品比例很低。中国优质大径级原木的紧缺程度远高于其他国家。以林业三剩物与非木质原料为主要生产原料的刨花板在中国人造板产品中的比例长期偏低，甚至还有下降趋势，目前12%的比重远远低于世界42%的水平。

从西方人造板发达国家的发展历程来看，以利用优质大径级原木为原料的胶合板产业的比重会不断下降，而以木材综合利用为主旨的纤维板和刨花板产业的将占据主导地位。特别是以"三剩物"为原料的刨花板产业在西方发达国家人造板产业的比重高达50%以上。在中国的特殊国情下，胶合板占据主导地位的情况短时间还难以改变。

产品结构很大程度上应该与资源基础和市场需求相适应，但中国人造板企业由于缺乏科学规划，存在人造板产品结构与资源要求和需求方向存在着一定差距，个别板种产能甚至过剩的问题。

5.1.2.3　技术水平

中国木材加工业的多数企业技术水平低，缺乏技术开发和创新能力。

市场和利益的驱动，带来了中国人造板行业的高速发展，也带来了经营管理、技术人才短缺。因地域、产品销售市场、技术装备和技术管理水平等差异，导致人造板企业之间的产品质量、原材料消耗和生产成本的差异巨大。

企业技术和装备落后，必然导致产品品种单一，产品质量低下，满足不了不断发展的高质量产品的需求，企业生存空间日趋缩小。木材加工产品技术含量低，深加工和高新技术产品和特殊用途产品比例小，应用范围窄；另外，还存在着"大路货多、专用板少、深加工产品少"等问题，人造板产品的整体质量提升速度却明显滞后于产量增长速度，人造板企业的竞争行为以压价为主，制约着人造板行业经济效益的提高，也影响着人造板产业市场绩效的水平。

中国木制品行业是一个投资较少、生产设备简单、工艺技术容易掌握、又能安排大量劳动力就业的行业。但是，国内木地板行业的集中度还不够高，资本、技术、人力、资源等市场经济要素不集中。面对未来的市场经济，木地板企业从目前的产品竞争和服务竞争，最终要到商业模式的竞争和产业平台的竞争。而越高层面的竞争对企业的创新能力、生产能力和融资能力的要求也就越高。中国木地板行业虽然发展迅猛，但企业缺乏核心技术创新，近几年来，中国木地板企业在技术上一直停留在产品外观上的个性化和差异性处理上，很少有专利技术问世。

5.1.2.4　原料资源利用率

传统的制材工业大都是依靠直接将原木锯解成所要求的板方材。这种方法制材虽然投资小，操作简单，方便灵活，通常两个人加上一台锯就是一个锯木场。但是，这种制材方法，几乎是纯手工操作，劳动强度大，效率极其低下，加上工人技术水平的差异和原木本身的径级、圆形截面、尖削度等因素影响，造成成材的质量得不到应有的保证，不是成材的质量普遍低下，就是材料利用率极低。而且由于加工点过于分散，造成了原木边皮、锯屑等加工剩余物难以综合利用，进而造成了木材资源的严重浪费和对环境的巨大压力。

传统的胶合板产业则是以大径级原木旋切单板，经干燥处理后涂胶，并采用正交或顺纹方式层叠组坯压合成形的多层结构板材。虽然能有效地实现其产品制造的优质、高效与低耗，较好地解决大径级原木采用锯解方法所不能解决一些的问题。但随着大径级原木资源的日益枯竭，原材料的供应日趋紧张，严重制约了产业的可持续发展。

传统的实木拼板、指接拼板、细木工板的芯板等实木工艺板材，都是利用原木制材后所得板方材又经二次加工而成形的产品。由于其加工过程的二次损耗，则进一步降低了木材资源的有效利用率，更造成了木材资源的严重的巨大浪费，加剧了木材的供需矛盾和对环境的巨大压力。

中国是世界上木材资源相对短缺的国家。随着木材消费量的不断增加，供需矛盾日益突出，森林资源过度采伐，生态环境日趋严峻，自然灾害频繁发生，严重威胁着人类的生存与发展。虽然目前中国已经成为世界人造板业第一生产大国，产品质量也整体有所上升，但由于生产技术落后，效率低下，人工、能源消耗巨大，木材资源浪费严重。

巨大的浪费加剧了木材的供需矛盾。居高不下的生产成本致使企业难以获得良好的经济效益。许多企业通过购买黑市木材来维持企业的正常运转，很多企业还在以牺牲资源为代价来维持自己的生存。这很大程度上助长乱砍滥伐行为的发生，对森林资源的可持续利用和经济的可持续发展以及自然生态环境保护都造成了很大的压力。

5.1.2.5　企业规模

尽管中国人造板生产规模世界第一，但中国的人造板企业规模整体偏小，绝大多数企业形不成规模效益。

例如，胶合板行业受资源限制程度较其他人造板较高，规模经营是竞争优势的主要来源。从竞争环境看，中国胶合板行业尚未脱离资源驱动阶段，企业布局分散、企业数量偏多、规模偏小、研发投入少、产品技术含量低、普遍存在技术设备落后、原材料利用率较低、产品质量不高等问题。低档次的胶合板产品无论从生产效率、资源的节约还是环保方面，一定程度上扰乱了胶合板市场的正常秩序，阻碍了产业竞争的升级，更不利于人造板产业规模经济的实现。

再例如中国云南，木材加工企业总体呈现小而散的行业格局。2013 年的资料显示，在全省 4534 户木材加工企业中，企业总资产超过 1000 万元的企业只有 202 户，规模以上木材加工及家具企业仅有 77 户，主要从事人造板、木地板及木门、床垫、沙发、板式家具等初级产品和中低端产品的加工。产品附加值较低，产业链短，深加工及高新技术产品较少。

5.1.2.6　产品质量与环境污染

人造板产品种类繁多，在生产过程中，会产生不同程度、不同性质的污染物，对环境造成一定污染。尽管多年来，环境保护越来越被人造板生产企业所重视，但一些人造板生产企业的环境问题依然存在。主要表现在粉尘污染、噪声污染、湿法纤维板的废水排放、甲醛排放和二次加工涂料的有机溶剂的挥发和扩散等方面。

中国人造板产量逐年增加，产品整体质量上升，但由于很多企业小型个体私营企业资金投入不足、生产设施简陋，产品质量不高，加之市场缺乏有效监管，中国人造板产品总体质量水平不高，甚至市场上充斥着一些"三无"产品。人造板产品与消费者生活关系密切，强度不合格、甲醛释放量超标等低质量的人造板产品会使消费水平大打折扣。

总体来看，人造板产品质量及环保标准落后，在产品质量、能耗、劳动生产率、自动化程度及对粉尘、噪音、污水的控制等方面落后于发达国家，缺乏国际竞争能力。

甲醛释放量是中国人造板产品不合格的主要原因，此外吸水厚度膨胀率、握螺钉力、静曲强度和弹性模量等指标也有不合格现象。其中，甲醛释放量对消费者身体健康将产生影响，不合格产品大量存在对消费者的消费信心打击很大，制约中国人造板企业形象的提升，导致企业利润空间减少，对产业的升级与持续发展也会产生不利影响。

从环保指标来看，中国多数纤维板产品的甲醛释放量能够达到国际市场的甲醛释放限量标准，其中 10% 的产品能够达到 E1 级水平，但依然有 10% 左右的产品甲醛释放量不合格。在低碳经济与绿色发展的呼声下，市场对甲醛释放量的要求也将越来越高。中国纤维板行业要在国际市场提升竞争力，就必须进一步降低成品板中的甲醛释放量。

　　"甲醛释放量"超标是胶合板质量问题的一大杀手，西方国家对此非常重视①。以浙江省为例，浙江省质量技术监督局曾组织省林产品质检站对消费者普遍关注、涉及人体健康的胶合板"甲醛释放量"指标进行检测。检测结果表明在所抽查的 31 批次胶合板类中，"甲醛释放量"普遍超标（按 ≤40mg/100g 进行评定），合格的只有由上海森大木业公司等两家企业生产的产品，而国内一家公司生产的产品其甲醛含量竟高达 264.1mg/100g，是评定标准的 6.6 倍。这种产品如果流入国际市场，必将大大损害中国胶合板的国际声誉，影响中国胶合板来之不易的良好出口局面。

　　中国刨花板行业发展较快，刨花板主要性能可达到国家有关标准的要求，企业普遍建立了质量保证体系。对于国家颁布的人造板甲醛释放量的强制限量标准，企业分别从胶粘剂、制板工艺以及后期处理入手，采取了一系列措施，并取得了良好的效果，但总体水平不高。目前普遍存在企业规模小、设备和技术落后的问题，加上许多企业不注意产品质量，把树皮和中纤板生产出的粉尘等都用作刨花板的原料，所以，中国生产的刨花板普遍质量较差，而且也普遍存在甲醛严重超标的问题。据统计，全国有一半以上的刨花板企业，其产品的甲醛释放量达不到 E1 级。

　　近年来，欧美出台的新规定让不少中国的木制品出口企业颇为头疼。《复合木制品甲醛标准法案》使得在美国供应、销售或制造的硬木胶合板、中密度纤维板及刨花板的甲醛限量要求成为全球对复合木制品甲醛释放量最严格的要求，远远高于欧盟、日本及中国的标准。美国《复合木制品甲醛标准法案》让不少以低成本占据市场的中国中小家具企业感到措手不及。据宁波检验检疫局对 30 家木制品出口企业抽样调查发现，有 16 家企业出口木制品至美国时，受到了上述法规的影响，受影响比例超过 50%，直接损失近 130 万美元，间接损失 200 多万美元。

　　宁波检验检疫局世界贸易组织（WTO）办公室主任黄婷表示，美国甲醛限量法规的影响主要表现在检测成本加大、订单流失和企业数量缩减等方面。现在，由于成本提高使企业的利润锐减，有些企业甚至不得不放弃美国市场。相关调查显示，宁波宁海木制相框企业已由几年前的 8 家缩减到现在的 3 家；宁波鄞州区一些中小型木制品出口企业也开始退出美国市场。

5.1.2.7　专利与标准

　　中国也有木材制品的相关标准，例如防腐剂的含量、防腐等级、干燥处理程度、阻燃能力等，这些标准已经有了很大的进步，也有和国际接轨的趋势，但是中国的标准和国外的标准有一些不同。中国的标准是由一些专家和研究院等制定的，所以实用

---

① 2012～2016 年中国木材加工行业市场运营动态及投资前景预测报告。

性并不强。但是国外的标准是由企业间共同制定的，并且成为了行业间自律的准则，这些标准多是依据市场要求定的，所以更加实用。

在与美国的木地板锁扣专利纠纷暴露出中国木地板行业尴尬的知识产权现状，木地板企业核心专利缺失。中国1995年才引进强化木地板技术，在发展过程中，主要是由一些中小民营企业经营强化木地板。企业缺乏知识产权意识，对自主知识产权不够重视，缺乏创新，木地板企业申请的专利主要是外观设计专利，缺少核心的发明专利。而且，中国木地板企业没有在目标市场申请专利。在全球大力推进低碳经济的背景下，各国加紧制定木地板全产业链的环保标准，这也给木地板生产企业带来了新的技术挑战。

5.1.2.8 回收利用

以木地板为例，有资料显示，生产 $1m^2$ 的实木地板需采伐 $5m^3$ 的原木，如果将 $1m^2$ 的实木地板加以循环利用，加上开采、运输过程中的能耗，则至少可减少相当于砍伐 $10m^3$ 的森林原木所产生的碳排放量。如果以一个家庭使用实木地板 $80m^2$ 为例计算，通过循环利用，可直接减少约 $908.8kg$ 的碳排放，这一方面说明家居建材行业的节能减排任重道远，另一方面也说明家居建材行业的节能减排空间还很大。如何做到绿色环保、低碳排放、持续发展，这是我们企业未来将面临更多的社会责任和挑战！

中国地板发展近20年来，在中国家庭已经有了大量准备更新换代的地板，这些地板如果废弃，那么对环境对木材是极大的浪费。旧地板以旧换新，然后投入到其他行业中循环利用，就可以提高木材的循环利用，减少木材的砍伐。

木材加工业资源端的碳循环体系直接服务于生态环境，加工中的能耗低是清洁生产的良好基础，产品服务功能终结后易回收再资源化。废弃木质材料的数量非常可观，美国经过处理的废弃木材总量达 900 万 m^3，预计到 2020 年将达到 1800 万 m^3；日本木材加工企业每年产生的木质废弃物量也超过了 1000 万 m^3；英国家具研究协会（FIRA）估计，每年有价值 6200 万英镑的实体木材和 5800 万英镑的人造板成为废料。许多发达国家称废弃木材和废纸为未来"第四代森林"，目前纷纷开展对废弃木材的重复利用研究。废旧木材并不是废料，而是一笔非常宝贵的可用资源，某些废旧木家具、木建筑构件等，材质很好，若能充分利用这些资源，可以大大缓解资源短缺的问题。很多国家都已把废弃木质原料的回收利用作为充分利用自然资源、保护环境的重要政策。

长期以来中国对废弃木质材料的循环利用还较少，其废弃物大都随其他垃圾一起焚烧或填埋，造成了极大的资源浪费。废弃木质材料是城市垃圾中最易回收的废弃物之一，它具有体积大、清洁、好运输等特点。在倡导发展低碳经济，建立节约型社会的中国，对于废弃木质材料的循环利用已经刻不容缓。

低碳经济对中国木材加工业而言仍是一个新的理念，造成中国对废弃木质材料再利用效率不高的原因在于以下几个方面。

(1)思想认识不足。缺乏对发展低碳经济的重要性和迫切性的认识；对中国森林资源与生态环境之间矛盾的尖锐性认识不够；对低碳经济的内涵、原则与模式了解不多。传统经济增长方式依然主导着木材行业经济的发展。

(2)缺乏总体规划。中国木材加工业低碳经济的发展尚处在萌芽阶段，既无发展低碳经济的总体规划，也无具体的推进计划，更没有相应的指导对策，严重制约着中国木材加工业低碳经济的发展。

(3)法律、法规体系不健全。发达国家先后出台了多种促进低碳经济发展的法律、法规，依法推动低碳经济发展，如日本实施的《促进循环型社会形成的基本法》《资源有效利用促进法》《废弃物处理法》等，并制定相应的措施和机制，保证政策法规的执行。而中国目前尚无相关的森林资源综合利用、废弃木材与林产品的回收及循环利用方面的法律、法规，因而难以推动木材加工业低碳经济的发展。

(4)缺乏有效的激励政策和机制。低碳经济是一种新的经济增长方式，在推动废弃资源回收利用等诸多方面，依靠政策扶持是世界上发达国家推进低碳经济的成功经验。木材加工业发展低碳经济不能仅靠市场机制来推动，还需要运用税收优惠、财政补贴、信贷优惠等各种有效政策的激励。

(5)未建立回收与循环利用体系。废弃木材和废弃林产品数量巨大，是一项可观的再生资源。德国在再循环法中规定，废弃木材利用具有优先权，要求刨花板厂必须利用一定数量的废弃木材作为原料。日本在有关法律中也规定，2010 年前废弃木材回收利用率要达到98%。中国"六五"期间虽然强调过对废弃木材的回收利用问题，但由于没有建立起相关的回收利用体系，使得废弃木材再资源化的进展缓慢。

(6)缺乏技术支撑体系。以高新技术为内容的低碳经济技术支撑体系是实施低碳经济的基础。中国木材加工业低碳经济的技术支撑体系十分薄弱，缺乏以现代生物技术、材料工程技术、环境工程技术、先进制造技术为基础的木材加工业减量化技术、再利用技术和再循环技术，从而影响到木材加工业低碳经济的发展进程。

(7)认证制度和认证体系有待加强。木材加工业产品，如人造板、家具、木制品等是经济生活中常用的产品和材料。林产品环境认证制度和环境认证体系的缺乏、绿色产品环境标志和市场准入机制的不健全可能导致林产品环境质量得不到保障、不能把危害人体健康产品的有毒污染物消灭在源头。

5.1.3　中国木材加工业发展中存在的其他问题

5.1.3.1　木材资源供给紧张

在木材原料上，我们国家以进口材为主。2011 年世界木材需求依旧增加，价格持续上涨。虽然推动木材需求增加的主要是中国，但中国的木材加工能力不能满足国内的需求，因此一直在增加木材进口。2010 年在亚洲、欧洲及北美所有的木材市场也都出现了全球性的木材增产和贸易扩大。在全球木材市场不断扩大的趋势中，木材价格也呈上升走势。价格的震荡上升确实使某些市场出现很大波动，但全球木材市场的价格上升趋势依然很明显。

为了保护环境，促进经济可持续发展，多个国家相继开始禁止伐木，这对木材加工行业来说无疑是雪上加霜。黑龙江大小兴安岭林区生态保护与经济转型已全面启动。从 2010 年起，大小兴安岭生态功能区全面停止林木主伐生产，恢复荒山造林，到 2020 年，该区域森林覆盖率将超过 70%。大小兴安岭是中国重要的森林储备区，过去数十年内由于过度采伐，资源消耗巨大。至 20 世纪末，大兴安岭地区的森林蓄积总量锐减，可采成熟林资源接近枯竭，林区生态体系遭受严重破坏。自实行"天保工程"以来，兴安岭大幅调减木材产量。东北木材开采量逐渐下降，中国木材供应形势随之变化。

塞拉利昂政府开始禁止一切砍伐和出口木材的行为，并敦促各部门加大监管力度，对违反规定之人予以起诉并处没收财产。2009 年，尼日利亚十字河州政府宣布禁止在本州内砍伐和贩运木材，该规定立即生效，有效期直至可持续的伐木政策出台，十字河州政府表示，已发放的所有砍伐和贩运木材的执照、许可全部作废。近年来，俄罗斯为抑制原木出口，鼓励在境内发展木材加工业，数次上调原木出口关税，加之俄罗斯劳动力不足，伐木成本不断提高，中国进口的原木价格不断上涨。

随着国内外禁伐政策的强化，木材原料供求矛盾日益突出。

从国内资源情况看，根据第八次全国森林资源清查结果，全国森林面积 2.08 亿 hm^2，森林覆盖率 21.63%。活立木总蓄积 164.33 亿 m^3，森林蓄积 151.37 亿 m^3。天然林面积 1.22 亿 hm^2，蓄积 122.96 亿 m^3；人工林面积 0.69 亿 hm^2，蓄积 24.83 亿 m^3。森林面积和森林蓄积分别位居世界第 5 位和第 6 位，人工林面积仍居世界首位。

但是目前依然存在以下问题：一是森林资源总量不足。中国森林覆盖率只有全球平均水平的 3/5，排在世界第 110 位以外。人均森林面积 0.145 hm^2，不足世界人均占有量的 1/4；人均森林蓄积 10.151 m^3，只有世界人均占有量的 1/7。全国乔木林生态功能指数 0.54，生态功能好的仅占 11.31%，生态脆弱状况没有根本扭转。二是森林资源质量不高。乔木林每公顷蓄积量 85.88m³，只有世界平均水平的 78%，平均胸径仅 13.3 厘米，人工乔木林每公顷蓄积量仅 49.01m³，龄组结构不尽合理，中幼龄林比例依然较大。森林可采资源少，木材供需矛盾加剧，森林资源的增长远不能满足经济社会发展对木材需求的增长。三是林地保护管理压力增加。清查间隔五年内林地转为非林地的面积虽比第六次清查有所减少，但依然有 831.73 万 hm²，其中有林地转为非林地面积 377.00 万 hm²，征占用林地有所增加，局部地区乱垦滥占林地问题严重。四是营造林难度越来越大。中国现有宜林地质量好的仅占 13%，质量差的占 52%；全国宜林地 60% 分布在内蒙古和西北地区。今后全国森林覆盖率每提高 1 个百分点，需要付出更大的代价。

可见，以后随着林地的减少，营林难度的加大，国内速生丰产林总量不足的矛盾依然十分突出。

以木地板生产为例，受出口国限伐、禁伐等新木材政策的影响，中国木地板生产企业正面临着进口成本急剧上升的困境。近几年，实木地板的原材料涨幅多达 100%，复合材料也多达 50%。虽然国家已从宏观上支持生产企业进口国外木材，木材的进口关税为零，但随着木材出口国环保意识的加强及对木材出口的控制，木材资源将受到一定程度的限制，因此生产企业要积极调整产品结构，充分提高木材利用率，同时可将生产地板的余料加工成木制装饰品以实现木材的综合利用。

刨花板原料主要来源于采伐、加工剩余物，种类包括人工林木材、竹材和农作物秸秆等。原料供不应求也已成为企业生产面临的主要问题。

5.1.3.2　市场行为不规范

以木地板为例，目前中国木地板企业具有品牌效应的企业 3000 家左右，相对于家电、食品等相对比较成熟的行业来说，可以用"杂乱"来形容。多数企业处于籍籍无名状态，所谓的地板大品牌也只是一个模糊的概念。据统计目前地板行业的利润率基本控制在 10~15 个百分点以内，品牌附加值也低走。

中国强化木地板规模从小到大，品牌从少到多，产品质量良莠不齐，生产经营极不规范。假冒强化木地板充斥市场，消费者对行业和产品失去信任，严重危害到行业的生存和健康发展。

具体表现为：

(1)企业过分夸大产品功能，片面强调某项指标而忽视其他功能，给消费者造成误导。有些商家在基材板中加入绿色颜料，把基材染成绿色，即对外宣传是绿色环保产品。夸大其词，冒充环保。

(2)市场上三无产品(无生产厂家、无商标、无生产标准)及冒牌劣质产品较多。

例如以国产冒充进口，以无耐磨层的浸渍纸饰面层压木质地面板冒充有耐磨层的地面板，此类行为严重损害了消费者的利益。标注、标志严重不规范；随意涂改国家有关检测报告欺骗消费者；某些知名品牌找小厂贴牌生产来降低成本。国内存在不规范的评比现象，市场上有些劣质强化木地板都披上了"合格""推荐"等外衣，甚至是使用一些假证书。部分商家见利忘义，在地板样品展示时都与合格产品保持一致，而实际销售时却偷换地板，以劣充好。

(3)市场售后服务体系不健全，普遍存在着重销售轻建设的现象，企业产品介绍及使用说明书不够规范。

中国建筑装修业发展快速，木地板也随之急速发展。但因为产品技术含量不高、投资要求不高、行业门槛低，各地木地板生产线纷至而起，单强化木地板品牌一下子就冒出上千个。市场的过度膨胀引发品牌间的无序竞争，"价格战"此起彼伏。互相压价的结果，致使木地板品质难有保障，消费者的合法权益更时常受损。良莠不齐的品牌和千差万别的质量更让消费者莫衷一是，严重影响市场消费信心。

与涂料建材产品相类似，木地板其实也只是一种半成品，必须通过安装等系列服务，才能提供给消费者完整的价值，实现完整的销售。但令人遗憾的是，尽管已发展多年，但许多木地板的销售服务水平却仍停留在极简单的层面，不少木地板品牌在备货、安装及售后服务等方面都存在许多问题。多数品牌既无售后服务部门也无专门的售后服务工人，就算是有类似机构，也仅仅是做些保修类的简单善后工作，人员临时拼凑，安装水准参差不齐，远远谈不上"服务"。由于专业服务队伍缺乏、代理商实力有限，更经常出现备货不足，连最基本的"即买即到货"都难以做到，就更谈不上售后服务了。

消费者购买强化木地板，最终享受的是包括产品、辅料配料和安装、售后等多项服务。有些厂商使用劣质辅料，不注重安装服务或进行黑工安装，毫无规范可言。

(4)市场上木地板树种名称相当混乱，商家为了促进销售，有时将同一树种的木材起不同的商品名，而且价格不相同，严重侵害了消费者的利益。

(5)部分地板销售人员素质不高，对地板基本知识、基本性能认识不够。

5.1.3.3　产业政策不够系统和完善

以人造板为例，中国人造板产业政策对人造板产业竞争力的培育发挥了一定的外部助推与导向作用。但中国目前尚没有具体的、具有操作性的人造板产业政策可循，现有的人造板产业政策并不系统、完善，只是零散分布于各种相关政策、规定中，缺乏人造板产业的系统、明确的发展规划，助推产业竞争力提升的力度不明显。

具体表现为：

（1）政策的配套性与延续性不足。政策时效性明显，对于一些长期性的政策没有制度化、法规化，实施过程中往往在临近期满时，再予以调整或延长，使企业无所适从。人造板产业政策与产业发展水平的不配套具体表现在：一是人造板市场准入制度缺项及人造板标准修订工作滞后；二是人造板产业作为资源限制型产业，现行税费政策的导向性、时效性与延续性问题；三是三剩物和次小薪材为原料生产加工的综合利用产品增值税即征即退政策的延续性问题、所得税减免问题以及人造板产品出口退税问题的整体方向等；四是人造板在国内市场流通过程中的监管问题等。这些都要求中国今后的人造板产业政策要特别注重政策的配套性与延续性。

（2）政策的区域性导向不明显。产业政策是对产业发展所做的带有全局性和方向性的规则和指导，产业生产增长、就业增长、区域发展、结构调整等都是产业政策的目标，但产业政策并不是一成不变的，每一时期产业政策优先和辅助目标并不相同，这取决于不同时期一国不同的经济发展战略、经济环境以及产业发展水平等。从中国人造板产业发展历程来看，人造板产业发展具有与中国经济环境相一致的特点，总体符合中国产业演进规律与产业布局调整规律。但从中国目前的区域经济发展战略来看，促进区域经济协调发展是优化格局的主要方向。中国人造板产业受中国资源约束与劳动力成本上涨困扰，产业转移趋势已经开始显现。具体到不同的人造板产品种类，其成本结构各有差异，受不同要素的制约程度也各有不同，而中国幅员广阔，各地区的要素享赋也各有差异，因此，各地区适宜发展的人造板产品也应各有侧重。中国现有的相关人造板产业的政策中，虽然指出了人造板产业发展的重点区域，并没有针对不同的区域，确立不同的主导产品方向，缺乏一个整体、系统、统一的人造板产品区划。

（3）政策对微观主体作用有限。产业政策的作用对象是产业，产业政策的效果，在很大程度上取决于产业的微观基础——企业能否作出积极反应。从市场调控的角度，政策只是产业发展的外部力量。外部力量的作用是有限的，政策的导向作用要通过产业微观主体的素质才能发挥。通过产业政策有效调整和优化人造板产业结构，提高产业素质与运行效率，不仅是推动人造板工业快速发展的当务之急，也是中国林业经济增长方式实现由粗放型向集约型转变的迫切要求。而人造板产业政策的实施是一个复杂的系统工程，如果企业缺乏自我调整和自我发展的能力，那么再完美的产业政策也会失败。企业只有积极创新，努力适应政策导致的市场条件变化，才能得益于产业政策，提升竞争力。否则，企业将与产业政策形成市场条件产生激烈摩擦，尤其是那些创新能力落后的企业。

5.2 中国家具制造业低碳化发展存在的问题

所谓"低碳经济"，是以低能耗、低排放、低污染为基础的经济模式，其实质是提高能源利用效率和创建清洁能源结构，核心是技术创新、制度创新和发展观的转变。当"低碳经济""低碳产品"等一系列前沿概念逐渐走进中国寻常百姓视野时，国际与"低碳"相关的法规、标准、碳交易平台都已悄然形成，并进行着日益频繁的贸易活动和科研活动，取得了一系列的成果与交易主动权。世界第一份盘查产品碳足迹标准已于 2008 年 10 月 29 日由英国标准协会制定并正式发布，这对世界范围交易的各类产品及其组织在碳足迹方面进行核查、分析、预警等，并对其相应的组织掌握情况、发现问题、尽早制定预警或减碳策略、提供碳排放减量证据、提高产品的竞争力提供了有力的支持和强化。为此，很多国家，如德国、日本、瑞士，甚至泰国都紧跟其后制定了碳标示制度，并成立了相关机构来负责这些工作。而中国，作为世界人口最大的、目前经济总量排名第二的大国，却在这方面严重滞后了，这必将成为世界下个竞争年代——"大气与水资源缺乏的商品化"竞争之下的最严重的贸易壁垒。这对家具产业的威胁更会如此。作为世界第一大家具制造国和出口国，我们 30% 多的家具都是用来作为国际贸易的，假如有一天国际贸易的规则是以碳排放的总量限额指标来衡量的，我们该如何应对？

尽管，家具企业也有开始使用"低碳"这个词进行宣传的，但至今认真研究低碳的世界格局，即将面临的世界碳排放总量限额和交易的贸易壁垒，研究并采用低碳技术，并做好了碳足迹、碳中和、碳交易的研究与准备的企业非常少。这种现状怎么能应对即将到来的世界贸易以碳排放标准和碳交易为主导的贸易形式呢？

早在 2005 年，中国就已成为世界家具出口的第一大国。需要注意的是，保守估计，中国出口欧美发达国家的家具 90% 以上是以实木为基材的家具产品。在我们沾沾自喜于世界第一家具出口大国地位的时候，欧美发达国家大概正在窃笑。他们将低效率、低产出、高能耗的实木家具转嫁给不发达的发展中国家去生产，在自己不消耗能源的同时，却奢侈地消费着不发达国家的高能耗产品。转过脸来，又对我们的碳排放水平指手画脚，说三道四。要知道，在大量出口实木家具的过程中，同时也大量消耗了地面上数量更为有限的林木资源。这样的发展怎么能够持续呢？

低碳经济是以低能耗、低排放、低污染为基本特征，以应对碳基能源对气候变暖影响为基本要求，以实现经济社会的可持续发展为基本目的。从企业角度来说，低碳是对社会的一种责任，家具企业应责无旁贷的担当起引领和倡导低碳生活的使命。同时，中国作为最大家具出口国，面对美欧等高筑"绿色壁垒"及出口利润走低之势，企业要加快产业升级的步伐，发展低碳，保证出口产品符合各类环保法规的要求。另外从应对气候变化、能源资源条件、产业结构以及可能面临的减排国际压力等角度考虑，都应提出发展低碳的要求。

5.2.1　低碳家具的含义

对于加工制造企业而言，何为"低碳制造"？答案就是：用合理的方式开发能源，用先进的方法有效利用和使用资源。其目的是降低能源消耗，提高材料利用率，减少浪费及垃圾排放，并在同等时间各项资源消耗相对不变的情况下实现产出的数量与价值最大化。因此，谁能在低碳方面领先，谁就意味着他已经在同行中领先和胜出了。低碳其实已经关乎一个企业的命运和竞争力，减少碳排放已然成为企业新一轮的争夺焦点。

所谓低碳家具，就是自身具有碳汇能力，具备在整个生产过程中应该具备能源消耗低、碳排放量低、产品品质好、使用寿命长、废弃后易于回收利用等关键属性和相关证据。

在家具设计方面以往多强调家具的绿色环保性能，即家具产品要有利于使用者的健康，对人体没有毒害与伤害的隐患，满足使用者多种需求，在生产过程和回收再利用方面符合环境保护要求的家具。可以概括为：天然材料、一物多用、能反复使用或回收再利用、手工制作等。

家具企业要发展低碳，就是要以技术创新、制度创新和发展观的转变为核心。除具有绿色环保家具的特点，低碳家具的内容还包括：①节能。从产品的规划设计、制造、包装、物流、销售、售后等全过程加强管理，提高能源利用效率，减少污染排放。注重技术节能，研发节能材料，改造和淘汰落后产能，实现有效控制和节约。②创新。在原材料方面，尝试实木与金属、塑料、玻璃、皮革、纤维等多种材料的结合，综合考虑木质材料的节约以及与其他材料在制作过程中的碳排放控制，达到保护环境的目的。在工艺方面，通过提升加工设备及工艺改进来提高加工效率、人均产值等，以此减少生产周期、节约能源损耗。在企业管理方面，提升企业文化，增强员工自主性；提升产品文化，增强产品价值感；提升渠道服务，增强客户满意度；最终提升产品接触人群的愉悦感，扩大品牌的社会价值，以此达成循环低碳的目标。

家具行业被认为是传统的高耗能、高污染产业，在实现以能源高效利用和清洁开发为基础，低能耗、低污染、低排放的低碳化发展过程中，家具行业也面临着很多问题和挑战。低碳经济作为一种新的发展模式，将创造全新的游戏规则，碳排放是其新的价值衡量标准，从企业到国家将在新的标准下重新洗牌。这是一个转型的契机，可以帮助企业实现向低碳高增长模式的转变。发展低碳不是一蹴而就的，而是一个渐进的过程，最先突破的企业可能成为新一轮增长的领跑者，必将在同行中领先和胜出。

全球正在进入低碳时代。各国政府都在大力推动低碳时代的进程。一切为实现低碳经济、低碳社会而做的努力都将得到政府政策的支持与社会民众的肯定，反之，一切阻碍低碳经济、低碳社会进程的行为都将得到政府政策的限制和社会民众的不屑。低碳与我们的生活息息相关，没有任何一个行业可以置身度外。而家具制造业由于必须用到大量的木材，消耗大量的电力，因此就更加有必要向低碳过渡。

整个世界的经济模式已经在转型，谁能在低碳方面领先，就意味着他已经在同行中领先、胜出了。低碳不仅仅是为了气候问题，低碳经济已经关乎企业的利润增长方式和企业核心竞争力等战略发展问题了。低碳经济是长期发展的根本，不能指望在很短的时间内就看到有效回报，所以家具企业必须要强化低碳环保意识，从实际出发，把低碳环保纳入带自身发展战略中。低碳战略大大降低企业的经营风险，这不仅仅是企业社会责任的表现，对于商业公司来说，节能减排、低碳式发展的实质价值在于节省成本。只要家具企业开始思考低碳销售，正确引导消费者低碳环保消费意识，中国家具业低碳经济才能走上良性循环轨道。

5.2.2 中国家具制造业低碳化发展存在的问题

中国家具制造业要实现低碳化发展，也将面临较大的挑战。实施低碳化，我们要牺牲一些短期利益，但我们更应该看到，实施低碳化将带给我们更多的长期利益。

5.2.2.1 环境问题之一：噪声和噪光

家具企业噪声会对人的听觉造成很大的伤害，人们短时间内处在较强的(90dB 以上)噪声环境下，会感到耳鸣、听力下降，如果时间过长，就会使内耳的听觉器官发生器质性病变，使听觉细胞死亡，导致噪声性耳聋。如果人的听觉器官突然遭受到巨大的声压且伴有强烈的冲击波作用时，也会导致鼓膜破裂，发生爆发性耳聋。

家具企业噪声作用于人的中枢神经系统，使大脑皮质的兴奋和抑制平衡失调，长此以往，人们会出现头痛、神经过敏、反应迟钝、恶心和食欲缺乏等。噪声还会对人的心血管系统的功能造成影响，使人发生心动过速、心律不齐、心电图改变、高血压和供血减少等现象，甚至引起心脏病及其他多种疾病。

家具企业噪声会影响人们的正常生活和工作，降低工作效率和质量。噪声会分散人们的注意力，发生工伤事故。巨大的噪声还会对周围的建筑物造成损害，破坏仪器的正常运转。另外，噪声还会对人的视力造成伤害，当噪声强度达到或超过 90dB 时，人的视觉细胞敏感度下降，出现眼疲劳、眼痛和流泪等现象。总之，噪声的危害是多方面的，造成的经济损失也十分可观，应予以高度重视。

家具企业噪光是指那些刺激人的眼睛，引起视觉障碍的光线，即人的视觉不需要的光线。光作为一种电磁波，具有能量，能使物体分子激活，使光波转化为化学能，光照到人眼之后，除了刺激眼睛视网膜上的感光细胞产生视觉外，还会刺激脑垂体及大脑中的一些部位，从而产生影响人的感觉及生理状态的激素，构成噪光污染。

家具厂不合理的光源配置会造成光污染，使操作工人心情烦躁，精神抑郁，长时期会出现头痛、目眩、失眠、精神涣散和食欲下降等不良反应。特别是在金属家具制作过程中，金属的切割、焊接等操作过程都会产生严重的光污染，电焊时电焊弧光能放射很强的紫外线、红外线及可见光线，还可以灼伤人的皮肤，其中波长从4000 ~ 2000 埃($1Å = 0.1nm$)的紫外线被角膜、结膜吸收，可引起电光性眼炎及其他疾病。所以电焊工等操作时要戴防护眼镜，以提高工作效率和健康水平。

5.2.2.2　环境问题之二：有机挥发物

中国的家具企业主要分布在华南、华东、华北和东北等地区，尤以广东省最为集中。中国的家具制造业这几年发展相当迅速，但中国的家具企业以中小企业居多，生产工艺水平、生产效率普遍较低，中小家具制造企业生产会带来一系列环境污染问题，如挥发性有机废气、粉尘排放影响到区域内空气质量，废漆料、废胶粘剂等危险废物未经无害化处置排放对水体、土壤产生污染，家具生产垃圾乱占河道，随处焚烧，等等。因此，家具制造企业已成为当地的一个重要污染源，给当地环境造成很大的压力。

每个家庭或多或少都会有家具，许多人是把家具买回来直接用的！但是不知道从什么时候开始，家具污染成为造成室内空气污染的重要方面。

家具行业是产生挥发性有机物的"重灾区"。在大气污染治理中，除汽车尾气排放外，非常重要的一方面就是挥发性有机物的治理。从危害来说，挥发性有机物如果在居室中超过一定浓度，短时间内会让人感到头痛、恶心、呕吐、四肢乏力，严重时会抽搐、昏迷、记忆力减退，其污染危害近年来已引起各地重视。

根据家具的使用材料和加工工艺的不同，可能会存在污染的家具种类有板式家具、塑料家具及复合家具三类，具体原因是：板式家具是使用人造板作为基材进行加工的，加工人造板的过程中需要使用大量的脲醛树脂胶进行黏合拼接，而脲醛树脂胶会挥发出大量的游离甲醛，造成室内空气的甲醛污染。塑料家具是一种新性能的家具，一般采用热固性塑料和热塑性塑料进行加热通过模型压制而成，或者压成各种薄膜，作为复合家具的蒙面料等，容易受热、阳光、溶剂等老化分解出部分有害物。复合家具多是板布或板皮结合的家具，加工时商家容易使用劣质板材。

那些可能存在污染的家具污染物主要有：

（1）家具产生的有害物质主要是游离的甲醛，主要来源于人造板的胶粘剂油漆涂料等有毒溶剂，长期作用于人体可产生不良反应。已经有研究证明，甲醛对人眼和呼吸系统有强烈的刺激作用，而且是导致癌症、胎儿畸形和妇女不孕症的潜在威胁物。

（2）漆酚会使人体皮肤腐蚀和导致中毒。不少家庭购置家具后，家中有的人会出现接触性皮炎。一般接触后接触部位的皮肤，如双手、前臂、双大腿后侧会出现红斑、丘疹、丘疱疹，自觉瘙痒难忍，严重者可出现肿胀、水疱、糜烂、渗液。

（3）黏合剂造成的苯污染。黏合剂在家具的制作时被大量的应用，这些黏合剂在使用时可以挥发出大量的有机污染物，长期接触这些有机物会对皮肤、呼吸道以及眼黏膜有所刺激，引起接触性皮炎、结膜炎、哮喘性支气管炎以及一些变态性疾病。

针对家具污染程度而言，高浓度的家具污染对人体健康的危害主要表现为对呼吸系统的影响。它主要是引起呼吸功能下降、呼吸道症状增加，严重的可导致慢性支气管炎、哮喘、肺气肿等气道阻塞性疾病的恶化和死亡率增高，以及肺癌患病率增加。即使是低浓度也可使人产生"不舒适"的感觉，而这种"不舒适"的感觉主要表现为使人感觉有异味和刺激。由于许多低浓度污染对人体均有某种异味和刺激，并长期对人干扰，有可能在人的心理上、精神上造成伤害，导致人体潜在的危害是无法估量的。

甲醛是一种无色，有强烈刺激性气味的气体，是重要的化工原料，可制成固色剂、柔软剂及黏合剂等，而这些物质又被广泛应用在板材、家具等家装产品上。它们一旦进入到居室内，就会不断分解释放出大量甲醛。甲醛的致病机理：作为原浆毒物质，能与蛋白质结合，从新陈代谢的层面影响人体健康。接触低浓度甲醛的危害；长期接触低剂量甲醛，可引起慢性呼吸道疾病，妇女则会出现月经紊乱、妊娠综合征。接触高浓度甲醛的危害：呼吸道水肿、眼刺激、头痛，进而引发哮喘甚至肺气肿、肺癌。此外，皮肤直接接触甲醛可引起过敏性皮炎、色斑、坏死；甲醛中毒的突出表现为：头痛、头晕、乏力、恶心、呕吐、胸闷、眼痛、嗓子痛、食欲缺乏、心悸、失眠、体重减轻、记力减退以及自主神经紊乱等。

另外，长期吸入甲醛对一些特殊人群的危害尤为严重。儿童，可导致智力衰退、脑神经损伤、身体发育迟缓、诱发血液疾病等；孕妇，易导致胎儿畸形，甚至死亡；免疫力相对较弱的老人，能引发脑中风、心肌梗死等心脑血管疾病。

另外，家具生产过程中产生的挥发性有机废气、木粉尘等污染对企业生产工人的健康也会产生不良的影响。以木质家具生产企业为例，中国木质家具制造企业职业危害形势严峻，接触职业危害人数众多。据国家安监总局数据，2010 年全国有木质家具制造企业 3.5 万余家，从业人员 160 余万人，而接触职业危害人数达 100 余万人。

中国木质家具制造企业职业危害十分严重。特别是苯、甲醛、苯胺等高毒物质超标严重，作业环境恶劣。2010 年 5 月～6 月，国家安监总局就木质家具制造企业职业危害情况开展了调研，组织检测机构先后对广东、广西、贵州、云南、江苏、福建、陕西、新疆、吉林、黑龙江 10 个省份的 85 家木质家具制造企业进行了现场检测。在所抽查的企业中，89% 的企业苯超标，76.9% 的企业甲醛超标，70% 的企业苯胺超标，最高的超标 100 多倍。相当多的企业现场管理混乱，生产布局不合理，有毒工序与无毒工序相互交叉。很多中小企业喷漆间没有安装有效的防毒设施。此外，从业人员防护意识差。大多数中小企业喷漆工人缺乏危害防护意识，有些职工不佩戴任何有效的防护用品进行喷漆和涂胶作业，有些职工虽然佩戴了劳保用品，但其质量低劣，根本起不到防尘防毒作用。

中国家具业自改革开放以来有了长足的进展，摆脱了手工作坊式的操作模式，实现了机械化、半机械化生产，效率显著提高，家具企业的规模和数量都达到空前的水平。但污染问题仍是一个亟待解决的难题，虽然某些大厂的污染问题已基本得到控制，但到目前为止，大多数厂家的污染问题还比较严重，尤其是机加工车间、油漆车间等污染更为严重。随着世界各国对环保问题越来越重视，国家对环境监督管理的加强以及公众环保意识的增强，污染问题已成为制约企业经济发展的一大桎梏，绿色壁垒亦成为家具出口的绊脚石。美国实施的《复合木制品甲醛标准法案》，大幅度地提高了在美国供应、销售或制造硬木胶合板、中密度纤维板及刨花板等复合木制品的甲醛释放要求。为达到该法案要求，企业将至少增加 10% 的生产成本对原材料进行加工升级，而出口产品被退运或召回的风险也同时加大。自 2009 年 11 月 30 日实施的欧盟委员会关于授予木制家具生态标签标准的决议(2009/894/EC)，规定了木制家具中禁止含有有机卤化物黏合剂、氮丙环、聚氮丙环，含有重金属的染料和添加剂以及添加阻燃剂，并就纤维板和刨花板中的甲醛排放限值进行了限制。目前世界上已有越来越多的国家将家具纳入了绿色生态标签制度的目标产品，家具出口将面临日益高抬的环保门槛。因此，企业要想获得更高的效益，就必须自觉地增加必要的投入，从工艺、技术和装备等方面来加大控制污染的力度。

5.2.2.3　原材料问题

低碳家具就是绿色、环保，是指在整个生产过程中能源消耗低，甲醛等有害气体的排放量低，产品品质好，废弃后易于回收利用等，应用节能环保型技术材料是实现低碳家具的首要措施。

由于我国尚未出台相关的严格规定和制度，所以在家具产业的上游如黏合剂、板材、油漆等市场充斥的是大量高碳且有一定污染的产品，要选择为数不多的低碳原材料，成本无疑要高出一大截，即使这些低碳的原材料，能否保证100%的低碳环保，也不敢肯定。

家具要保证其绿色、环保的品质，首先要从源头上杜绝不合格的产品，即在原材料的选择上严格把关。固定选择品牌好、口碑好、环保节能的原材料，还必须经过权威部门的检测。近十多年来，家具行业发展很快，但很多企业都只是显赫一时，很快就在市场上湮灭了，其原因就在于没有重视原材料的严格把关，有的甚至随意在市场上选择材料。

材料的供应方，是家具制造的上游企业，材料环保低碳是上游企业制造过程中的责任，也是林产工业部门需要着力解决的问题。

另外，原料木材合法性证明成为家具出口的新难点。近年来，欧美等地对林产品合法性和可持续性的要求越来越高，纷纷采取措施以限制非法采伐及木材贸易。美国《雷斯法案》修正案覆盖范围扩大至所有木制家具产品，规定凡出口到美国的林产品，必须标明木材的种类和来源、使用植物种类的拉丁名、数量和尺寸以及价值。由于各国林业管理法规不同，很难确定木材来源的合法性和有效性。欧盟议会也正式通过禁止非法木材进口的法案，要求木材企业对存在非法风险的木制品提供合法证明，并追溯到木材原产国，违法者将会被处以与其所造成环境和经济损失成比例的罚款。上述法案不仅增加了家具企业的成本，而且由于有些进口木材原产地无从核查，大大增加了企业的经营风险。

5.2.2.4　技术工艺问题

家具行业作为传统行业，使用的工艺较落后，附加值有限。

制造企业在工业生产当中的技术水平才是衡量"低碳制造"的最终标准，企业不能拿环保产品混淆概念充当"低碳"。"低碳经济"所强调的环保是可持续发展的经济秩序，是对能源的合理开发和有效利用，是为了生态平衡的环境保护，是指人的意识、态度及行为方式的过程。它是人们对社会的责任，对全人类的责任，是人们的价值观、世界观。用低效而落后的方式，不管生产出来的产品有多么环保，都与"低碳"的真实意义无关，只能是假借时尚概念的自我炒作。

另外，对于制造行业而言，"低碳"是指产品在设计生产过程中对每个环节的控制和把握，使之达到材料利用率的最大化、同等时间的各项资源消耗下的产出效率最大化，同时还要达到垃圾污染及有害排放的最小化。提高工业设计技术手段，运用先进科学的生产方法，才是解决"低碳"之道。没有低碳制造，何来低碳产品！

家具行业有很多企业从上游原材料到生产的过程，生产利用效率低，浪费严重。例如椅子刷漆，使用率 50% 都达不到。

理性的工业设计是低碳制造和发展的前提。在家具出口"第一"的背后恰恰隐藏着我们最不愿看到的事实：中国家具的出口几乎都是以低价代工的形式实现的，毫不夸张地讲，绝大多数出口加工企业是在售卖廉价劳动力，是在出卖日益枯竭的原材料资源。就家具产业工业设计技术本身而言，并没有随着时代的发展而摆脱落后、高碳的生产局面。统计表明，中国家具产业与欧洲相比，其产业规模和从业人数都远高于对方，但产品价值和人均生产效率却远远落后。因此，从某种意义上来讲，规模并不代表生产力，而工业设计技术才是创造价值和提高效率的"第一生产力"。

另外，我们注意到，很多欧洲的产品在相当长的时间里，产品的形式只是延续却少有太大的变化，即使有些变化一般也是在材料和工艺上的调整。是欧洲的设计师缺乏想象不具备创新能力吗？当然不是！反观中国家具企业，设计师日复一日的劳作，似乎只是在为产品"改头换面"，这种锲而不舍的精神年复一年，难见改观。结果是：今天的灵感替代昨天的创新，下半年的新概念淘汰上半年刚刚"出炉"的新思想，不成熟的作品、非理性的设计"一箩筐"。

创新确实需要胆量，也免不了付出代价，但创新更需要的是智慧，需要在系统理论指导下的理性思考。避免盲从行为，才能减少"工业垃圾"。只有理性系统的工业设计，才会有成熟的结果，才能够在市场上持续受到欢迎。精品之作流传久远，绝非仅凭一时的灵感使然，这靠的是系统化思考的结果，靠的是对工业产品设计原则的把握，靠的是对人类进步过程中"真实需求"的认识和理解。事实证明，没有系统的工业设计，势必会产生资源浪费，造成效率低下，就无法与"低碳"相向而行。

5.2.2.5　企业规模问题

从规模上来说，家具行业多数还处于小作坊式的生产状况。多数企业都租用简易厂房，在安装新设备时，屋顶的承重力不够，企业的经营困难等。

有关研究认为，今后的五年，中国家具业的发展仍然处于一个可以大有作为的重要战略机遇，既有难得的历史机遇，也将面对诸多可以预见和难以预见的风险挑战。预计今后五年，中国家具产值和家具产量保持每年 15% 左右的增长速度，家具出口保持年增长 12% 的速度。此前，据国家发改委发布的《关于组织申报 2011 年（第 18 批）国家认定企业技术中心的通知》，家具业首次以一个产业的姿态被纳入"重点认定领域"，站到了科技创新的前沿。

据不完全统计，2013 年全社会消费零售总额比上一年增长了 13.1%，家具产业超过建筑、装饰材料、汽车增长，增速是 21.0%。2013 年社会零售消费总额增长中，家具产业贡献了 27%，是增长最快的行业。由此可见家具业对于内需的贡献。

然而，中国家具业这样庞大的一块产业蛋糕却因缺少专业化的经营，多年来呈现企业"多而散"的状态。即便是国内几家龙头品牌，也鲜少从中突围。

5.2.2.6　资金问题

家具企业是典型的劳动密集型企业，也是流动资金需求量大的企业，特别是企业需求储存较多数量的木材，要生产出高质量的家具，从原材料进口，经木材自然风干等一系列环节，最后到成品出口，有的占用资金长达三四年的时间，资金紧张一直是制约家具企业发展的瓶颈问题。

首先是中国家具制造企业都属于民营企业，在贷款待遇上无法和国有企业相比，得到政府支持的力度也相对较小。

其次是中国家具中小企业运营不规范。在公司架构、财务管理、经营活动透明度等方面存在许多问题，其发展前景具有不确定性。因此，银行不愿冒太大的风险。

再次是中国金融体制本身不够完善和健全。贷款的多样性和针对性不强，审批手续繁琐，许多中小企业投资者觉得太麻烦，在融资时不愿意走银行的途径。这一点银行也已有所认识，2011 年 10 月 26 日，中国银行业协会与普华永道联合发布了《中国银行家调查报告(2011 年)》，报告中明确指出："未来 3 年，小企业贷款产品是银行金融业务的发展重点，如何把握小企业融资需求特点，简化贷款审批流程，设计有较强针对性的金融产品，成为当前银行业金融机构在加强小企业金融服务方面需要尽快解决的问题之一。"

最后是中国银企信息不对称。这需要担保公司或其他途径为银行和企业之间搭桥。目前，国内担保公司众多，其中不乏中国经济技术投资担保公司、中科智担保公司、中投信用担保公司等有影响的担保公司。但整体来看，目前中国的担保公司还不够成熟，在为企业担保贷款方面作用还不大。

5.2.2.7　市场问题

低碳家具生产难，也在于消费者不太买账。因为，很多消费者对价格的关心远大于对是否低碳的关心。因此，如果要多付出金钱，他们对低碳产品就不一定买账。

另外，由于缺乏标准及管理上的问题，很多高碳的产品也能堂而皇之地登上消费舞台。而且，由于国家缺乏全面的权威认证，所谓高碳还是低碳，很多时候都只是生产厂家的自说自话，明明是高碳的产品也能包装得很低碳，让那些原本是很愿意生产低碳产品的厂家不得不采取另外一种对策。

据某企业负责人介绍说，由于他们是一个市场占有率相对较大的品牌，产品层次也很丰富，因此他们的做法是整体品牌比较低碳、环保，而中高端的产品往往也真正做到这一点，但是对于中低端的产品，有时候也不得不采用一些高碳的原材料。"这也是没办法的事情，中高端的产品的销量不算大，公司的真正利润点还是在销量较大的中低端产品上面，如果都用低碳的原材料，我们的成本就很难和其他厂家竞争。"

5.2.2.8　产品结构问题

多年的实木家具出口给我们国人造成了一个错误的判断：以为发达国家所使用的家具以实木为主，以为板式家具只是适合不发达的发展中国家和地区。事实恰恰相反，工业革命之后，现代板式家具以其绝对的制造优势应用于发达国家社会的各个层面，早已成为市场上的主导产品。家具行业著名学者、资深人士许柏鸣在一份报告中指出："目前，国内家具市场有一股盲目追逐纯实木家具的风气，这是一条极不健康的歧途，与'环境友好''低碳经济''社会公平与正义'以及'可持续发展'的世界大潮格格不入，是一种对子孙后代极不负责的行径。"

5.2.2.9　管理问题

对于家具企业来说，管理环节具有最大的节能减排空间。据统计，目前国内家具企业生产能耗很高，设备的利用率大致在60%～80%之间。材料的利用率，人造板在70%～85%之间，达到90%以上的企业很少；木材的利用率一般都在60%～70%之间，单位面积的产出在每月500元/m²的企业很少。此外，企业人工的利用率也很低。

业内人士指出，推行"精益制造"管理方式的空间巨大。只要企业降低成本，提高效率，就等于减少了能耗，少用了材料。让有限的材料、能源和人力资源都充分地使用到创造价值上，这本身就是最好的"低碳经济"。

尤其要重视产业链管理。家具产业链大概可以分为3个阶段：第一为原料采购阶段；第二为生产阶段；第三为终端使用阶段。

家具生产实际上只是个物理的过程，家具原材料是否环保，对家具产品是否环保有决定性作用。在家具原料中最易引起污染的有两方面：①板材，各种人造板加工过程中需使用粘胶剂、硬化剂、防水剂等化学原料，会释放出游离甲醛等对人体有害的物质；②涂料，不合格的家具涂料大量含有甲醛、苯等有毒有害物质。就涂料而言，目前仍有企业在利益的驱使下生产和使用含有二氯乙烷的等高毒性的家具涂料产品。二氯乙烷的高毒性，无论是对家具厂的涂装工人还是消费者都会产生很大的危害。2011年6月在北京签署的《家具漆北京环保宣言》正是涂料行业为净化家具产业链中涂料环节而作出的努力。

家具生产阶段污染严重。目前，中国家具涂料仍然以溶剂型产品居多，有溶剂就肯定有污染。据相关资料显示，中国家具涂装的VOC排放所产生大气危害仅次于汽车尾气。大部分家具制造企业控制VOC的工艺大多为"水帘柜""活性炭吸附"或"水喷淋＋活性炭吸附"等治理方法，这些方法对 VOC 处理能力非常有限。甚至有些企业的 VOC 处理设备只是为了应付检查，大部分时间处于待机状态，一点点作用也没有发挥。中国家具协会理事长朱长岭曾指出："如果家具的生产过程不环保，即使产品是合格的，也不能算环保家具。"家具从生产到销售往往要经历数月时间，在这期间很多有害物质已经逐步排出，等到真正到消费者手中的时候，家具的各方面检测已经合格，但是这显然不能成为环保家具。可以想象，中国一些所谓的环保家具是有害物质集中排放后的产物。

销售环节要减少能耗。业内专家表示，目前家具业销售环节，损耗和成本非常高，至少占到总成本的 35% 左右。产品包装，物流过程，销售流程，店面管理，店面设计等，都存在着大量不环保的弊端，这些弊端时刻吞噬着企业本来就不丰厚的利润。

5.2.2.10　分销渠道问题

仓储过程中，一是家具产品仓储中心必须对之进行养护，采取的一些方法或化学剂对周边生态环境甚至人畜安全会造成威胁；二是家具产品中存在一定的有毒物质，如人造板材料中甲醛的释放，是家具行业最突出的，也是最难彻底解决的问题。涂料中也含有大量的有毒物质，如甲醛、重金属、剧毒颜料、苯、甲苯、游离 TDI 等，在仓储中长期放置，会污染周边的环境。

流通加工是在流通阶段所进行的、为保存和便于销售等对家具产品进行的第二次加工处理。其中存在的问题是：①由于消费者分散而单独进行的流通加工，资源利用率低下，如家具企业为满足个别消费者的需求而对家具产品进行分散加工，既浪费资源，又污染了空气。②家具产品分散流通加工产生的边角废料，难以集中和有效再利用，加工生产时产生的废气、废水和废物及设备的噪音都会对环境或人体构成危害且浪费严重，无法对剩余材料进行再次利用。

在物流体系中，需要包装来保护产品。同样包装能对环境产生不利的影响，一方面是包装材料的环境污染，一次性难降解包装纸（塑料包装纸）长期留在自然界中，会对自然环境造成严重影响。另一方面是过度的包装或重复的包装，造成资源的浪费，不利于可持续发展，也无益于生态经济效益。同时，废弃的包装材料还是城市垃圾的重要组成部分，处理这些废弃物要花费大量人力、财力。

装卸过程中的非绿色因素有：由于装卸不当导致家具的损坏，造成资源浪费，废旧产品排放到环境中对环境造成全方位的污染。废旧家具产品所产生的各种有毒气体、重金属、有机物，严重污染水体和土壤并影响地下水质；废弃物发酵过程中产生的甲烷气体则污染大气；游离甲醇严重危害人类的健康，尤其是儿童的身体健康。

　　中国的家具回收行业基本属于一个资源涣散状态，家具的回收往往没有明确的废品回收系统，民间回收来的家具通常是：重新修复后在旧货市场上销售；分离成部件以木材方式买卖；当做燃料被烧掉。回收市场较为零乱，多为非产品企业所为。总的来说，中国的家具产品回收还处在很原始的阶段。建立完善的家具产品回收系统，是一个比较复杂的网络，并非一朝一夕，得从产品的整个生命周期范围，包括绿色产品的开发、设计、制造、生产、销售、物流、回收、管理等整个循环系统来考虑如何绿化各环节，如何利用废旧家品，来实现经济与环境的平衡发展，这也正是中国家具企业正在为之奋斗而努力实现的目标。

5.2.2.11　低碳环保认证问题

　　中国家具低碳环保认证无序。很多家具厂商都大打环保低碳招牌，吸引消费者的目光。环保认证方面国家并没有强制认证规定，而是采取自愿的原则。现在家具市场上的低碳环保认证都是一些行业协会、学会、促进会等颁发的环保认证，但这些协会机构是否有正规备案，他们作出的环保认证是否真实可信有待商榷。

　　"中国环境标志"认证（通俗所说的"十环认证"）和"绿色产品"质量认证这两个具备官方性质的正规认证标志，前者是国内最高级别的环保产品认证，认证环节极其严格，其唯一的认证机构是国家环境保护部环境认证中心。后者则是对产品的环境性能作出的一种带有公证性质的鉴定，能对产品的全面的环境质量作出合格评价的认证。这两个认证标准还是可信可靠的。

　　然而，中国环保认证标志的颁发机构，除了环保部的认证中心外，还有数以百计的各种环保认证机构。但认证机构门槛较低，注册资本只需 300 万元，成立的模式类似企业注册，且为企业的产品做认证都是要收取各种费用的。一些不规范的认证机构和认证公司把低碳环保认证标签当做摇钱树，实际上助长了不良家具企业对消费者的欺诈，也损害了真正践行环保理念家具企业的利益。

　　现在很多的认证机构擅自委托代理，家具企业只要交了钱，两三个月就可以拿到认证证书，且还没有后续的监管。认证的权威性、真实性严重打折，会给消费者带来严重的误导，导致了今天家具市场上消费者对各种认证一律不买账的结果。这实际上是不利于整个家具行业发展的。

　　低碳环保认证机构应该是独立于厂商、销售商和消费者的、具有独立法人资格的第三方机构。比如在美国，以认证，或者出具公共评价报告为主要产品的组织基本上都是非营利组织。而在中国，这种情况却不同，直接导致了目前中国家具市场低碳环保认证的混乱。

　　认证标准也比较混乱，有关家具的国家标准还存在着打架现象。我们国家既有家具的标准也有室内装修的标准，但这两个标准有差异，到底该根据哪个标准进行认证，至今行业也没有一个标准。

因为国家目前没有相关的标准和严格规定，所以在家具产业的上游如黏合剂、板材、油漆等市场充斥的是大量高碳且有一定污染的产品。如果选择为数不多的低碳原材料，成本无疑要高出一大截，而且，即使这些低碳的原材料，能否保证100%的低碳环保，也不敢肯定。另外厂家也会在送检家具上做文章。很多家具企业给消费者提供的报告是当初优质产品时候做的报告，但是销售产品的时候，卖给消费者的可能就不是当初做报告的那个产品。

5.2.3　影响中国家具制造业发展的其他问题

5.2.3.1　企业战略

家具企业盲目跟风，看到任何一款家具产品好卖，立刻投入生产，完全不顾企业现有的产品定位和消费群定位，打短线提销量，不考虑长期的业务发展规划。事与愿违，短线的操作结果往往是快速开发的家具不成产品体系，没有明显的业务主线，从而陷入低级的恶性竞争怪圈，造成巨额浪费。很多的家具企业在经营中都只在更多地注重短期的营销业绩，而不是关注到底有多少家企业在这一时期都在生产同一种款式的家具，他们的产量有多大，面对这种市场状况自己该做什么样的长期打算？自己的销售目标能达到多高？一旦出现相同家具大量供应的状况时，价格战、客户争夺战等恶性竞争手段就随之而来，因为产品销量下滑引发回款缩减，进而恶性循环，企业越发试图在短期内想捞回来，因此更注重短期行为。

营销战略包括：市场调研、市场细分、目标市场、市场定位、市场规划。家具企业的核心问题是缺乏整体战略规划意识和技术。

5.2.3.2　产品开发

家具产品的划分相对粗放，包括一些专业书籍也是从生产角度进行的，完全没有按照市场角度进行划分。多数企业无法规划出清晰的产品线，以至于无法支撑品牌形象。更多企业停留在产品竞争阶段。以"市场需要什么就生产什么"的经营思维，制定产品策略。

家具研发人员其实就是电脑绘图员。设计师的重要任务之一就是"抄袭"，众多企业老板就是总设计师，看到市场上什么好看的款式或根据自己的想象与爱好，画个草图直接坐在设计师旁边，指挥如何勾画。导致设计人才缺乏创新精神，开发产品缺乏市场论证性。在中小家具企业或出口转型企业中这类现象最为突出，核心问题还是在于企业间竞争手段集中在家具产品款式上。从市场营销角度来看，产品价值分为核心层(使用价值),即产品为使用者(消费者)带来的直接利益;形式层(外在表现),即外观、重量、体积、材质、手感、商标、颜色、包装等;延伸层(附加价值),即服务、承诺、身份、荣誉、体面等。而家具产品本身的使用价值是相同的,核心价值同质化非常严重。事实上家具应该是以形式层和延伸层为主要竞争手段的产品。如果企业由原来的生产专家转型做营销专家,会突然发现"原来可以更好"。

5.2.3.3　价格控制

家具卖场租金越来越高,经销商对价格的敏感程度越来越高,厂家拼命压价而零售价格居高不下,影响销量。家具企业的利润空间主要集中在经销商手中。市场竞争激烈,经销商没有忠诚度,企业没有建立独立的渠道来实现对终端的控制,失去终端的企业就如同失去市场。以广东企业为例,数千家家具厂,能有效控制终端的又有几家?当价格成为竞争手段,靠新货来赢得利润也就顺理成章。无法对终端价格形成控制以至于价格背离市场定位,核心问题是厂家对营销工作的放弃。

5.2.3.4　组织实施

企业需要营销组织来实现一系列的营销动作,但家具企业发现往往现有的组织并不能真正符合变革需要。目前很多企业建立营销机构面临两大问题,即企业对营销功能的理解层面水平和人力资源现状的局限。人力资源困局主要表现在人员招聘难、稳定难和监督难三个方面。

5.2.3.5　服务保障

各地方市场的经销商无完善的售后服务,配送、安装、调试,无后续的维护清洁等。厂家对自己的家具产品质量无信心,没有给经销商提供产品质量的承诺,而经销商一般只敢向顾客承诺一年内的质量保证。而对于配送、安装、调试,则由于经销商出于成本的考虑,不愿为顾客提供额外的服务。

5.2.3.6　广告推广

每个企业都曾经或者正在投放各种形式的广告,但依然无法改变市场销售低迷的现状,经销商见了广告会来看看,但未必会签约合作。本来利润就不大,越投放广告亏损越大。在广告形式上往往简单认为广告投放多、请明星代言最好。广告是一个传播过程,传播给谁、传播什么内容、怎样传播都是需要科学规划的。眼下多数家具企业的广告都是打给经销商看的,在当前的市场格局情况下,这样的广告是无法发挥应有的作用。广告策略包括投放策略、路线策略、表现形式等。记住了企业聘请的代言明星,但怎么也记不起这些明星在为谁做什么产品广告。这种广告策略只注重借明星打知名度,却没有将明星和产品的利益相关联,最后成了给明星做广告了。

其实,好的广告策略前提是:①有准确的品牌定位,明确目标人群;②恰当的广告表现及媒体组合；③聘请好的广告公司制作出高质量的广告创意。只有运用科学的广告策略，综合提升品牌管理能力，实施规范的品牌管理，才能彻底改变行业广告推广的困局。

5.2.3.7 品牌建设

目前一些家具企业已经开始重视品牌建设，导入企业识别系统（CIS），以全国连锁加盟店的形式，开始了企业自身品牌的推广。但总体来看，家具企业的品牌构建，还处于初级阶段。

在品牌建设中存在诸多问题：①品牌理念误区。一些企业在濒临市场困难时，就想到要树立品牌，创新通路形态，而一旦有了新的财路，又将品牌建设抛在了脑后。许多企业经营者对于品牌经营在观念上存在误区，认为建设品牌是花钱的事，企业的目标是赚钱，致使品牌不能坚持和延续。②品牌定义片面。一些企业导入了品牌的视觉识别系统（VI）系统，但品牌识别只是品牌建设中的一小部分。许多有 VI 的企业并没有建立品牌的核心理念。顾客对品牌的感知也只是从视觉的印象而来，对品牌内涵没有更深刻的认识。建立品牌核心价值，需要推广沟通才能获得。③品牌理解单一。企业的品牌建设，是一个综合的系统工程，需要采购、生产、营销等各个职能部门的参与，更重要的是需要来自管理层的品牌建设战略思想和具体的管理执行。许多企业虽然有注重网络建设的意识，重视维持客户关系，却并没有从企业长期核心竞争能力的建设上，形成通路经营战略与品牌战略的结合，因此，简单的通路操作，就陷入了客户被瓜分的困惑，而始终无法在通路中体现品牌的力量。④全国性专业卖场缺乏市场消费引导。虽然一些家具卖场也初具规模，但整体商业利益驱使第一，消费意识淡薄，不能有效捕捉市场的实际需求。而一些品牌独立形象的专卖店，对于品牌推广具有一定的促进作用，但因规模小不能满足消费者的多样化需求。

从出口来看，中国家具出口以木制家具为主，对木材的消耗巨大，对技术水平的要求相对不高，加之设计水平滞后于发达国家。在国内外市场需求迅速增长的刺激下，国内很多家具企业跨过"低门槛"，一味跟风仿制，在家具款式上出现"小厂仿大厂、大厂仿国外、同类企业互仿"的局面。造成中国家具出口产品同质化现象严重，出口产品主要以中低档产品为主、而具有民族化特质和国际化设计理念的原创力产品十分缺乏。这样一来，容易引发涉外知识产权诉讼。

5.3　中国纸及纸制品业低碳化发展存在的问题

5.3.1　纸及纸制品业的产业特点

5.3.1.1　纸及纸制品业与国民经济发展密切相关

纵观世界各国纸及纸制品业发展规律可以发现，纸及纸制品业产品纸张的增长率与国民经济增长率基本平行发展，纸及纸制品业与国民经济发展有着相互依存的密切关系。在经济发达国家，纸及纸板消费量增长速度大体上与国内生产总值增长速度相当；而在发展中国家则高于国内生产总值增长速度，近些年中国纸及纸制品业的发展也呈现出这样的特点。

5.3.1.2　纸及纸制品业是重要的基础原材料工业

纸及纸制品业是国民经济中的重要产业，在现代经济中所发挥的作用已越来越多地引起世人瞩目。纸及纸制品业是发达国家国民经济十大支柱性产业之一。在各国，纸和纸板的总量中 80% 以上作为生产资料用于新闻、出版、印刷、商品包装和其他工业领域，不足 20% 用于人们直接消费。纸及纸制品业关联度大，涉及林业、农业、机械制造、化工、电力、交通运输、环保等产业，对上下游产业的经济有一定拉动作用（王海刚，2004）。从纸及纸制品业的产业链来看，纸及纸制品业发达的国家均已形成了纸浆林栽培、造纸助剂、纸制品及深加工产品生产为一体的链条式格局。因此，纸及纸制品业的发展可以带动林业、化工、包装、建材等相关产业的发展，从而满足和扩大国内需求，对国民经济产生强有力的推动作用。

5.3.1.3　纸及纸制品业是技术和资金密集型产业

首先，纸及纸制品业是资本密集型产业。在造纸生产过程中，需要耗用大量的水、电以及各种化工产品。因此，造纸厂的建设需要耗用大量资金。现代纸及纸制品业建设规模大、起点高，一些高度发达国家的纸及纸制品业明显具有资本密集程度高的特点。

其次，纸及纸制品业是典型的技术密集型产业。技术密集反映在从工艺到装备等多个方面，但主要是反映在设备上，设备水平直接决定了企业的生产规模和产品质量。纸及纸制品业集现代化工程、大型高速机械、计算机自动控制系统于一体，产品的竞争力在很大程度上取决于设备的先进程度，通常设备购置的投资占到整个纸厂投资的绝大部分，技术密集是纸及纸制品业的重要特征之一。

5.3.1.4　纸及纸制品业是资源和能源消费型的产业

纸及纸制品业耗用大量的木材、水、电、化工产品。纸及纸制品业是木材消耗量最大的森林工业。从世界范围来看，造纸所消耗的木材约占木材总消耗量的 12%。据统计，以木材为原料，每生产 1t 铜版纸需要的木材消耗量为 4～5m³。另外，在造纸生产过程中，需要耗用大量的水、电资源。即使纸及纸制品业很发达的日本，纸品业也是耗能型产业，消费的能源相当于日本制造业总能耗的 5% 左右。不过随着技术水平的提高，国外先进造纸企业造纸取水及能源消耗不断减少。

5.3.1.5　纸及纸制品业是污染密集型产业

纸及纸制品业是资金密集型、技术密集型产业，这其中也包括治污工作的资金密集和技术密集。尽管当前一些高度发达国家，如美国、日本以及北欧一些国家，纸及纸制品业已实现了从污染大户向少污染、不污染转变，其纸及纸制品业所形成污染甚至比生活垃圾和农业污染还低。但总体来看，纸及纸制品业仍然属于污染密集型产业。

5.3.1.6　纸及纸制品业具有可持续发展性

纸及纸制品业大量消耗木材这一特点，使其可能成为森林资源的最大破坏者，但也可能是营造森林、改善生态环境的主要经营性主体之一。从美国、加拿大以及北欧的产业经验来看，这些国家的纸业公司已经成为私有林的最大拥有者，并成功地实现了可持续经营。在芬兰，林纸业是不破坏环境和可持续发展的工业，截至目前，所有的森林都得到了由欧洲承认的芬兰林业证书系统颁发的证书。世界纸及纸制品业在重视造纸林基地建设的同时，十分重视废纸的回收和利用，世界各国废纸的回收和利用率均在迅速增长，成为纸及纸制品业可持续发展的重要纤维原料资源。

传统纸及纸制品业在其生产快速增长过程中，曾是制造业中相对能源、水资源和自然林木的消耗大户，也是环境污染大户，社会形象不佳，是产业持续发展的重大障碍。但近 40 年来的现代纸及纸制品业，通过重视节能、降耗、减污、增效以实现可持续发展为目标，以不断开发应用高新技术推进循环经济为手段，进行了重大革新改造，并取得明显效果，现代纸及纸制品业已逐渐成为典型的循环经济、可持续发展的产业。因此，纸及纸制品业如果解决好原料供应、能源及资源消耗、循环利用、污染防治等问题，其发展空间是巨大的。

5.3.1.7　纸及纸制品业规模经济性突出

纸及纸制品业有着很高的规模生产要求，国际上通常的规模产能起点是，纸浆厂至少 30 万 t，造纸厂至少 15 万 t。在纸及纸制品业中，根据国际经验，新建生产能力大一倍的制浆生产线，投资仅增加 57%。对欧美一些商品木浆厂企业生产规模与经济效益关系的分析，年生产能力 50 万 t 的商品木浆厂，其投资回报率约为年生产能力 10 万 t 浆厂的 3 倍多。目前，世界纸及纸制品业先进的国家已经实现了经济规模化，规模效益十分明显。在国际市场上，不仅生产的地域集中度比较高，而且伴随着大型造纸厂规模的不断扩大，行业集中度也越来越高。

5.3.1.8　纸及纸制品业与林业不可分割

制浆造纸是一项重要的林产工业，全世界 95% 以上的纸浆为木浆，全球造纸木材约占木材总采伐量的 14.4%。从纸及纸制品业发达国家来看普遍重视林业和纸业的结合管理，绝大多数造纸强国同时也是森林工业的强国，林纸一体化是当今世界纸及纸制品业普遍采用的发展模式。国际大型制浆造纸企业以多种形式建设速生丰产原料林基地，并将造林、营林、采伐、制浆、造纸与销售结合起来，形成了良性循环的产业链。例如，排在国际制浆造纸业前列的美国国际纸业（IP）公司、太平洋公司、惠好公司都是私有林大国美国的龙头企业；斯特拉·思索纸业集团（Stora Enso）公司和欧芬汇川集团（UPM）都是私有林大国芬兰拥有的龙头企业。

5.3.2　世界纸及纸制品业的发展现状与趋势

5.3.2.1　现　状

在经历了长达 10 多年的繁荣发展，现如今的全球纸及纸制品业走势依然乐观（表 5-1）。

表 5-1　2013 年纸浆产量排名前 10 位的国家

排序	国家	产量（万 t）	年增长率（%）
1	美国	4941	-1.8
2	加拿大	1725	0.6
3	中国	1711	-9.2
4	巴西	1502	6.8
5	瑞典	1172	-2.6
6	芬兰	1038	1.3
7	日本	877	1.5
8	俄罗斯	708	-5.3
9	印度尼西亚	680	1.3
10	智利	525	1.8

根据统计数据显示，在 2013 年，全球纸浆总产量为 1.794 亿 t，比上年同期下降 1.2%。其中，化学浆产量 1.324 亿 t，比上年同期增长 0.6%；机械浆产量 3001 万 t，比同期下降 1.0%。在北美洲地区，纸浆总产量为 6667 万 t，比上年同期下降 1.2%，占全球纸浆总产量的 37.2%。亚欧的纸浆总产量分别为 3993 万 t 和 4468 万 t，分别占全球总产量的 22.3% 和 24.9%。北美洲和欧洲为全球机械浆生产集中地，它们的产量分别为 1129 万 t 和 1135 万 t，其总和占全球机械浆总产量的 75.4%。2013 年全球纸浆表观消费量为 1.81 亿 t，比上年同期下降 1.1%，其中木浆 1.69 亿 t，非木浆 1190 万 t。

全球纸及纸制品业经历了长达 10 多年的繁荣发展。在 2005 年后的几年中，总产量都大于总消费量，并在 2007 年达到全球纸和纸板总产量的历史最高值，2008 年产量出现拐点，比上年同期减少 0.7%，2009 年产量降幅高达 5.2%，降至 3.707 亿 t。

金融危机给全球纸及纸制品业带来了很大的库存压力，欧美等发达国家的造纸龙头企业都开始了不同程度的工厂关停和裁员减薪等措施。亚洲成为了各家跨国企业投资和战略规划的焦点和重心，中国更是毋庸置疑的成为全球造纸寻求利润增长点的蓝海市场。

ABB 在上海康桥投资新建的工厂落成竣工，福伊特南沙和美卓淄博的服务中心开门营业，理文造纸 12% 的股权被日本制纸集团并购，斯道拉恩索公司用 3.68 亿人民币将河北正元国际印刷包装有限公司 51% 股权收入囊中。2010 年，中国以全球纸及纸制品业救世主的姿态大放光彩。此后，国际造纸行业开始逐步摆脱金融危机的影响，造纸行业开始全面复苏。

从产地来说，2005 年以后，作为传统造纸发达地区的北美洲和西欧等地的纸和纸板总产量增幅缓慢；亚洲地区的发展中国家的纸和纸板总产量逐年快速攀升，是推动全球纸及纸制品业增长的动力所在。

表 5-2 2005～2013 年全球主要地区纸和纸板总产量(亿 t)

地区	2005 年	2006 年	2007 年	2008 年	2009 年	2010 年	2011 年	2012 年	2013 年
北美洲	1.02	1.02	1.01	0.96	0.85	0.89	0.81	0.85	0.85
欧洲	1.10	1.13	1.14	1.10	1.10	1.10	1.08	1.07	1.06
亚洲	1.29	1.41	1.52	1.52	1.55	1.64	1.72	1.75	1.79

近些年以来网络的飞速发展，无纸化办公改变了人们的工作方式，网络用户的暴增也给传统的新闻媒介传播方式带来了巨大的改变，其结果就是新闻纸和书写纸的市

场需求锐减。拿 2013 年世界纸及纸制品业的各主要产品的产量来说，新闻纸产量为 2823 万 t，同比减少 5.2%；印刷书写纸产量 10637 万 t，同比减少 1.3%；生活用纸 3242 万 t，同比增长 3.5%；瓦楞材料（原瓦楞原纸和箱纸板）产量 14973 万 t，同比增长 2.3%。除新闻纸和印刷书写纸产量减少之外，别的纸质产品都出现了增加的趋势。

5.3.2.2 趋 势

（1）"十二五"期间，全球范围内的产业结构和国际分工大调整继续进行，世界纸及纸制品业发展格局发生深刻变化，产业结构调整和转移进一步加快，新兴经济体国家将发挥后发优势，实现跨越式发展，成为世界纸及纸制品业的主要增长点。当前国际纸及纸制品业的发展趋势体现在经济规模化、产品功能化、林纸一体化、布局全球化、生产清洁化、资源集约化等几个方面。尤其值得注意的是：纸业市场呈现全球化的发展趋势，众多跨国造纸企业正在进行全球化的产业整合，充分利用各个国家的资源以降低生产成本。其中，全球纸及纸制品业向环保标准较低的国家（如中国、印度尼西亚、巴西等）转移成为一个新的特点。

世界纸及纸制品业的重要趋势是联合，过去最大的 10 家造纸公司都在美国，而现在 10 家最大的造纸公司则来自美国、芬兰、爱尔兰、加拿大、日本和挪威。几乎所有这些公司都有实质性的发展，在它们主要贸易区域外都有资产。经济压力使过去比较大的公司得以形成，下一个步骤则是跨国合并，形成多国造纸公司。北美 Stora Enso 公司人力资源部高级副总裁 Gary Parafinczuk 认为："纸及纸制品业通过合并和重组的这种联合还将继续下去……全球化将继续成为未来的趋势……要使全球市场继续发展，必须有跨地区性竞争。"

伴随网络的蓬勃发展，全球纸及纸制品业逐渐从欧美等成熟市场向亚洲、东欧及南美洲等新兴市场转移。表 5-3 显示了 2010 年全球纸及纸制品业排名前 100 位的企业概况。

表 5-3 2010 年全球纸及纸制品业排名前 100 位的企业概况

地区	公司数	2009 年销售额（亿美元）	2010 年销售额（亿美元）	销售额增长率（%）	占 2010 年总销售比例（%）	商品浆产量（万 t）	占商品浆总产量的比例（%）	纸和纸板产量（万 t）	占纸和纸板总量的比例（%）
欧洲	34	886.22	954.28	7.7	31.4	1412.9	32.1	7266.4	36.4
北美洲	32	1074.82	1152.39	7.2	37.9	1346	30.6	5920.3	29.7
亚洲	24	578.58	653.31	12.9	21.5	307.8	7	5378.2	27.0

（续）

地区	公司数	2009年销售额（亿美元）	2010年销售额（亿美元）	销售额增长率（%）	占2010年总销售比例（%）	商品浆产量（万t）	占商品浆总产量的比例（%）	纸和纸板产量（万t）	占纸和纸板总量的比例（%）
拉丁美洲	7	117.15	149.36	27.5	4.9	1328.4	30.2	676	3.4
大洋洲	1	49.31	51.99	5.4	1.7	0	0	0	0
非洲	2	65.57	78.45	19.6	2.6	0	0	690	3.5
总计	100	2771.65	3039.78	9.7	100	4395.1	100	19930.9	100

注：2009年数据为2010年修订后的财务数据。

从生产的角度来说，由于纸及纸制品业带有的劳动和资源密集型特质，欧美等发达国家的劳动力成本比较高，不具备成本优势。于是建立新型生产重心是产业发展的必由之路。在制造业内部的产业盈利上，纸及纸制品业的设计开发、生产制造和销售服务3个阶段的利润回报呈"U"型曲线，造纸跨国公司出于追逐利润的需要，也将竞争重点从产品制造转向技术开发、客户服务和其他高附加值环节（董文海，2010）。

由于欧美等发达国家内部的市场已经趋近于饱和状态，进一步挖掘消费潜力的成本比亚洲市场高，且经济复苏进程缓慢，亚洲作为新兴经济体将成为拉动经济的主要动力，对纸制品的需求也会在世界经济的复苏中逐渐增加。造纸行业需求增长主要来自于实体经济恢复带动的对造纸与纸制品需求增加，例如印刷、包装、办公、新闻出版、餐饮、卫生、装饰等下游行业的快速发展将带动造纸与纸制品需求增加。

从区位上看，亚太、拉美等地区在全球造纸行业中的区位优势逐步显现。如在成本方面，发展中国家和相对落后地区的生产成本比发达国家和地区低得多。从市场需求看，以中国、印度等为代表的发展中国家对纸和纸板的巨大需求潜力是吸引全球纸及纸制品业重心转移的一个重要因素（董文海，2010）。

世界纸及纸制品业发展重心继续向新兴经济体转移。纸及纸制品业发达国家和地区已进入平稳发展时期，发展中国家和地区在经济快速发展的拉动下，纸及纸制品业增长迅速。中国、印度、巴西、俄罗斯等新兴经济体正成为世界纸及纸制品业增长的主要力量，中国纸及纸板产量已居世界首位，但在结构调整、技术升级、减排降耗等方面还有较大的发展空间。世界制浆造纸跨国公司因之纷纷把目光转向中国以及巴西、印度尼西亚等发展中国家，未来纸及纸制品业资源、市场和人才的竞争将更加激烈。

（2）国际纸及纸制品业面临纸张市场日趋全球化及各国对生态环境质量要求越来越高的形势，采取了相应对策，以可再生的低成本林木及废纸为主要原料制浆造纸、加速技术进步、降低消耗、实施清洁生产、加速企业间联合兼并、加强市场竞争与控制能力、从追求产量转变为重视效益等方面的转变，使当今世界纸及纸制品业正朝着高速、高效、高质量、低消耗、连续化、自动化作业并与环境相协调的现代化大工业方向发展。从行业发展的角度来看，全球纸及纸制品业的下一个突破口是从森林工业进入依靠可持续的生物经济、绿色化学品、产业生态、可再生资源的发展模式。

全球纸及纸制品业的发展呈现技术先行和分工专业化更强态势。发达国家的纸及纸制品业正着眼于产业转型，希望通过纳米技术和生物精炼开发出更为环保的新型产品，提高产品附加值。亚洲和拉丁美洲等新型市场由于生产和研发条件的限制，则以扩大产能和提高原料利用率为发展目标。

世界制浆造纸生产工艺技术与装备的发展，主要围绕着减少污染，节约能源，充分利用纤维资源等目标。重点是降低粗浆卡伯值，减少漂白化学品用量或采用不产生有害物质的化学替代品，并不断改进技术装备，将科技转化为生产力。而且，工艺设备的发展离不开自动控制系统的配合。发达国家制浆造纸厂的自动化程度很高，除各工段采用先进的仪器，仪表控制产品质量外，全厂多数采用集散控制系统(DCS)联网对工艺过程进行检测、操作和控制。目前，全球纸及纸制品业正在进行新一轮的结构调整，纸业专业化分工越来越明确，并由过去的贸易出口为主转向投资建厂。

(3)造纸原料将是各国争夺的焦点。国际造纸跨国公司经过多年发展，确立了林纸一体化的发展模式，随着造纸资源供应的日益紧张，其越来越重视造纸原料的保障。近年来，国际纸业跨国公司在巴西、智利、印度尼西亚等林木资源丰富的国家和地区采取多种形式控制林地资源、培育原料林基地和建设木浆厂。世界各国也越来越重视本国废纸资源的回收利用，世界废纸回收量由 2005 年的 1.826 亿 t 提高到 2013 年的 2.329 亿 t；回收率由 2005 年的 49.8% 提高到 2013 年的 57.7%。发达国家普遍超过 60%，英国、法国超过 80%，中国为 44.7%，低于世界平均水平。

(4)绿色低碳之路引领世界纸及纸制品业持续发展。世界纸及纸制品业通过加大废纸利用、林纸一体化、采用节能减排技术，实现了原料—制浆造纸—原料再生的良性循环，走上绿色低碳发展之路。废纸的大规模资源化利用，极大地节约了森林资源；林纸一体化发展大幅提高了林地生产力，改善了当地生态环境，固碳效果显著，实现了造纸、林业、生态的协调发展；制浆造纸装备的大型化以及从植树到污染防治工艺技术的全面改进，使能耗、物耗和污染物排放降低到较低水平。纸及纸制品业具有低碳、绿色、可循环发展的潜力，在全球经济发展中仍具有旺盛的生命力和发展前景。

(5)世界大型制浆造纸装备供应仍处于垄断局面。多年来，世界上少数几家主要制浆造纸装备供应商，依靠品牌优势、研发能力、精密制造以及强大的资金实力和市场拓展能力，基本垄断了大型制浆造纸装备供应，这一局面短期内难以改观。中国现已成为世界制浆造纸装备的主要市场，但大型制浆造纸装备主要依赖进口，导致投资成本提高，阻碍了众多中小型制浆造纸企业装备大型化步伐，中国制浆造纸装备自主化水平亟须提高。

5.3.3　中国纸及纸制品业能源消耗及污染物排放

总体来看，纸及纸制品业与低碳化发展模式不相符的突出表现是能源和资源的消耗以及污染物排放两个方面。

随着中国工业的高速发展，2009 年，中国二氧化碳排放总量达到 31.2 亿 t，约占全球 20%，成了全球当之无愧的二氧化碳排放大国，总排放量超过美国跃居世界第一。2013 年，中国二氧化碳排放总量超过 100 亿 t，超过欧盟和美国的总和，约占全球的三成。为全面控制温室气体排放，减少人类活动对自然的影响，作为世界能源生产大国，同时也是能源消耗大国、二氧化碳排放大国。中国政府积极参与制定中长期应对气候变化的框架条约，完善应对气候变化的法律法规，推动应对气候变化的政策落实，为应对全球气候问题积极行动，承诺到 2020 年单位国内生产总值二氧化碳排放量比 2005 年下降 40%～45%。

纸及纸制品业作为制造业中的能耗大户，其能耗占中国工业总能耗的 1% 左右，能量利用与国际先进水平相比还有较大差距。因此，明确中国纸及纸制品业 2020 年的节能减排目标，制定相应政策，加快淘汰该行业的落后生产能力、工艺、技术和设备，对推动中国实现 2020 年的节能减排总目标具有重要意义。

在分析研究 2001～2010 年中国纸及纸制品业技术经济等相关数据的基础上，预测 2011～2020 年中国纸及纸制品业的经济发展状况，得出 2020 年该行业 GDP 约为 9813.9035 亿元，纸和纸板产量约为 21848.9517 万 t，纸浆产量约为 16003.4649 万 t（韩青，2012）。以中国政府公布的到 2020 年单位国内生产总值（GDP）二氧化碳排放量比 2005 年下降 40%～45% 的节能减排总体任务目标为出发点，通过 2020 年纸及纸制品业单位 GDP 二氧化碳排放量，进而预测出 2020 年中国纸及纸制品业吨浆纸能耗目标为 0.90～0.98t 标准煤。目前吨浆纸能耗约为 1.09t 标准煤，则 2011～2020 年吨浆纸能耗应减少 0.11～0.19t 标准煤。但与国际先进水平的 0.61t 标准煤相比，差距仍然较大。要继续降低中国纸及纸制品业的吨浆纸能耗，达到国际先进水平，除了要继续严格执行落实已有政策措施外，针对发展过程中所面临的挑战，要不断与时俱进，采取相应对策促进低碳发展，使其符合同期行业发展的需要。

5.3.3.1　能源消耗

中国纸及纸制品业不仅是用水大户，而且也是能耗大的产业。虽然近几年其能耗量占国家整个工业生产总能耗的比例不大，但是由于能耗与生产总值比例过高，也被列为高能耗行业。纸类产品生产过程中需要消耗大量的煤炭和电力资源。中国纸及纸制品业生产吨浆纸和纸板平均综合能耗，据专家预测为世界先进水平的 1.5 倍，除部分先进企业外，大部分企业仅相当于国外纸及纸制品业先进国家 20 世纪 80 年代水平，有的甚至更低。不过，虽然在中国纸及纸制品业产量不断增长的过程中能源消耗量也不断增加，但是，随着技术创新和设备更新，纸及纸制品业单位产值能耗已经开始减少。

5.3.3.2　资源消耗

（1）木材资源。我国纸及纸制品业已成为世界木材的最大用户，全球造纸原料中木材已占到 93% 以上。据统计，以木材为原料，每生产 1t 铜版纸需要的木材消耗量为 $4 \sim 5m^3$。世界上主要造纸国家之所以广泛采用木材造纸，是因为木材更适合现代纸及纸制品业对生产规模、技术、产品质量和环境保护的各项要求。选择木材作为造纸原料，可以扩大企业规模，提高产品质量，而且在控制污染方面也有成熟的工艺。同时，用木材作为原料也可以促使产业向循环经济方向发展。另据统计，全球造纸用材为世界工业用材的 27%，每年消耗 7 亿 ~8 亿 m^3，需要砍伐几千万公顷林地。许多年前，有人曾担心纸业是否会成为破坏全球生态系统的罪魁祸首，但是多年来世界纸业的发展证明，纸业不但没有破坏生态，而且还促进了林业的生态建设。纸业把林业基地建设作为自己生存的重要条件，形成循环经济，这是当代纸业的一条成功经验和发展模式，这一点已从北欧、北美洲等纸业较为集中国家的纸业发展中得到了印证。

由于中国森林资源数量及相关保护政策的影响，纸及纸制品业对中国森林资源的消耗量并不多，与世界其他国家相比，中国木材的消费结构并不合理。据多年对森林资源消耗量和消费结构的调查资料统计分析，中国用于商品材消耗约占 45%，农村自用和薪柴约占 50%，培植用材消耗占 2%，造纸用材只占 3% 左右。如何解决造纸原料需求与木材资源之间的矛盾是我们面临的一个重要问题。

（2）水资源。在中国，由于企业规模小、造纸原料结构不合理、技术水平相对落后等原因，造纸过程中水和电消耗巨大，特别是水的消耗。中国纸及纸制品业单位产值用水总体上呈现下降趋势，但纸及纸制品业造成的水资源浪费现象依然比较严重。纸及纸制品业一方面消耗着大量水资源，另一方面又在生产过程中排出大量废水对水体造成严重污染，这一现实问题使得纸及纸制品业成为中国环境污染的主要责任者之一。

（3）污染物排放。随着人们环保意识的提高，环境污染现象成为社会关注的焦点，很多行业都开始认真对待治污问题。纸张是人们每日生活的必需品，然而因为生产工艺的特殊要求，使得纸及纸制品业依旧是主要的环境污染源，正因如此，人们对造纸企业的环境污染问题格外关注。

纸及纸制品业对环境的污染包括大气污染和水污染。其中最主要是水污染。

导致空气污染的是生产过程中工业二氧化硫的排放。虽然纸及纸制品业二氧化硫排放的比重并不大，但是排放总量在不断增加。

中国的水污染治理中，与生活污水相比，工业废水的污染物量大，而且不同行业的废水成分不同，有些还有毒性，具有复合型、压缩型的污染特征，在技术处理上更复杂，难度更大。工业废水对环境的污染更加严重，随着中国工业的快速发展，废水的种类和数量迅猛增加，对水体的污染也日趋广泛和严重，威胁人民的健康和安全。加快治理工业废水，不仅关系到人民身体健康、生态安全，更直接影响到中国工业的健康发展。

工业废水对地表水、地下水、土壤等进行多方面的污染，其污染成分难以在环境中自然降解，并可以通过植物、动物的食物链进入人体，严重影响人体健康。其中，重金属废水又是工业废水中对环境影响最大的。2013年，全国工业废水中汞、镉、六价铬、铅、砷的排放量分别为0.916t、18.435t、58.29t、76.11t和112.23t；化学需氧量（COD）和氨氮的排放量分别为2352.72万t和245.66万t。

从行业的角度来看，造纸、化工、纺织、食品、热电、冶金、煤炭、饮料、核燃料、石化是工业废水排放量较大的行业。从国外的情况来看，国外浆纸业在20世纪五六十年代，用水量和水污染物排放量也是十分惊人，但在重视与节约自然资源的社会压力和政府不断修改的法规制约之下，到20世纪八九十年代情况就有了根本性的改善。由于大量先进技术的采用，在这些国家中，纸及纸制品业已进入到可持续发展的循环经济的行列。

5.3.4　中国纸及纸制品业能够实现低碳化发展

5.3.4.1　纸及纸制品业低碳发展优势明显

发展低碳经济，重在发展低碳产业。那么纸及纸制品业在发展低碳经济中能有所作为，能发展成低碳产业吗？低碳经济的核心指标是碳生产率。"碳生产率"等于经济效益与碳排放量的比值，比值的高低反映单位二氧化碳排放产生的经济效益的大小。低碳产业的重要指标是碳汇率。所谓"碳汇率（carbon-sinksratio）"，就是一个企业（或一项生产）的"碳汇（carbon-sinks，碳吸收和储存量）"与"碳源（carbon-source，碳产生和排放量)"之比。如果企业的碳汇率大于 1，则该企业运行和发展过程中具有低的二氧化碳排放量，当然也是低碳企业。

国际上有不少学者就木材和纸及纸制品业对发展低碳经济的作用问题进行过许多研究和讨论。有代表性的是联合国粮农组织(FAO)、国际能源署(IEA)和国际森林与造纸协会联合会(ICFPA)共同组织的 2006 年 10 月在罗马召开的"国际能源和林产工业研讨会"。会议一致认为，林产工业通过优化原材料使用、提高能效、生产生物质能源和扩大生物质精炼产品的利用范围，可以在减缓气候变化方面起到非常重要的作用。另外，日本《木材工业》2008 年第 2 期刊登了一组系列文章，全面论述了防止全球变暖与木材利用的关系。纵观国内外研究结果，可以得出几点认识：

(1)可再生木材资源是今后人类应该充分依赖的资源。木材和纸产品是可再生和可循环使用的产品。林产工业可以扩大生物质能源的使用，减少对化石燃料的依赖，减少二氧化碳的排放。

(2)木材和纸制品在碳循环过程中是储碳的载体，具有"碳储存效果"。其碳储存作用可以净减少排放的二氧化碳。

(3)木材利用和林产工业具有替代化石燃料的效果。在木材的生命周期内，林地剩余材、加工剩余材、产品废材及循环利用材等林产品，以及制浆纸及纸制品业等林产工业所产生的废弃物，如黑液、边皮、木屑等几乎都可有效利用为生物质能源，替代化石。

(4)现代先进的纸及纸制品业是一种典型的低碳工业。例如，WACté 等人用数学模型对位于德克萨斯州的德克萨卡纳(Texakana)造纸厂从森林培育到制浆造纸整个产业链的碳平衡进行了详细的计算和分析。该纸厂用 59% 阔叶木和 41% 针叶木制浆，生产漂白纸浆和纸杯纸。此纸厂的规模较大，年消耗绝干木材原料约 130 万 t，年产纸量约 56 万 t(绝干计)。该厂的能量转换设备有两台动力锅炉和两台余热锅炉，消耗的能源主要为生物质燃料(树皮和制浆黑液)。当用最保守(原料林的生长率较低)条件时，计算结果的碳汇率为 1.38；按最积极(原料林高的生长率)的条件，碳汇率则可达 2.81，正常计算结果的碳汇率为 1.55。计算结果还显示，在该厂林纸全过程产生和释放的二氧化碳中有 23% 是由化石燃料产生的，77% 由生物质产生的；在制浆造纸工厂产生和释放的二氧化碳中，有 19% 是由化石燃料产生的，81% 则由生物质产生的。又如，中国泰格林纸集团属下湖南骏泰浆纸公司用木材为原料生产 40 万 t/年漂白纸浆，使用的能源 100% 为生物质燃料(浓缩黑液和树皮、木屑、生物污泥等固体废物)发电供热，正常生产时不需补充化石燃料，更有效地减排二氧化碳和二氧化硫。

一般认为由生物质(燃料)产生的二氧化碳是自然界可循环的，而由化石燃料产生的二氧化碳才是大气温室气体的增加量。从这个角度看，纸及纸制品业在低碳经济中更具有优势和竞争力。

纸及纸制品业离不开林木资源。有人指责纸及纸制品业是一个林木资源消耗型行业，这是一种误解。具有社会责任感的造纸企业都没有去破坏原始森林的，而是开发种植速生原料林。造纸生产的需求会推动人们植树造林，是一个有助于优化地球生态的低碳行业。

以高档纯木浆纸为例，每生产 1t 纸，需要 $4m^3$ 林木，而自然界每积蓄 $1m^3$ 林木，平均吸收 1.83t 二氧化碳，释放 1.62t 氧气。一条产量 40 万 t 的现代化纯木浆纸生产线，不论企业是否自己种植林木资源，都能够直接或间接拉动社会生产 160 万 m^3 林木，这些林木能够吸收 300 万 t 二氧化碳，放出 260 万 t 氧气。

由此可见，只要坚持科学发展，纸及纸制品业与环境之间不是天敌，而是朋友。现代造纸完全不同于传统造纸，传统造纸是"两高一资"的发展模式，现代造纸则是一个典型的低碳经济行业、循环经济产业。造纸行业应该成为低碳经济的先锋，成为低碳时代的宠儿，相信以绿色低碳为导向的中国纸及纸制品业，一定能实现历史性的突破，实现持久健康的发展。

5.3.4.2 纸及纸制品业的低碳循环

（1）回收利用生物质能源。通常来说，我们认为导致大气中二氧化碳增加的主要来源是来自化石燃料，而由生物质燃料产生的那一部分被认为是可以循环的，不算在内。制浆造纸中纤维原料（占造纸原料的 89% 左右）为可再生资源，可以有效地形成碳循环。例如制浆造纸的过程中产生的一些生物质包括树皮、黑液等，都是很好的燃料。我国工艺先进的制浆造纸企业可以百分之百满足自身供电的要求，甚至有些企业还有富余的电能可以对外供应。

（2）回收利用化学药品。碱回收工艺可以回收主要化学药品。

（3）回收利用废纸。由于废纸是优质的造纸原料，且与纯木材纤维相比，储量较丰富，因此，现在废纸已经成了造纸原料的重要组成部分。使用废纸不仅可以节约资源，而且也同时减少了纸及纸制品业对环境的污染。

（4）回收利用白水。只要充分发挥好制浆造纸过程中的资源、能源"能循环"的优势，解决好循环过程中的各种障碍，即可把资源、能源消耗降低到最低水平。

5.3.4.3 纸及纸制品业节能减排潜力巨大

依照卡亚公式原理，人均"碳足迹"（表示一个区域的"碳耗用量"）取决人口数量、人均 GDP、能源强度和单位能源含碳量等几个变量。因此，降低碳耗用量的有效办法只有降低能源强度（节能）和降低单位能源含碳量（使用新能源），因而通过"节能"达到"减排"是当前最现实和最重要的抓手。

　　纸及纸制品业，在从传统走向现代的过程中，恰逢低碳经济时代的到来，这既是挑战也是机遇。由于产业污染密集的特点，2010 年，在节能减排的大背景下，造纸行业成为了调控的重点，也成为国家环保部监督的重点。中国纸及纸制品业必须以绿色低碳为突破口，通过实施一系列变革，努力实现跨越式发展。在国家大力推动和企业积极参与下，节能减排逐步成为中国造纸行业的共识。

　　(1)减排空间大。与发达国家对比可以发现，中国仍处于经济高速发展阶段，能源需求量巨大。同时，中国节能减排工作起步较晚，无论是从管理方式上来说还是从技术水平上来说，都有很多值得改进的地方，这导致中国的能源利用率偏低，同国际吨产品(浆、纸和纸板)综合平均能耗 0.61t 标准煤的先进水平相比，在降低单位产品能耗方面还有一定的空间。

　　(2)减排成本低。发达国家的减排成本与中国相比较高，每吨的成本超过 30 美元，而中国只有 15 美元左右。另外，随着国际社会对节能减排的越发重视，能源的使用量也越来越多，中国也可以更多地申请利用碳排放交易中的清洁发展机制项目，从侧面再次降低减排成本，促进其节能减排工作的深入开展。

　　(3)交流空间大。全世界都非常重视气候问题，发达国家为了购买到更多的二氧化碳排放额，同意将与节能减排相关的技术介绍给发展中国家。在此状况下，鉴于中国在制浆造纸低碳技术方面与国外相比还有一定差距，应利用机会，适宜引进先进技术和装备，以促进中国纸及纸制品业的发展。

5.3.5　中国纸及纸制品业低碳化发展存在的主要问题

　　国际货币基金组织统计数据显示，和英国等主要发达国家相比，中国的单位产出能耗要高很多，基本都在其 5 倍左右。即使跟部分发展中国家相比也仍然高出 2～3 倍。吨浆纸能耗比发达国家高出 70% 左右。面对严峻的形势，中国近年来出台了许多与纸及纸制品业相关的节能政策与法规，纸及纸制品业发展进入了一个新的发展期。

　　2005 年，中国发布了《国务院关于加快发展循环经济的若干意见》，其中明确要求将纸及纸制品业发展成为低碳环保的现代化工业。

　　2006 年，商务部审议并通过了《再生资源回收管理办法》，并于 2007 年 5 月 1 日起执行。其中对再生资源的界限作出了明确的解释，其中包括废造纸原料(如废纸、废棉等)等。同年年底，中国国家发改委发布了《中国节能技术政策大纲》，提出了中国纸及纸制品业的低碳发展目标。

　　2007 年，国务院印发了《关于节能减排综合性工作方案的通知》，通知中对造纸行业淘汰落后产能提出了具体要求。同年 8 月，中国造纸协会提出的《纸及纸制品业"十一五"发展的意见》中，提出在此期间要淘汰 650 万 t 落后生产能力，实现 2010 年年底前纸及纸制品业吨产品平均取水量比 2005 年降低 23m³，由 103 m³降到 80 m³，吨浆纸能耗降低 0.28 t，由 1.38 t 减少到 1.10 t。

2008 年，温家宝总理在十一届全国人大一次会议上作政府工作报告时提出了 10 条与环保和低碳经济相关的要求，首先就提到了纸及纸制品业。

2012 年，《纸及纸制品业发展"十二五"规划》由国家发展改革委员会、林业局和工信部联合发布。其中就提出要将造纸装备的自主化比例由目前的 30% 提高到 50%，同时要继续淘汰落后产能。现阶段，中国造纸技术比较落后的产能仍占 35% 左右，"十二五"期间全国淘汰落后造纸产能目标为 1000 万 t。

在此背景下，中国纸及纸制品业的低碳发展不断取得新的进展，但同时依然存在一些问题。中国纸及纸制品业由于历史原因形成的畸形的原料结构、简陋的技术装备和粗放的管理，加上企业片面追求产量和经济效益，很少顾及社会和环境效益的错误发展观，及当时有关环境保护的法规缺失，最终造成了中国纸及纸制品业成为环境污染、特别是水环境污染大户的恶果。种种问题的存在也成为中国纸及纸制品业低碳化发展的障碍。

5.3.5.1 原料结构

原料结构的不合理，已经成为国内纸及纸制品业发展的瓶颈。只有木材纤维的特性，才能够适应制造高档次、高速度、高质量产品的要求和现代纸及纸制品业的高速、高效、生产规模大型化的要求。原料结构不合理导致了一系列问题的出现，以非木材纤维为主的原料结构，是造成中国造纸企业平均规模过小、技术装备落后、产品档次低、污染严重、竞争力弱的根本原因。例如，草浆使用比率过高是造成中国纸业环境问题的主要原因之一。近几年来，中国纸及纸制品业使用的原料中，木浆的比例在不断增加，但是草浆的比重仍很高。国内大多企业生产原料多为麦草，不仅产品质量低劣，而且污染严重，治污成本巨大。当今中国纸业的主要污染源是草类制浆和漂白工程排放的废液，特别是草浆黑液由于其含硅量大、黏度高、滤水性差，造成草浆黑液提取率低、碱回收率低、用水量大。目前世界上主要的造纸国家，如美国、加拿大、日本、瑞典、芬兰等，几乎全部用木材纤维造纸。

但是，原料结构调整与森林资源保护之间又存在突出矛盾。2008 年结束的全国第七次森林资源清查数据显示，中国大约有 1.95 亿 hm² 森林，森林覆盖率为 20.36%，较 1949 年的 8.6% 增加了 1 倍多。2013 年结束的全国第八次森林资源清查数据显示，全国森林覆盖率稳步提高。森林面积净增 1300 万 hm²，全国森林覆盖率由 20.36% 提高到 21.63%，上升了 1.27 个百分点。活立木总蓄积净增 15.2 亿 m^3，森林蓄积净增 14.16m^3。但是中国森林资源保护和发展依然面临着以下突出问题：

（1）森林资源总量不足。我国森林覆盖率远低于全球 31% 的平均水平，人均森林面积仅为世界人均水平的 1/4，人均森林蓄积只有世界人均水平的 1/7。全国乔木林生态功能指数 0.54，生态功能良好的仅占 11.31%，生态脆弱状况没有根本扭转。生态问题依然是制约中国可持续发展最突出的问题之一，生态产品依然是当今社会最短缺的产品之一，生态差距依然是中国与发达国家之间最主要的差距之一。

（2）实现 2020 年森林增长目标任务艰巨。从清查结果看，森林"双增"目标前一阶段完成良好，森林蓄积增长目标已完成，森林面积增加目标已完成近六成。但清查结果反映森林面积增速开始放缓，森林面积增量只有上次清查的 60%，现有未成林造林地面积比上次清查少 396 万 hm^2，仅有 650 万 hm^2。同时，现有宜林地质量好的仅占 10%，质量差的多达 54%，且 2/3 分布在西北、西南地区，立地条件差，造林难度越来越大、成本投入越来越高，见效也越来越慢，如期实现森林面积增长目标还要付出艰巨的努力。

（3）严守林业生态红线面临的压力巨大。5 年间，各类建设违法违规占用林地面积年均超过 200 万亩，其中约一半是有林地。局部地区毁林开垦问题依然突出。随着城市化、工业化进程的加速，生态建设的空间将被进一步挤压，严守林业生态红线，维护国家生态安全底线的压力日益加大。

（4）加强森林经营的要求非常迫切。我国林地生产力低，森林每公顷蓄积量只有世界平均水平 131m^3 的 69%，人工林每公顷蓄积量只有 52.76m^3。林木平均胸径只有 13.6cm。龄组结构依然不合理，中幼龄林面积比例高达 65%。林分过疏、过密的面积占乔木林的 36%。林木蓄积年均枯损量增加 18%，达到 1.18 亿 m^3。进一步加大投入，加强森林经营，提高林地生产力、增加森林蓄积量、增强生态服务功能的潜力还很大。

（5）森林有效供给与日益增长的社会需求的矛盾依然突出。我国木材对外依存度接近 50%，木材安全形势严峻；现有用材林中可采面积仅占 13%，可采蓄积仅占 23%，可利用资源少，大径材林木和珍贵用材树种更少，木材供需的结构性矛盾十分突出。

既要保护自然资源，还要提供大量木材、板材等原材料，用这样稀缺的资源支撑纸及纸制品业显然是不现实的。为发展木浆造纸，国家采取的措施一是采用丰产林生产原料，但产量低，生产 1t 木浆需要营造 25 亩杨树丰产林，才能保证造纸厂的正常生产，中国土地资源不足，很多人士都认为，走此路实现木浆造纸不可取；但是依靠进口木材实现木浆造纸的成本很高，不是长远之计。全球木材的供应由于森林面积的不断减少，从长期来看是一个递减的趋势。而造纸用纤维的需求将维持现有的增长态势，同时，造纸用木材需求还面临着与家具（建材）用木材等其他用途木材需求的竞争，所以，中国造纸行业面临的原浆供应问题非常严峻。假如世界木浆供应量今后不大幅度增加，中国将面临原料成本不断上升及可怕的资源枯竭问题。

目前，中国纸及纸制品业的原材料主要有木材纤维、非木材纤维和废纸三大类，其中木材纤维和废纸都是很好的造纸原料。非木材纤维相对来说造纸的质量较差，同时污染也较大，中国纸及纸制品业产生的二氧化碳里有 60% 都来自于非木材纤维造纸。但由于中国非木材资源非常丰富，只要科学合理地利用，不但可以作为其他原料的补充，也可以为中国纸及纸制品业低碳发展作出一定贡献。为此，《中国纸及纸制品业发展规划》提出在第十一个五年计划到第十四个五年计划执行期间，中国纸及纸制品业的原料结构要逐渐多元化，重视和加强木材纤维原料的使用和废纸资源回用，有效利用中国丰富的非木材资源。

近年来，中国纸及纸制品业在原料结构调整方面已初见成效。1980 ~ 2013 年，中国纸及纸制品业木浆所占比例有小幅度提高，而非木浆和废纸浆的比例变化较大。其中非木浆比例由 60% 下降到 9% 左右，而废纸浆比例由 15% 提高到 65% 左右。

5.3.5.2　林纸一体化

木材不但是优质的造纸原料，同时森林还是一个巨大的碳库，面积可以达到碳库总量的 50%。中国每公顷森林每年可以吸收二氧化碳 150.47t，中国陆地植被碳汇大约可以抵消 14.6% ~ 16.1% 的二氧化碳排放量。

由此可见，树木对于保护环境和纸及纸制品业都非常重要。而林纸一体化模式正是国际上纸业和林业发达国家将这二者结合的有效方式，也是促进中国纸及纸制品业向规模化、现代化、绿色化发展的战略选择。中国已在第十一个五年规划中提到，要"对中国纸及纸制品业的原料结构进行完善，减小水耗，减轻污染，将企业集约化，并在可能的情况下实施林纸一体化工程"。实施林纸一体化工程可以在一定程度上缓解中国纸及纸制品业对木材的需求，有利于中国在未来实现以木材纤维为主的原料结构。

广东、广西、海南和福建是中国林纸一体化工程建设的重点地区，长江中下游地区一些有条件的地区、黄淮海地区、东北地区和西南地区也将建设一批林纸基地。目前，这几个区域纸浆建成生产能力总共约为 500 万 t，在建生产能力为 850 万 t，筹建的纸浆生产能力约为 1330 万 t。

据国家林业局的消息，保护林业资源固然重要，但同时也要减少对在经营林业方面的限制。中国森林 2020 年将达到 2.23 亿 hm^2，比 2005 年多出了 4000 万 hm^2，森林覆盖率将超过 23%。中国政府已经从各个角度如财政、政策等加大对林业的支持，让农民和林纸企业踏实地进行林业工作。与此同时，对于有资格的企业，政府将提供帮助，让其到国外其他地方建立林浆纸基地和车间，从而减轻原材料稀缺带来的压力。

然而，实施林纸一体化工程尚面临挑战。

（1）寻找林地难。首先，为了保护生态环境和保证农耕田地的数量，林纸一体化建设所能寻找到的林地资源非常有限；同时，林地分散程度也随着集体林权制度改革政策的推广而加剧。若要利用这些分散的土地建设林浆纸基地，不但需要很高的成本，而且也难以实现现代化和规模化经营。

（2）税赋重。林业产业的征税范围较大，在某些地方，税收种类多达 20 多种，有些税种还存在重复征收的现象。据统计，林业的税费可以高达第一次售价的一半以上。这无疑给林纸一体化的推广和实施带来困难。

（3）融资难。由于林浆纸基地的建设的时间较长，有被自然灾害等不定因素影响的可能，土地的费用又高，因此风险较大，自然而然融资也较困难。

（4）管理和技术体系不成熟。无论是国家还是政府的层面上，都缺乏针对林浆纸基地建设的指导性规划。现有的规划都较强调目标，真正切实可行的措施并不到位，可操作性较低。在政策层面上，中国政府对森林管理实行的是分类经营和适度采伐，但在具体落实上，执行的方式方法还不够科学，对生态公益林和商用林的采伐管理还不够科学。虽然国家对纸浆林的采伐作出了相对宽松的规定，但由于各地区年度木材的采伐计划都有一定的上限，且纸浆林的采伐指标作为年度木材采伐指标中的一部分，被正常计入采伐限额之内，倘若增加纸浆林的采伐额度，势必要减少其他商用木材的采伐额度，这就造成了投资者造林后并不能保证按时按量进行采伐的现象，给投资者造成了一定的经济损失，严重影响到他们造林的积极性。另外，政府部门办事效率不够高，仍存在部门间各自为政的现象，光林木采伐过程中就需要办理采伐许可证、运输证，并要经过木材检尺等诸多环节，拉长了经营时间，提高了经营成本，降低了采伐效率。

另外，缺少成熟的技术体系，例如选择合适树种的方法，让其既是制浆造纸的优质原料，又适合在所选林区生长，同时还不破坏生态环境，以及具体如何植树、如何造林、如何护林、如何加工等方面，都没有成熟的技术体系作为实际运营中的指导。

（5）缺乏有效运行机制。中国纸及纸制品业的大多数林浆纸一体化项目还只是停留在表面的层面上，即只是从表面上看实现了"一体化"，实际上并没有形成"一体化的有机结构"。

（6）发展水平不均衡。平原地区特别是水资源和森林资源相对适宜的地区，受到资源保护、政策法规等方面的制约，林纸一体化项目的发展还相对迟缓。

（7）原材料综合利用水平不高。纸及纸制品业作为具有较高附加值的朝阳产业，由于一些诸如资产投资巨大和进入门槛高等特殊原因，发展相对缓慢。对中国来说人造板工业是木材利用的主力军，若能形成林、浆、纸、板绿色供应链系统，则可大大提高有限资源的利用率。

5.3.5.3 废纸回收利用

对中国纸及纸制品业而言，当务之急是逐渐扩大造纸林基地建设以解决供需之间的矛盾。林浆纸一体化是中国纸及纸制品业解决原木浆供应瓶颈，改善纸品档次和竞争力的根本出路，但由于人口压力，林地资源有限，一体化工程投入资本较高，原木供应周期较长等诸多不利因素，中国的林纸一体化工程未来几年很难达到在加拿大、芬兰等国相应行业贡献度的水平。因此，仅仅依靠造林来提高中国纸及纸制品业纸浆中原木浆的比重，短期内难度很大。草浆造纸，环境污染在所难免；木浆造纸，森林资源难以保障；纸类产品依赖进口，又会受制于人。中国纸及纸制品业如何解决这一系列关系到产业健康发展的问题与矛盾，是摆在人们面前亟待解决的问题。

（1）除了木材纤维原料以外，废纸也是优质的制浆造纸原料。与用木材相比，每利用1t废纸可以减少一半的水耗，降低一半以上的能耗，同时还可以节约木材、降低污染，但花费却比木纤维原料低得多，仅仅为它的1/7。由此可见，扩大废纸回收利用可以对中国制浆造纸原料进行有效补充。以下几方面正说明废纸回收利用在中国仍有一定发展空间。

①城市人口逐渐增多使废纸回收空间增大。近年来，中国城市化率迅速提高。中国城市化率在十年前只有40%，而在2013年，该数值已经达到53.7%左右。每年，由农村进入城市的人口约为1800万。据估计，2030年，中国城市和城镇的人口将超过10亿人。而城市人口纸制品的人均消费量约为农村的2倍。城市人口迅速增加，纸消费量也将越来越大，随着国民经济的迅速发展，国产纸品的质量也将不断提高，因此可以回收的废纸也将越来越多。这预示着中国的废纸资源有一定的增长空间。

②纸和纸板总产量迅猛增长使废纸回收潜力增大。从最近33年（1980～2013年）纸和纸板总产量来看，1980年仅为540万t，2013年为10110万t，33年间增加了17倍，平均年增长率为7.37%。2008年、2009年和2010年受到金融危机的影响，其增长率也都保持在8%左右。2011年以后增长率开始下降，2013年出现了负增长。而根据以上的预测，2020年，全国纸和纸板总产量将达到21848.95万t。

中国对纸和纸板的需求量是很大的，因此可能产生的废纸量也相当大，若由于各种损耗存在 20% 的不可回收因素，则 2013 年可回收废纸量应可达到 7800 万 t，而实际该数值还不到一半，可见中国废纸的回收潜力巨大。

③中国纸品人均消费量有较大的发展空间。在中国，纸和纸板人均年消费量约为 72kg，与发达国家相比仍有较大差距。发达国家纸和纸板人均消费量在 2006 年就已达到较高水平，如美国是人均 314.14kg，日本是人均 242.66kg。若按照以上提到的 2020 年中国纸和纸板总产量能达到 21848.9517 万 t 的话，假设人口不再增长，到那时年人均纸消费量也只有 164kg。可见，从人均消费水平来看，中国废纸及纸制品业有一定的潜力。

④废纸浆使用比例有一定的增长空间。理论上，造纸时原生浆的比例只需 20%，而其余 80% 都可用废纸浆。世界上废纸浆利用率较高的国家，如韩国（81.0%）和英国（74.4%）等都已经达到了 80% 左右。1980～2013 年，中国废纸浆比例由 15% 增长到了 65% 左右，增长迅速，但离 80% 还有一定距离，说明废纸浆及纸制品业目前在中国仍有一定发展空间。

（2）废纸回收利用还存在以下问题。

①进口废纸资源有限。从废纸进口来看，国内造纸对废纸资源的依赖性也过大。由于美国全部是以木材纤维为造纸原料，其废纸回用率自 1996 年以来也一直保持在 36%～38% 的高位，掺用量不是很大，因此其废纸质量较好。再加上其有关废纸回用的体制和政策较完善，一直是中国进口废纸的主要来源。2004 年以后由于废纸量供不应求，中国增加了一些其他国家废纸的进口量，多元化进口的策略也一直沿用至今。

受到中国造纸原料结构的影响，中国废纸的质量并不太高，故对进口废纸资源十分依赖。但随着社会的不断发展，电子产品的功能越来越多，并且相对纸产品而言，其有方便快捷、保密性好等诸多优点。因此，在发达国家，电子产品已逐渐代替了一部分纸产品，尤其是书写纸、新闻纸等办公用纸和文化用纸。这导致这些国家的纸和纸板的产量已成下降或者停滞的趋势。

以美国为例，1999～2008 年纸和纸板的产量曲线基本是水平的。而废纸出口量却在废纸耗用量基本不变的情况下逐年增加，从 1999 年的 752 万 t 增加到 2008 年的 1871 万 t，10 年间增加了 1.5 倍。即使美国纸和纸板的产量继续维持不变，随着废纸出口量的增加，其很快就会达到极限，不但使得废纸供应紧张而且也会抬高废纸的价格。

与美国和其他发达国家不同，中国的纸及纸制品业正在蓬勃发展中，对废纸的需求也在持续增长，这无疑对全世界废纸的供应都带来了巨大的压力。据统计，2013 年，中国进口废纸的总量为 2924 万 t，同年北美洲地区和欧洲地区废纸净出口总量为 2797 万 t，还不能满足中国净进口量。世界废纸出口总量估计也只有 3000 万 t。2013

年中国的废纸进口量占亚洲废纸净进口总量 3075 万 t 的 94.5%。

因此，中国若长期依赖进口废纸，无论在价格上还是在供应上，都是要承担一定风险的。废纸价格由于中国需求过大而不断攀升，高昂的原料价格限制了国内造纸企业的投资回报率，从而长期徘徊在极低的利润水平。从全球范围看，废纸资源的利用已接近于极限，如果对进口依赖性进一步增大的话，中国纸及纸制品业的命运将掌握在国外纸业巨头手中。目前中国一方面大量进口废纸，另一方面废纸回收利用率又较其他造纸大国明显偏低，资源浪费严重。

②国产废纸供应链存在问题。一是不够合理的国产废纸资源配置。由于中国草类资源比木材纤维资源要丰富很多，因此，草类纤维在中国纸及纸制品业的原料中仍将长期占有一席之地。但草类的生长周期毕竟很短，用草类为原料生产出的纸张仍有一些性能上的缺陷，若有这样的废纸夹杂在用于回用的废纸中，则其生产出的纸和纸板的性能将大打折扣，在使用上也很难达到一些高档纸品的要求。因此，这样的废纸的使用范围较窄，难以大规模地推广出去。二是难以满足木浆资源协同配置的要求。废纸在回用 5 次以后性能就会有所下降，因此，废纸及纸制品业的发展离不开木材资源的协同配置。由于中国本身就属于木材资源稀缺国家，每年都需进口大量木浆，加上国际纸品的需求量的大幅度增加，木浆价格随之上涨将不可避免。据报道，美国北方漂白针叶木硫酸盐浆价格于 2010 年达到近十年来新高，已达到 1020 美元/t。从长远的角度来看，这无疑会影响到中国废纸纸及纸制品业的发展。三是不够系统化的废纸回收工作。中国虽然很早就开始回收废纸，但是却没有将废纸回收工作标准化、系统化。首先，对废纸的回收，没有明确的质量要求和分类标准；其次，没有专业人员对废纸进行回收，也没有较大规模的废纸回收供应商来对废纸回收业统筹运作。这不仅会增加废纸回收的费用，而且还会导致一些不法商贩趁机给废纸喷水或者掺砂，最终给处理废纸增加了困难，也对回收废纸的质量产生负面影响。总之，中国的整个废纸回收业都还不够系统化、专业化。

③废纸回收存在极限。一是进口废纸的经济极限。随着中国废纸的需求量逐渐增加而同时可供进口的废纸量又很有限，废纸浆的价格会日益增加，若其增加到与木浆价格相当时，理所当然，木浆会成为废纸纸及纸制品业者的首选；另外，由于中国木材资源稀缺，随着对木浆需求量的增加，其价格也会上涨，当价格比废纸价格高出很多时，则进口废纸也会涨价。若进口废纸的价格超出中国纸及纸制品业可以承受的范围，即达到极限，废纸进口将无奈被放弃。因此，进口废纸是存在经济极限的，中国纸及纸制品业决不能依赖废纸的进口。二是生态极限。虽然选择用废纸造纸有很好的初衷，废纸不但是优质的造纸原料，而且还可以节能减排降耗。但废纸造纸厂若是因

此而掉以轻心，不严格管理，从而成为像传统造纸厂那样臭气熏天、污染环境，最终只能被淘汰，达到生态难以容忍的极限。而国内回收的废纸大量被技术落后的小企业加工成纸板、卫生纸等低档次产品，没有发挥废纸的资源价值，还带来严重的二次污染。如果废纸造纸厂能够严格按照规章制度加强生产，处理好废纸在收集、运输、加工生产过程中的诸多问题，那么生态环境的污染问题就可以迎刃而解了。

5.3.5.4 能源结构

国外纸及纸制品业外购燃料主要使用燃烧效率较高的燃料如天然气或重油。而中国由于煤炭资源丰富，纸及纸制品业所消耗的能源以原煤为主，其次为电能，天然气、蒸汽和重油等能源都使用较少。然而中国的原煤尤其是劣质煤的燃烧效率较低，污染又严重，因此，该行业已采取相应措施适当控制煤的使用，以减少能耗。如在条件允许的情况下，通过提高热电联产的比例和集中供暖提高燃料(包括原煤)利用率，充分利用其自产能源，等等。然而，由于煤的成本与电、天然气等能源相比要高，若降低煤的比重、同时增加电能和天然气的比重，必然会提高成本。因此，如此进行能源结构调整的后果是：一方面降低二氧化碳排放量，另一方面也降低了 GDP 增长速度，同时增加了居民的生活成本。在中国经济发展过程中，GDP 必须保持一定的增长速度。因此，即使在能源供给充分的条件下，能源结构调整的速度不应也不可能太快。

5.3.5.5 企业规模

纸及纸制品业规模经济性突出。规模经济是指当生产或经销单一产品的单一经营单位所增加的规模减少了生产或经销的单位成本时而导致的经济。在纸及纸制品业中，根据国际经验，新建生产能力大一倍的制浆生产线，投资仅增加57%。对欧美一些商品木浆厂企业生产规模与经济效益关系的分析，年生产能力 50 万 t 的商品木浆厂，其投资回报率约为年生产能力 10 万 t 同类浆厂的 3 倍多。美国有学者研究认为，造纸企业的长期平均成本(制造成本)曲线呈"L"形，"L"形成本曲线与"U"形成本曲线的区别在于：一旦公司生产规模达到最小有效规模值，即便其生产规模进一步持续扩大，平均成本也不会增加，相反可能降低(即没有规模不经济性阶段出现)。造纸行业规模效益的特点是因为：①企业达到一定规模之后，可以利用更先进的专业化设备，实现更精细的分工，提高管理效率，从而有效降低生产和采购成本，提高投资回报。特别应该强调的是，许多大型专用设备只有在达到一定产量水平时才能使用，这些设备的使用会使平均成本大幅度下降。②规模大的企业有力量进行技术创新，而技术创新是提高效率、降低成本的重要途径。③造纸行业污染严重，纸厂具备一定的规模之后，单位产量污染治理成本降低，同样降低了总成本。当然规模经济性除了体现在生产过程、机器设备等以外，营销、渠道、采购、产品开发等方面也会产生规模与范围经济。目前，世界纸及纸制品业先进的国家已经实现了经济规模化。国际纸及纸制品业中企业的年平均生产规模达到 8 万～10 万 t，先进国家已超过 20 万 t，规模效益十分明显。

从行业集中度来看，中国纸及纸制品业是分散型产业，是过度竞争产业。分散型产业的重要特征是没有任何一家企业占有显著的市场份额，也没有任何一家企业能对整个产业具有重大影响。分散的市场结构和过度竞争制约了纸及纸制品业的发展，造成了有限资源的巨大浪费。中国作为世界上造纸企业数量最多的国家，中国纸及纸制品业中具有国际竞争力的大型企业集团和骨干企业数量少，其影响力、带动力有待提高，大多数还是产量少、技术水平落后、规模不经济的小企业。规模以上造纸企业销售总额仅与世界前四强合计数相当。2013 年规模以上造纸企业 2934 家，其中大中型企业 526 家，仅占 17.93%；小型企业 2408 家，占 82.07%，集约化程度低已经成为该行业资源与能源消耗高、污染严重的重要原因，纸及纸制品业小而散的局面亟需改观。

造纸企业规模小与原料结构有关。受到起步阶段的影响，中国纸及纸制品业一直未能大幅改变以草为主的原料格局。直到 20 世纪 90 年代中期，才初步确定了以木材为主的原料路线。但很多设备和生产线仍在使用较落后的造纸方式，草浆装置在纸及纸制品业中仍占不小的比重。由于草浆厂以草为浆，取材容易，设备简陋，无需巨资即可投产，所以，多数草浆厂规模较小，大多数是介于年产 1 万～3 万 t 之间，最大的草浆生产线也只有年产 10 万 t 的能力。其中 90% 以上是年产 1 万 t、甚至几千 t 的小企业，这是造成中国纸业污染环境难以治理的重要根源。草浆造纸厂以稻草、麦秆等非木浆原料造纸，加工容易，但造纸废水难于处理，只好排放到江河湖海之中，给生态环境造成巨大危害。另外，草浆厂规模受到原料供应量的限制，都不可能很大，其技术装备水平相对于大规模的木浆生产相差几十年。

企业规模小又影响到先进技术设备的使用。以稻麦草为主的草浆原料纤维短、强度低和有机杂质含量高等问题，无法适用于现代化纸及纸制品业大型高速纸机的要求，所以造成了工艺相对简单、设备落后和环保设备缺乏的"小造纸"往往成为污染大户。

企业规模与环境污染治理之间有密切的关系。对每一个造纸企业来说，制浆造纸过程中产生的污染，不是不能治理，关键是否有经济实力去治理，只有相当生产规模的造纸企业，才有能力采用先进技术和装备进行排放前治理，且有合理的经济效益。一家年产草浆 2 万 t 的造纸企业，如要做到废水达标排放，需建 75t/日的碱回收炉（需投资 5000 万元）和日处理能力 2 万～3 万 m³ 的中段污水处理工程（需投资 2000 万～3000

万元），这套治污装置不含折旧的运行费用每年就需 700 万元。一个造纸厂的环保设备涉及水、气、声、渣等各方面，一套设备少则几百万元，高的则达数亿元。如此高的设备成本，往往为规模小的企业所无力承担，小企业一般来说年销售额仅 1 亿元人民币，利润约为 800 万元；而治污先进的企业，无不都是规模巨大的企业。

总体来看，纸及纸制品业的污染主要来自中小企业，因为大型企业的环保水平在全国 41 个工业行业中已处于中上水平，一些世界级规模造纸企业废水及 COD 排放指标更是远远优于国家乃至世界水平。据中国林纸企业家俱乐部统计，以废水中 COD 指标（化学需氧量）来看，产量占中国纸业 40% 以上的大型造纸企业，其 COD 排放量不到全行业排放量的 10%。中国纸业的小型企业比例较大，而营业收入、利税总额所占比例却较小，说明该类企业经营水平低下，技术装备落后，投入产出效率低。同时事实证明，纸业对环境的污染有 60% 来自于产能落后的企业。因此，淘汰落后产能，可以有效提高纸及纸制品业的能源利用率，减少环境污染。

但在淘汰落后产能过程中，也会不可避免的产生一些问题，给中国纸及纸制品业集约化带来挑战。

一是失业问题。中国纸及纸制品业的直接就业人数大约为 800 万人，若进行集约化调整，淘汰落后产能，将有一大批人面临着失业的问题。据统计，仅在兼并重组扩大规模后的一个分厂，就将有 80% 的员工面临下岗危险。随着淘汰落后产能呼声的日益增强，全国造纸行业失业的人数将会是一个异常庞大的数字，这必然将加重社会矛盾，带来不安定的因素。

二是资源浪费问题。淘汰落后产能，对小型企业进行重组的初衷是提高能源利用率、提高产能、减小污染。但目前的现状是，有些企业只有"形式"、没有"内容"。造成了资源的浪费。例如四川某竹浆纸厂，在国家和政府的倡导下，通过兼并和重组的方式使得生产能力有了很大的提高，但由于没有预先对原料供应和环境容量等因素进行分析，在实际生产中只能完成不到一半的生产能力，导致了技术和资金等资源的浪费。

5.3.5.6　技术设备

中国造纸企业设备总体上比较落后。部分造纸企业不经过正规设计部门的设计，不购买国内外标准装备，不经过安装部门的安装及调试，自行设计、加工、组装设备，或关键装备购买国内制浆造纸装备制造业生产的一般设备，然后自行配套、安装、调试设备，这些设备很不正规，但产能比例不低，其耗水量、能耗及污染程度非常严重。中国造纸企业设备的现状直接限制了企业对木浆原料的使用以及对污染物的达标处理。

这一问题与企业规模相联系。现在规模以上造纸企业都能够对污染进行较好地处理，完全达到环保要求，通过环境治理，又较好地进行了资源综合利用，实现了纸及纸制品业的循环经济。在中国的纸及纸制品业存在着一种两极分化的现象，越是规模大的企业，对环境的影响越小，越是规模小的企业，因为不具备治污的条件和能力，污染反而越大。作为这些规模相对较小的、仍然在低水平上生产的企业，虽然也竭力想提高设备水平和产品档次，有技术改造的打算，但资金、管理技术等方面的能力限制，使他们仍然对价格低廉，水平一般甚至低下的设备感兴趣。由于这部分设备的需求量大，国内设备制造业均争先满足其需要。也正因为国内的低水平需求，促使国产设备的低水平生产，一些有发展潜力的企业，为了生存也转而生产大路货产品，促使低档产品相对过剩，利润进一步下降。反过来又影响了对高档设备的研发。

值得注意的是，整个产业通过调整，逐渐淘汰了一批工艺技术落后、装备陈旧的生产线和机器设备，新增一批具有国际或国内先进水平的技术、装备和生产线，加速了纸及纸制品业技术进步，使纸及纸制品业整体技术装备水平有很大提高。但作为资金和技术密集型的现代纸及纸制品业，开发和采用高新技术及设备所需投入的资金相当巨大，中国纸及纸制品业技术设备方面依然存在以下主要问题：一是重视引进先进生产设备而忽视了引进先进的排污处理设备；二是技术设备引进之后，消化吸收能力较弱；三是自主创新相对落后。中国几乎没有自主知识产权和核心竞争力的装备制造业企业，国内几个颇具实力的造纸技术装备企业开始被外资兼并，沦为国际造纸技术装备的加工厂。

中国纸及纸制品业自主创新能力建设比较弱的局面，依然没有从根本上得到改观。突出表现为，产学研没有形成有机的整体，引进技术、消化吸收再创新能力不足，在新工艺、新设备和新产品的开发上缺乏自主创新的产业化重大成果。大型蒸煮、筛选、漂白设备，高速纸机流浆箱、靴式压榨、压光机、复卷机等关键设备基本依赖进口。

据一些业内人士介绍，前几年，中国纸及纸制品业的机械装备总体水平还不高，大多数为20世纪70年代的国际水平，只有少数达到80年代水平，个别达到90年代水平。只是在最近两年才有了一些提高。

从国际市场上看，世界上少数几家主要制浆造纸装备供应商，依靠品牌优势、研发能力、精密制造以及强大的资金实力和市场拓展能力，基本垄断了大型制浆造纸装备供应，这一局面短期内难以改观。中国现已成为世界制浆造纸装备的主要市场，但大型制浆造纸装备主要依赖进口，导致投资成本提高，阻碍了众多中小型制浆造纸企业装备大型化步伐。

技术装备水平不高，这也间接加重了中国节能减排的任务。中国纸及纸制品业中技术装备比较落后的产能仍占 35% 左右，物耗、水耗、能耗高，是造纸行业的主要污染源，产品质量、物耗、污染负荷均与国际先进水平存在相当大的差距，难以达到《纸及纸制品业水污染物排放标准》（GB3544—2008）的要求。

5.3.5.7　资金问题

纸及纸制品业属于资金密集型产业，根据景华造纸信息网资料，每增加 1 万 t 高档产品的生产能力，需要资金 6200 万元人民币左右。在中国，以 1 万 t 高档纸浆和纸张产能为例，从木材到纸浆大约需要投入 1.5 亿～2 亿元人民币，从纸浆到成品至少需要 1 亿元投入。即每 1 万 t 成品纸产能大约需要投入资金 2.5 亿～3 亿元。以新建 10 万 t 纸厂计算，纸厂建设需要约 15 亿元的资金，加上所带动的浆厂和林地的固定资产投资，总投资至少在 26.5 亿元。

据预测，2015 年前中国纸及纸制品业计划投资 4900 亿元，平均每年计划投资约 320 亿元，但是实际年均投资额仅 100 多亿元。对于资金密集型的造纸行业来说，资金短缺已成为制约产业发展的瓶颈。国内企业依靠自身财力一般无法投资超过 10 亿元的技改项目，形成的生产能力一般只有 12 万～15 万 t，与国外 50 万 t 乃至 70 万 t 的大型生产项目相比，差距明显。由于国内造纸企业自有资金不足，筹资能力差，融资渠道单一，生产所需资金匮乏，致使技术改造或扩建项目都十分困难，在这种背景之下，外资成为重要的投资来源。在资金缺口较大的情况下，如何解决中国纸及纸制品业发展过程中的资金供应问题有待进一步讨论。

要想提高企业节能减排、发展低碳产业的积极性，适当的资金激励措施也很有必要。因此，缺少资金无疑将从一定程度上阻碍中国纸及纸制品业的低碳发展。

5.3.5.8　消费方式

目前，"绿色消费"的概念在国际上已逐渐深入人心。根据联合国的数据，全世界"绿色消费"的总量已经超过 6000 亿美元。当绿色消费达到一定规模时，就会有助于企业对产品结构进行调整，将生产重心向绿色产品、低碳产品倾斜，从而会促进整个企业，甚至整个国家的低碳发展。而在中国，虽然关注绿色消费的消费者已经越来越多，但与发达国家相比，这种理念还远远没有达到拉动企业和市场低碳发展的程度。

低碳生活，就是要通过改变长期以来我们生活中固有的习惯，以减少二氧化碳排放为主的一种健康的生活方式。然而，低碳生活理念在我国的宣传还远远不够，大部分人对低碳理念还不够了解。但低碳生活的理念是各行各业低碳发展的基础，因此低碳生活理念的宣传与推广，也必然将对纸及纸制品业的低碳发展起到积极的推动作用。

低碳理念的核心就是通过节能技术的研发和推广、环保技术和低碳能源技术的大范围应用来实现节能减排的目的。目前，一些发达国家在这方面已经取得了良好的成效。例如英国的"CO_2行动"，其中很重要的一步就是在贝丁顿建立了英国最大的碳平衡生态区，在保证生活质量的前提下，通过采取广泛的节能减碳措施，将该区的用电量减少了25%，采暖能耗降低了88%，用水量减少了将近一半。通过生态区的示范效应，教育广大国民认清温室气体的排放对环境的重要危害，进而逐渐改变人们的生活消费习惯。

由于低碳理念并未深入人心，再加上受到前些年"以纸代塑"的影响，中国大多数消费者都认为纸和纸制品是可降解的环保产品，而不了解纸品的生产也伴随着较高的能耗，不了解较高质量的产品能耗也相对较高，这直接导致了中国纸品的消费方式长期以来都较为粗放。近些年来，纸品消费总量巨大且增长迅速，同时，消费者在选择纸品时未考虑不同种类不同质量产品带来的能耗的差异。2001~2013年，中国的纸品消费量以每年两位数的速度迅速增长，纸品消费量总共增加了近165%。如果照此速度发展，到2020年（"十三五"规划末期），中国的纸品消费量将达到2亿t，与2010年相比增加了近120%。虽然纸消费量从一定程度上可以衡量一个国家的发达水平（纸消费量与GDP呈线性关系），但其对环境造成很大影响也是事实。

5.3.5.9 管理体制

健全的法律法规是国家实现低碳经济的坚强后盾，更是各行各业低碳发展的有力保障。为了使低碳经济能够按照具体步骤稳健推进，欧洲一些发达国家对能源、工业、交通等各个方面进行了详细的规划，并出台了相关法律，以英国为例，2002~2007年实施排放贸易制度期间，仅2003年和2004年两年时间，就累计减排1110万t二氧化碳当量。与发达国家相比，中国应对气候变化的规划和政策出台较晚，虽然早在20世纪90年代就已经成立了相应的气候变化协调小组，但直到2008年才真正拟定规划战略。随着国家对环境资源的高度重视，"低碳经济、低碳生活"必将成为未来社会生活的主旋律，国家通过政策和体系的制定，将节能减排列入国家"五年计划"，来确保节能减排目标的实现，但由于气候问题本身的复杂性和管理机构在这方面经验的欠缺以及并不完善的法律体系，使中国低碳经济长远发展遇到瓶颈，与气候问题本身的重要性相比，中国在这方面所作出的努力还远远不够。

在这个宏观背景下，中国纸及纸制品业在低碳发展领域的政策和管理方法与发达国家相比，也存在着明显的差距。如节能产品的标准与标识、行业能效的标杆管理等方面的政策和实施情况，严重影响了纸及纸制品业节能减排工作的深入开展以及对企业低碳发展的实际运作。这种体制障碍是长期形成的，需要较长时间的摸索和改进才能渐渐完善和消除。

第 3 篇
机 制 篇

第6章 中国林产工业低碳化发展面临的外部环境

6.1 林产工业低碳化发展能源环境分析

6.1.1 中国能源经济形势分析

能源发展速度与质量的矛盾主要表现为：一是中国的能源集约化开发水平急需提高。2010年，中国大型煤电、水电、风电基地装机仅占全国总装机的10.5%，前十大产煤企业煤炭产量所占比重不到30%。二是能源消费结构不合理。中国发电用煤占煤炭消费总量的比重为55%，远低于美国和欧洲发电用煤比重90%和75%。三是能源综合利用效率较低，资源型产业的能源消耗比重过大。

能源需求与供应的矛盾主要表现为：一是能源需求增长快。2000年以来，中国能源消费总量年均增长8.8%，比全球能源消费增速高5.7个百分点。二是能源资源日趋紧张。中国煤炭、石油、天然气人均占有量低，仅为世界平均水平的67%、5.4%、7.5%。三是电力供需紧张局面仍将延续。由于一些影响供需的重大矛盾没有根本解决，部分地区可能出现电力供需紧张局面。

能源开发与配置的矛盾主要表现为：一是能源运输过度依赖输煤。2010年，煤炭通过铁路、公路跨省外运规模达26亿t，占煤炭总产量的81%；"三西"(山西、陕西、蒙西)地区煤炭输出与电力输出比例为20∶1。二是清洁能源开发与配套送出工程建设不协调。2011年，中国风电、太阳能发电并网容量(4505万kW、214万kW)比上年分别增长52%和723%，电网消纳风电、太阳能电力的裕度越来越小，给电力系统调峰调频、安全运行带来严峻考验。电力体制机制与行业可持续发展的矛盾主要表现为：一是电源和电网规划之间，电力行业与煤炭、铁路行业规划之间缺乏规划的协调性。二是电价水平无法合理反映电力供需关系、生产成本和环保支出。三是社会对电力行业的认同，与电力行业、企业对经济社会发展的贡献、积极履行社会责任的贡献不相匹配。四是近年来受煤价上涨等因素影响，电力行业经济效益下滑，资产负债率普遍偏高，主营业务亏损严重，经营发展形势很不乐观，电力行业整体发展能力不强。

解决中国能源和电力发展存在的矛盾，根本在于转变电力发展方式，关键是要坚持以电力为中心，煤炭清洁利用为基础，大力发展可再生能源，更大范围优化配置能源资源的科学合理的能源体系，推动能源和电力行业科学发展。核心是转变能源开发、配置和消费方式。转变能源开发方式，重点是建立以电为中心，以大型煤炭基地、大型水电基地、大型核电基地和大型可再生能源基地为重点的能源开发格局，实现能源开发从简单粗放向集约高效转变，从以煤为主向低碳清洁转变。转变能源配置方式，重点是加快特高压电网建设，充分发挥特高压输电输送容量大、距离远、效率高和损耗低等优势，实现从就地平衡到全国范围资源优化配置的转变，取得跨流域水电互补、跨地区余缺调剂、错峰避峰、水火互济、减少备用等显着综合效益。

6.1.2 中国能源消费结构

2003～2010 年中国一次能源消费结构，见表 6-1 至表 6-3。

表6-1 中国一次能源消费结构 （Mtoe，百万 t 油当量）

年份	原油	天然气	煤	核能	水力发电	再生能源	总计
2003	266.4	29.5	834.7	9.9	63.7		1204.2
2004	318.9	35.1	978.2	11.4	80.0		1423.5
2005	327.8	41.2	1095.9	12.0	89.9		1566.7
2006	353.2	50.5	1215.0	12.4	98.6		1729.8
2007	362.8	62.6	1313.6	14.1	109.8		1862.8
2008	375.7	72.6	1406.3	15.5	132.4		2002.5
2009	388.2	80.6	1556.8	15.9	139.3	6.9	2187.7
2010	428.6	98.1	1713.5	16.7	163.1	12.1	2432.2

表6-2 中国各种一次能源消费百分率（%）

年份	原油	天然气	煤	核能	水力发电	再生能源	能源消费总量
2003	22.1	2.4	69.3	0.8	5.3		1204.2
2004	22.4	2.5	68.7	0.8	5.6		1423.5
2005	20.9	2.6	69.9	0.8	5.7		1566.7
2006	20.4	2.9	70.2	0.7	5.7		1729.8
2007	19.5	3.4	70.5	0.8	5.9		1862.8
2008	18.8	3.6	70.2	0.8	6.6		2002.5
2009	17.7	3.7	71.2	0.7	6.4	0.3	2187.7
2010	17.6	4.0	70.5	0.7	6.7	0.5	2432.2

表6-3 中国能源消费总量及构成

年份	能源消费总量 （万 t 标准煤）	占能源消费总量的比重(%)			
		原煤	原油	天然气	水电、核电、风电
2003	183792	69.8	21.2	2.5	6.5
2004	213456	69.5	21.3	2.5	6.7
2005	235997	70.8	19.8	2.6	6.8
2006	258676	71.1	19.3	2.9	6.7
2007	280508	71.1	18.8	3.3	6.8
2008	291448	70.3	18.3	3.7	7.7
2009	306647	70.4	17.9	3.9	7.8

6.1.3 中国推进能源产业结构优化升级

"十二五"时期(2011～2015年)是中国煤炭工业实现由量增长向质提升的转变时期，煤炭产业的集中度将进一步提高，兼并重组和国际化趋势将更加明显，绿色开采和低碳发展将成为煤炭工业发展的重要内容。

"煤炭作为高碳能源，其生产和利用方式变革的主战场都在中国。"方君实在"2012中国国际煤炭发展高层论坛暨展览会"组委会扩大会议上说。大力推进中国煤炭工业经济、清洁、安全和可持续发展，将是中国煤炭工业对世界煤炭工业发展的重大贡献。

方君实说，中国已经成为世界最大的煤炭生产和消费国，未来中国将长期占据世界煤炭生产和消费的主导地位。多年以来，中国煤炭产业占一次能源产量一直超过70%，2011年超过75%，煤炭消费量一直占70%左右。

据介绍，目前中国煤炭行业的年度投资超过5000亿元，"十二五"时期，中国将新建年产能500万t以上的煤矿60处，1000万t以上的10多处。

6.1.4 中国加快建设能源可持续发展体系

中国必须加快建设可再生能源份额逐步增大，化石能源得到高效、清洁利用，能源结构逐步优化，满足中国经济社会发展需要的能源可持续发展体系，并作出30～50年战略规划。

首先要明确中国能源发展的战略目标。要实现到2050年中国GDP增长的目标，中国能源消耗必须实现大幅度节能减排，比较理想的是能耗总量比2005年增加不应超过 50%，单位 GDP 能耗相当于 2005 年发达国家的中等水平；中国能源结构必须向大幅度增大可再生能源份额的方向调整，比较理想的结构是可再生能源至少占 25%~30%，水电和核能至少占 15%~20%。

制定中国能源科技发展的战略路线图是建设中国能源可持续发展体系，实现能源结构优化目标的重要保证。制定路线图必须从中国未来经济社会发展的战略需求出发，前瞻世界能源科技发展前沿，近期（至 2020 年）重点发展节能和清洁能源技术，提高能源效率，积极发展安全清洁核能技术和非水能的可再生能源技术，前瞻部署非传统化石能源技术等。中期（2030 年前后）重点推动核能和可再生能源向主力能源发展，突破快中子堆技术并实现其核电机组商业示范发电等。远期（2050 年前后）建成中国可持续能源体系，总量上基本满足中国经济社会发展的能源需求，结构上对化石能源的依赖度降低到 60% 以下，可再生能源成为主导能源之一。

要采取切实措施促进中国能源可持续发展体系建设。能源结构优化应坚持煤的清洁高效利用，逐步减少燃煤份额，大幅度增大可再生能源与核能份额的方向；设立大规模非水能的可再生能源国家重大专项及研发基地；设立以快中子堆和钍资源利用为重点的先进核能系统与核燃料循环的研究开发和产业化国家重大专项及研发基地等。

6.1.5　中国能源工业未来发展思路

中国特色的新型能源战略不可能重复发达国家走过的能源高消耗道路，只能用明显低于发达国家的人均能耗实现现代化。在中国能源研究会举办的中国能源战略及"十二五"能源发展论坛上，中国能源方面的专家学者就中国新型能源战略进行了分析和总结，并达成了共识。

会议认为，中国特色的新型能源战略应该具有科学、高效、绿色、低碳的特点。"科学"是总的战略特点，指在科学发展观指导下，在科技进步的支撑下，用能源领域的科学发展支撑经济社会的科学发展。"高效"一是进一步强调节能优先，实现节能提效基础上的科学的能源供需平衡；二是高水平的能源经济效益。"绿色"是要实现环境友好的能源开发和利用。"低碳"是指明显降低温室气体排放强度，并有效控制温室气体排放的增长。具体包括六个方面的内容：

一是强化"节能优先、总量控制"战略。节能、提效、合理控制能源需求，是能源战略之首。通过努力，中国可以实现 2020 年总能耗控制在 45 亿 t 标准煤左右，2050 年总能源消费总量控制在 50 亿 ~ 55 亿 t。这个指标依赖中国 GDP 年增长率控制在 7% ~ 8% 的合理区间，依赖中国经济结构的调整和发展方式的转变。

二是推进煤炭的科学发展、洁净高效利用和战略地位调整。煤炭的开采、利用必须走安全、高效、环保的科学发展道路。煤炭在一次能源的比重应该逐步下降，2050年努力减至40%，甚至35%以下。同时，应该尽量降低煤炭消费增长速度，使煤炭消费总量较早达到峰值，使一次能源增量尽可能由洁净能源提供。

三是确保石油和天然气的战略支柱地位，把天然气作为能源结构调整的重点之一。石油的战略方针是：大力节约、加强勘探、积极进口、规模替代。天然气（含煤层气、页岩气）是最洁净的化石能源，有很大的增产空间和长期供应能力，应该成为能源结构调整的重点，尽可能增大其在中国能源中的比重。2030年，国内天然气供应量将占到一次能源的10%左右。

四是加快发展水电和非水可再生能源，逐步提升可再生能源的战略地位。水电是2030年前可再生能源发展的第一重点。2020年、2030年和2050年分别达到装机3亿kW、4亿kW和4.5亿~5亿kW。同时，因地制宜，积极发展非水可再生能源，尽早使风能、太阳能、生物质能等成为新的绿色能源支柱。非水可再生能源在2020年、2030年和2050年的总贡献有可能分别达到2亿t标准煤、4亿t标准煤和8亿t标准煤。可再生能源（水和非水）的战略地位将由目前的补充能源逐步上升为替代能源乃至主导能源之一。

五是把积极发展核电作为中国能源的长期重大战略选择和新的重要绿色支柱。应充分发挥已成熟的二代改进型的作用，发展沿海和内陆电站。积极试验和掌握三代技术，抓紧推动中国快堆技术加快发展。2020年的核电规模可望达到建成7000万~8000万kW，2030年达到2亿kW，2050年达到4亿kW，届时可以提供15%以上的一次能源。

六是积极发展中国特色的适应电源多元化的高效、安全、智能电力系统。不断优化电源的结构和布局，建设信息化、自动化、互动化的智能电网，提高电网的效率和安全性，使电网有效接纳新能源。重视分布式能源，大力发展储能技术。

6.1.6 能源科技创新是实现低碳发展的核心

科技创新特别是能源科技的创新，被与会专家视为实现低碳经济发展的核心力量。

"低碳经济是以低能耗、低污染、低排放为基础的经济模式，是人类社会继农业文明、工业文明之后的又一次重大进步。因此，必须依靠能源科技创新，不断调整能源结构，逐步向可持续发展的能源体系过渡。"国家能源专家咨询委员会秘书长王思强表示，这两份研究报告虽然是从各自的学术角度出发，但目标都是想为国家拿出一个能源科技发展的基本路线图。

"科技将决定未来能源，科技也将创造未来能源。"徐锭明说："对未来能源行业的发展，中国应转变资源配置的战略，制定能源科技发展的战略，明确方向、目标、重点，依靠科技创新，实现高碳能源的低碳发展。"

中国未来能源发展的重要技术方向应包括：高效非化石燃料路面交通技术；煤炭的洁净高效利用技术；大容量、低损耗电力输送技术；可再生能源代电、代油技术；天然气水合物勘探和开采技术；先进的核电技术及核废料处理技术等。

从全球视野来看，一些发达国家已经在能源技术和低碳技术方面拥有较明显的优势。一方面，中国要加强国际技术合作，引进吸收消化发达国家的先进技术，促进中国能源和低碳经济发展；另一方面，发达国家也要站在"共有一个地球，同顶一片蓝天"的角度，降低合作门槛，带动和协助发展中国家提高能源技术，发展低碳经济。

专家们一致认为，能源科技的创新则对中国能否顺利走上低碳发展之路起到至关重要的作用。中国已经制定到 2020 年的国家中长期科技发展规划纲要，但在能源问题上必须要有更长远的考虑，做更具前瞻性的研究工作。

6.1.7　2005～2030 年中国二氧化碳排量分析

2000～2010 年，中国能源消费同比增长 120%，占全球比重由 9.1% 提高到约 20%，二氧化碳排放占比由 12.9% 提高到约 23%，人均二氧化碳排放量已经超过世界平均水平。

虽然是发展中国家，但因是全球最大的温室气体排放国，中国在此间举行的联合国气候变化峰会上也备受压力。美、欧等要求中国加入全球减排协议，小岛屿国家和最不发达国家也希望中国承担更多责任。不过，从人均碳排放量来说，中国与发达国家之间有相当的差距。

6.2　林产工业低碳化发展社会环境分析

6.2.1　中国面临能源紧缺局面

按"十二五"规划，能源技术创新将保障国家能源安全，并以新能源模式展现中国发展的全球价值。

而从国外政府官员、企业家对中国新能源企业的热情来看，能源变革不仅是中国的梦想。如果中国企业自身不能把握住机会，如果国家的政策不能落实到位，如果不能从国家战略的高度来看待能源的变革，那么中国目前业已形成的一些基础优势也将面临丧失的危险。

6.2.2 中国积极应对气候变化

国家发展改革委 2012 年 2 月 24 日上午举行了 2011 中国应对气候变化和低碳发展十大新闻发布会暨《中国低碳年鉴 2011》首发式。

发改委应对气候变化司司长苏伟在发布会上表示，近年来，气候变化日益成为全球关注的热点问题，这个问题事关人类的生存、事关各国的发展、事关地球的未来，是 21 世纪全世界都要正视和面临的一项重大挑战。国际社会面对这样的挑战别无选择，唯有积极应对气候变化，推进绿色低碳发展。中国作为一个负责任的发展中国家，为了中华民族和全人类的长远发展，正在积极地采取措施应对气候变化，加快推进经济发展方式的转变，努力走出一条生产发展、生活富裕、生态良好的低碳发展文明道路。

从国家来讲，党中央、国务院高度重视应对气候变化和绿色低碳发展，采取了一系列重大的政策与行动，取得了显著成效。苏伟介绍，2011 年全国人大审议通过的"十二五"规划纲要提出要坚持全面协调可持续的科学发展观，加快经济发展方式转变，进一步将应对气候变化和绿色低碳发展作为重要的经济社会发展的政策导向，明确了"十二五"时期单位国内生产总值二氧化碳排放下降 17% 的约束性指标。

2011 年 12 月 1 日国务院正式印发了"十二五"控制温室气体排放的方案。这是国务院首次发布关于控制温室气体排放和促进绿色低碳发展方面的重要文件，提出要以加快经济发展方式转变作为主线，牢固树立绿色低碳发展的理念，统筹国际和国内两个大局，把积极应对气候变化作为国家经济社会发展的重大战略，作为加快经济发展方式转变和经济结构调整的重大机遇；坚持走新型工业化道路，合理控制能源消费总量，综合运用优化产业结构和能源结构、节约能源、提高能效、增加森林碳汇等多种手段，确保"十二五"提出的降低单位 GDP 二氧化碳排放强度目标的实现。

在大的背景下，《中国低碳年鉴》编委会 2011 年首次组织评选了中国应对气候变化和低碳发展十大新闻，社会反响非常好。2012 年，中国经济导报社和《中国低碳年鉴》编委会联手，充分发挥各自的优势，精心组织，认真准备，按照程序规范、公开透明的原则，注重评选内容的新闻性、重要性和引导性，充分尊重公众意见和网民的投票。

"评选活动取得了圆满结果，应该说 2012 年评选出来的十大新闻具有更加广泛的大众基础和社会影响力，对于提高全社会低碳行动意识、树立绿色低碳发展理念，意义非常重大。"苏伟说。

希望有更多的机构和更多的人来参与到应对气候变化和低碳发展这一关系到国家可持续发展和全人类未来发展的重大行动当中来，用自己的实际行动践行低碳发展的理念，为气候变化、为了人类更加美好的明天贡献自己的力量。

6.2.3　中国加快低碳能源的利用和推广

国务院新闻办发布的《中国应对气候变化的政策与行动（2011）》白皮书说，中国"十一五"期间加快发展天然气等清洁能源，积极开发利用非化石能源并强化对工业生产过程、农业活动、废弃物处理等领域的温室气体排放控制。

白皮书指出，中国大力开发天然气，推进煤层气、页岩气等非常规油气资源开发利用，出台财政补贴、税收优惠、发电上网、电价补贴等政策，制定实施煤矿瓦斯治理和利用总体方案，大力推进煤炭清洁化利用，引导和鼓励煤矿瓦斯利用和地面煤层气开发。

白皮书显示，中国天然气产量由 2005 年的 493 亿 m^3 增加到 2010 年的 948 亿 m^3，年均增长 14%，天然气在中国能源消费结构中所占比重达到 4.3%。煤层气累计抽采量 305.5 亿 m^3，利用量 114.5 亿 m^3，相当于减排二氧化碳 1.7 亿 t。

白皮书表示，通过国家政策引导和资金投入，中国加强了水能、核能等低碳能源开发利用。截至 2010 年年底，水电装机容量达到 2.13 亿 kW，比 2005 年翻了一番；核电装机容量 1082 万 kW，在建规模达到 3097 万 kW。支持风电、太阳能、地热、生物质能等新型可再生能源发展。完善风力发电上网电价政策。实施"金太阳示范工程"，推行大型光伏电站特许权招标。完善农林生物质发电价格政策，加大对生物质能开发的财政支持力度，加强农村沼气建设。

白皮书同时显示，2010 年，中国风电装机容量从 2005 年的 126 万 kW 增长到 3107 万 kW，光伏发电装机规模由 2005 年不到 10 万 kW 增加到 60 万 kW，太阳能热水器安装使用总量达到 1.68 亿 m^2，生物质发电装机约 500 万 kW，沼气年利用量约 140 亿 m^3，全国户用沼气达到 4000 万户左右，生物燃料乙醇利用量 180 万 t，各类生物质能源总贡献量合计约 1500 万 t 标准煤。

此外，中国强化对工业生产过程、农业活动、废弃物处理等领域的温室气体排放控制。应用电石渣替代石灰石生产水泥熟料等原料替代技术、高炉渣和粉煤灰等作为添加混合材料生产水泥等工艺过程，减少农田种植和畜禽养殖中甲烷和氧化亚氮排放。启动实施土壤有机质提升补贴项目，完善城市废弃物标准，实施生活垃圾处理收费制度，推广利用先进的垃圾焚烧技术，制定促进填埋气体回收利用的激励政策。积极开展碳捕集、利用和封存技术研究与示范。

据白皮书初步统计，截至 2010 年年底，中国工业生产过程的氧化亚氮排放基本稳定在 2005 年的水平上，甲烷排放增长速度得到一定控制。

6.2.4　中国节能环保行业发展分析

随着国家环境保护力度的不断加大和节能环保产业政策的日趋完善，中国节能环保产业已经从初期的以"三废治理"为主，发展为包括环保产品、节能产品、环境基础设施建设、环境服务、环境友好产品、资源循环利用等领域的门类比较齐全的产业体系，产业领域不断拓展，产业结构、技术和产品结构逐步优化升级，运营服务业发展加快。"十一五"期间，中国在环保产业的总投入达 2.16 万亿元，中央财政直接投入 1672 亿元。到 2010 年年底，全国环保产业从业单位约 3.5 万家，从业人员近 300 万人，产业收入总额达 11000 亿元。作为"十二五"期间的重点发展领域，节能环保产业在国民经济中的地位越来越重要，相关投资未来还会加大，行业产值将有更大提高，预计未来几年环保产业将继续保持年均 15% 以上的增长率，到"十二五"末，中国环保产业产值将达 2.2 万亿元，其中环境污染治理产值 8000 亿～10000 亿元，产业将迎来最好的发展机遇期。

首先，环保投资将继续大幅增长。环保行业属于公用事业，政府资金投入和政策支持是核心推动力。世界银行的研究报告显示，当治污投入占 GDP 的 1.5%～2% 时才能控制污染，占 GDP 的 2%～3% 时才能改善环境质量。国家环境保护"十二五"规划初步确定，"十二五"期间环保投资额预计达 3.1 万亿元，是"十一五"期间的 1.5 倍，约占同期 GDP 的 1.35%，其中中央财政投入将超过 2000 亿元，年均环保投资 6200 亿元左右。

其次，"十二五"期间节能减排力度不减。国务院制定的《"十二五"节能减排综合性工作方案》作了明确规定，到 2015 年，全国单位 GDP 能耗比 2010 年下降 16%，化学需氧量（COD）和二氧化硫（SO_2）排放总量比 2010 年分别下降 8%，氨氮和氮氧化物排放总量比 2010 年分别下降 10%。这个 8%～10% 的指标是在 2010 年基础上的净消减，在保证经济高速发展、新排放还要继续增加的同时，完成这个指标并非易事。环保部预计，未来五年，中国化学需氧量、二氧化硫排放、氨氮排放、氮氧化物排放实际消减比例分别为 20.4%、23.9%、22.6% 和 28%。

再次，未来将有一系列重大扶持政策陆续出台。近期，国家将陆续颁布《战略性新兴产业发展"十二五"规划》等与节能环保产业密切相关的一系列规划及配套政策。目前有关节能环保在"十二五"的财政、税收和金融方面的激励政策和优惠措施还在制定中，但可以肯定的是，未来在政策上尤其是税收方面将有较大支持，节能减排的力度更大、标准更高、相关促进措施也更有力，接下来将有一系列涉及节能减排的重大政策陆续出台，相关部委还将编制节能产品目录，完善节能产品认证制度和节能产品政府采购制度。

最后，"十二五"期间国家将实施一系列重点工程。其中包括主要污染物减排工程、环境基础设施公共服务工程、环境改善民生保障工程、农村环保惠民工程、重点领域环境风险防范工程、生态环境保护工程、核与辐射安全保障工程、环境监管能力基础保障人才建设工程等。

第7章 中国林产工业低碳化发展的管理机制

恩格斯指出：不要过分陶醉于对自然界的胜利。对于每一次这样的胜利，自然界都报复了。每一次胜利，在第一步都确实取得了的预期结果，但在第二步和第三步却有了完全不同的、出乎预料的影响，常常把第一个结果又取消了。马克思、恩格斯所处的时代，生态环境问题并没有达到今天这样严峻的程度，但马克思、恩格斯对人与自然的关系仍然有着深刻的论述，为今天认识人与自然关系，提供了科学的世界观、方法论和生态伦理智慧。面对工业文明的负面效应——全球气候变暖、生物多样性锐减、生态系统功能退化、环境问题日趋严峻的现实，世界上国际组织和许多国家、地区、各类组织都在采取一定的对策回应。联合国环境规划署将2008年6月5日"世界环境日"的主题定为"转变传统观念，推行低碳经济"。2008年7月，八国峰会上八国表示将寻求与《联合国气候变化框架公约》的其他签约方一道共同达成，到2050年把全球温室气体排放减少50%的长期目标。正在全球范围内兴起的低碳经济发展浪潮，蕴含着无限商机，是中国企业发展面临的一次崭新机遇。国家环境保护部副部长潘岳指出，"高碳模式"将会严重制约中国未来的发展，而"低碳经济"将成为中国建设生态文明的重要突破口。充分认识和发挥低碳经济在生态文明建设中的重要作用，是中国可持续发展战略亟待解决的重大课题。

7.1 林产工业低碳经济管理机制的界定

低碳经济是指在生态环境危机日趋严重的21世纪，人类以可持续发展观、科学发展观、生态学、环境学、生态哲学原理为指导，以人与自然、人与社会和谐发展为原则，以绿色高科技为手段，将生态环保与科学发展的理念渗透于人类社会经济、科研、生产、生活的各方面，使人类的社会发展表现为以低能耗、低物耗、低排放、低污染为特征的生态经济。其基本特征如下。

7.1.1　时代性

回顾人类文明发展的历史，从原始文明、农业文明到工业文明，既是人类文明进步的过程，又是能源消费逐步增加的过程。由于生产力的低下，没有工业技术、没有石油、煤炭、化工等方面的产品，使得漫长的原始文明、农业文明时代是基于碳水化合物利用之上的农业经济。工业文明是建立在人类中心主义和对化石燃料(能源)的勘探、开采、加工、利用基础之上的经济社会，它使人类经济发展方式发生了翻天覆地的变化。化石燃料(能源)的发现与利用曾经极大地促进了人类进化和人类生产力与文明发展。并不否认其历史功绩，但是，工业社会的经济是以高能耗、高物耗、高排放、高污染为特征的经济。因此，它是基于碳氢化合物使用基础上的高碳经济。工业经济越发达，二氧化碳的排放量就越大。20 世纪 70 年代以来，人类文明的形式正在由工业文明向生态文明转变。世界经济形式正在由资源经济向知识经济、低碳经济转变。生态文明时代决定了低碳经济正在成为 21 世纪全球经济发展的必然趋势。

7.1.2　全球性

从一定意义上讲，低碳经济是应对全球变暖的产物，因此，全球变暖单靠一个或几个国家实行低碳经济是无济于事的。全人类只有一个家园——地球，没有一条可以逃离的诺亚方舟。气候无国界，应对气候变化是全球共同面临的重大挑战，必须依靠世界各国共同的努力。

7.1.3　产业绿色革命性

低碳经济几乎涵盖了所有产业的领域：低碳工业、低碳农业、低碳建筑、低碳汽车、低碳信息产业、低碳服务业等。因此，无论是第一产业，还是第二、三产业，要构建低碳经济管理机制，都必须对高碳经济时代的经营理念、生产技术与模式进行绿色革命。

7.1.4　能源绿色革命性

低碳经济的理想形态是充分发展"阳光经济""风能经济""氢能经济""生物质能经济""核能经济"等。工业社会的高碳经济依赖的主要能源是煤炭、石油和天然气，要解决这一问题，则能源绿色革命不言而喻。

7.2　林产工业低碳经济管理机制的内涵与特征

世界生态环境保护呼唤着低碳经济，转变传统经济增长模式，创造新的经济增长机制，期待着低碳经济，节能减排，减缓全球变暖指望着低碳经济。那么，如何将低碳经济理念变成现实行动呢？重要的路径是构建低碳经济管理机制。所谓低碳经济管理机制，即在生态文明时代，为了阻止地球变暖，实现人类与自然的和谐共处，构建低碳经济社会，由国际社会、各国政府、企业、其他社会组织和公众共同参与，采用绿色科学技术与绿色管理方法，推动、引导、监督、协调、规范、强化和促进全社会共同构建的低碳经济管理模式和运行机理。其性质特征如下。

7.2.1　绿色科技与绿色管理的有机融合

保护生态环境、发展低碳经济、构建和谐社会，一方面需要现代绿色高科技做支撑，诸如零排放技术、高效节能技术、垃圾回收利用技术、太阳能利用技术、生物质能利用技术等；另一方面需要绿色管理科学的规范和引导。比如，低碳经济的决策与控制、低碳经济技术的产、学、研一体化管理、低碳经济的国际化管理、政府低碳管理、区域低碳管理、产业低碳管理、企业低碳管理、家庭低碳管理，等等。

7.2.2　环境伦理与生态法律共同作用

一方面，生态伦理是低碳经济管理机制的理念支撑；另一方面，在生态环境危机日趋严重的情况下，面对缺乏生态环保、低碳经济素养的不良行为，为了人类与自然的和谐发展，为了当代和子孙万代的幸福，只能通过构建完善的生态、环保、低碳法律体系，强化其执行力度，促进低碳经济管理机制形成。比如，英国是低碳经济的倡导者，也是最积极运用法律政策手段推动低碳经济发展的国家。

7.2.3　国际性与中国特色性兼备

国际经验表明，人类在生态建设与环境保护、低碳经济等方面已经探索出许多行之有效的机制与方法，诸如从末端治理到全过程控制；从清洁生产到循环经济；从绿色企业、绿色区域到绿色财富、绿色幸福；从"阳光经济""风能经济"到"生物质能经济""核能经济"等。一方面，要向国际上生态环保先进国家学习，诸如芬兰、英国、加拿大、德国、日本的机制与经验；另一方面结合中国人口、资源、环境、经济和社会发展的国情，制定出符合实际、系统有效的低碳经济管理机制。

7.3　林产工业低碳经济管理机制及构建策略

7.3.1　低碳经济管理机制的构建策略

7.3.1.1　法律、政策制度机制层面

中国政府已经制定公布了许多与低碳经济相关的政策、法律文件。比如：《节能中长期专项规划》《可再生能源法》《清洁生产促进法》《节约能源法》《循环经济法》《中国应对气候变化国家方案》《中国应对气候变化科技专项行动》《2009 中国可持续发展战略报告》等。与国外环保先进国家相比，还须努力。因此，面向低碳经济社会中国亟待制定具体的政策、法律、制度和标准，将其纳入法制的轨道，为其有序、规范、全面的展开提供法律与制度保障。

7.3.1.2　生态伦理、低碳经济道德机制层面

一方面，要以战略性眼光构建全民性、终身性、全方位的生态伦理、低碳经济社会道德人格教育体系，按照中国 21 世纪议程精神，将生态伦理、环境保护与可持续发展纳入普通教育、职业教育、成人教育必修课体系；另一方面，要强化生态伦理的制度化建设和从理念到行为机制，改变环境教育中目前存在的"观念重于实践、宣传重于教育、知识传授重于素质培养"现状。还应该大力营造低碳经济社会舆论氛围，通过各类媒体和各级政府机关、学校、企事业单位的宣传，表彰、奖励在构建低碳经济社会中作出突出贡献的组织与个人。与此同时，还认为绿色责任是生态文明背景下媒体组织的新使命。在信息化时代，信息传播与新闻媒体都获得了空前未有的发展，媒体对社会的影响力与日俱增。媒体作为一个公共的社会组织所承担社会责任越来越重要，而且必不可少、不可推卸。生态文明构建呼唤着媒体组织的"绿色变革"，媒体组织理应超越工业文明时代的功能与责任，直面生态环境危机的挑战，勇于承担绿色责任。做一个"理性的生态人"，做一个低碳经济信息的宣传者、舆论监督者和低碳经济媒体文化氛围营造者。

7.3.1.3　目标管理机制层面

英国的目标是 2020 年 CO_2 比 1990 年减排 20%，2050 年减排 60%，并创建低碳经济。日本是一个资源稀缺的国家，历来重视节能减排。2004 年，日本环境省发起的"面向 2050 年的日本低碳社会情景"研究计划，其目标是为 2050 年实现低碳社会目标

而提出具体的对策。2008 年 5 月，该研究小组发布了《面向低碳社会的 12 大行动》，对住宅、工业、交通、能源转换、交叉部门等都提出了预期减排目标，并提出相应的技术与制度支撑。到 2050 年，日本的温室气体排放量比目前减少 60%～80% 。中国政府在 2009 年哥本哈根气候变化会议上，公开承诺中国到 2020 年将单位 GDP 二氧化碳排放量比 2005 年降低 40%～45%。作为发展中国家，在工业化、城镇化、生态化多头并进的过程中，要完成节能减排的任务，构建有效的低碳经济目标管理机制必不可少。与此同时，中国还应当借鉴日本"面向 2050 年的日本低碳社会情景"目标管理机制，将低碳经济机制与低碳社会构建有机融合，使得低碳经济服务于低碳社会、低碳社会促进低碳经济，使得低碳经济效益、社会效应、环保效应三者统一和谐。因此，中国的研究所、高校应迅速构建与生态环保、低碳经济相关的基础科学性研究。比如，低碳技术产学研一体化、生物能源、太阳能、绿色建筑、绿色产品、绿色管理与绿色法制等一系列促进绿色科研运行的机制。

7. 3. 1. 4　经济投入机制层面

基于全球变暖是 21 世纪人类面临的最严峻、最复杂的挑战之一，阻止全球变暖，向低碳经济转型已经是世界经济发展的必然趋势，是生态文明时代赋予人类新的历史使命，是一项浩大的系统工程，客观上迫切需要大量的经济投入。因此，中央和地方政府都有责任为低碳经济管理机制的构建提供专项的建设基金和相应政策性支撑。

7. 3. 1. 5　市场机制层面

当今世界，不仅仅是知识经济的时代，也是生态文明的世纪和市场经济的时代，因此，中国应该充分利用市场机制促进低碳经济。诸如，政府采购低碳经济商品、技术与服务；培养低碳经济商品市场机制、低碳经济技术市场机制等。这样不仅倡导了绿色低碳经济消费观，培养了绿色低碳经济生活意识，而且引导绿色低碳经济生产，培植绿色低碳经济产业，促进了低碳经济社会发展。

7. 3. 1. 6　电子网络机制层面

在信息化时代，中国的电子政务已经全面展开，政府的低碳经济责任由此增加了新的运行载体。一方面可以通过电子政务实现低碳经济运行状态信息公开，为社会了解、监督政府、企业、公众的低碳经济相关信息提供一个简便阳光的平台；另一方面有利于生态环保、低碳经济政策法规信息的传播、披露、互动以及低碳经济管理科学性、效率性的提升。

7. 3. 1. 7　促进低碳经济企业成长机制层面

生态文明建设要求并呼唤着中国林产品加工企业的"绿色革命"，生态环境危机正考验着中国企业的智慧与责任。如果说政府绿色责任是实施可持续发展战略的第一力量，那么企业绿色责任则是关键性力量。因此，政府应通过生态伦理教育机制、强化企业环境友好法律机制以及行政、经济管理机制，促进企业构建低碳经济管理机制。

7.3.1.8　政府低碳经济责任评价监督机制层面

中国生态环境的严峻形势和可持续发展战略，客观上要求中国创新建立一些与生态文明建设相应的评价监督机制，诸如，国家级、省市级、企业低碳经济发展指标评价机制、环境优化增长的评价监督机制、绿色国民经济核算制、战略环境影响评价机制、绿色财富与绿色幸福指数评价机制、领导干部生态建设、环境保护、低碳经济政绩考核评价机制，等等。

7.3.1.9　激励创新机制层面

为了尽快构建和完善中国低碳经济社会管理机制，国家应在生态建设和低碳经济政策中创设激励创新制度，通过法律、行政、经济手段，激励政府管理部门、公务员、企业、科技人员以及公众积极主动地参与低碳经济管理机制构建，为生态文明建设提供新的动力和路径.

7.3.2　低碳经济的宏观管理机制

实施低碳经济，首先需要建立高效的宏观管理体系。国家通过推行可持续发展战略、走新型工业化道路、转变经济增长方式对实施低碳经济产生重大影响，通过体制、政策和法规创新，推进经济结构调整和新型城市化，将公共工程项目与节能减排技术改造相结合，直接作用于低碳经济的运行。它们是大力度的、见效快的宏观调控管理手段。国外的经验是：从立法上看，如 2007 年英国颁布《气候变化法（草案）》制定了中长期减排目标："到 2020 年，将碳释放量减少 2300 万 ~ 3300 万 t；到 2050 年削减至少 60%"；同年 7 月美国参议院提出《低碳经济法案》；德国是欧洲国家中推行低碳管理法律框架最完善的国家。

7.3.2.1　国外低碳经济的宏观管理机制

从税收政策看，英国制定大气影响税；日本制定环境税；德国制定生态税；美国在 2001 年对新建的节能住宅、高效建筑设备等实行减免税收政策，与此同时，对与可再生能源相关的企业和个人享受 10% ~ 40% 额度不等的减税优惠；英国对与政府自愿签署气候变化协议的企业，在其达到规定的能效或减排要求后可以减免 80% 的碳税。从政府补贴看，英国、德国等国对可再生能源生产和投资进行一系列补贴；丹麦对绿色用电和近海风电实行定价优惠、对生物质能发电采取财政补贴，以推动可再生能源进入市场；加拿大对环保汽车购买者提供 1000 ~ 2000 加元的用户补贴，鼓励本国消费者购买节能汽车。

从管理体制看，日本采用"政府主导型"管理体制，加强经济立法、注重政策对企业的扶持引导以及政府实行绿色工业产品采购制度等。2004 年政府通过采购将所有的公用车替换为低公害车后，使二氧化碳排放减少 4.5 万 t，大约相当于 2.2 万户家庭的排放量。1999 年日本通产省提出以零排放为目标的循环经济技术系统，加强企业的资源循环利用和废物排放管理，并运用生命周期评价法对企业产品从生产到流通、消费、直到废弃的环境负荷进行测算评价，以此推动相关技术创新，大大加强了减排管理效果和循环经济。

从战略规划看，德国政府提出实施气候保护高技术战略，先后出台 5 期能源研究计划，以提高能源效率和开发可再生能源为重点，为高技术战略提供资金支持；美国实施"总量控制和碳排放交易"计划，设立国家建筑物节能指标，成立芝加哥气候交易所，开展温室气体减排量交易。2008 年奥巴马政府投入上百美元改造现有电网以降低电力传输成本，为混合动力和电动汽车大规模使用提供经济高效的基础设施，并实施"清洁技术岗位培训计划"；另外，德国、丹麦和英国等国对可再生能源强调入网、优先购买义务，制定建筑物节能标准，强制淘汰高能耗照明设备等。中国应结合本国国情实际，借鉴国外节能减排先进经验，采用适宜的政策、法规、管理、战略和措施，以推动低碳经济高效快速发展。

低碳经济宏观管理的一个重要方面是改变社会文化习惯和居民消费方式。对 20 世纪 90 年代以来各国家庭消费排放量统计测算：美国家庭的消费排放占到总排放的 80% 以上；中国城市居民的能源消耗占到全部能源消耗的 71%。居民生活习惯、消费方式以及社会风尚对温室气体排放影响很大。提高消费者节能意识，改变旧的消费方式，提倡绿化和节约行为，成为节能减排的一个关键举措。据估算，约有 20% 的排放量可以通过公众的行为方式削减掉，尤其是人们的交通出行方式、节能产品的选择，对减排的效果非常显著。通过亿万人民自觉地保护环境和植树造林，可以增加碳汇，从而对改善大气质量具有重要意义。

7.3.2.2 中国低碳经济的宏观管理机制

作为低碳经济运行的基础，市场机制是最有效的推进器。现在，欧盟和美国普遍建立起碳排放权交易市场。中国亟待发展国内低碳市场交易体系。从 2007～2008 年世界低碳市场的 CDM 交易情况看，中国仅次于美国，位居世界第二。预计到 2015 年世界低碳市场价值将会由 2008 年的 17500 亿英镑增加到 4.3 万亿英镑，中国的低碳市场有很好的发展前景。

特别指出，低碳经济的市场化运行必须首先解决好碳排放权交易的产权问题。只有产权明晰，污染才能通过市场上的讨价还价以及转移支付，将外部性变为内部化，即促使企业像关心自身成本一样来重视减排问题。碳排放权交易机制是低碳经济运行最重要的减排内部化手段。

中国的碳市场体系建设，除了碳排放权交易市场，还包括碳金融市场、碳技术市场、碳能源市场、碳国际贸易市场等。通过建立完善基于减排成本差异而产生的温室气体排放权交易，使市场化的碳交易成为减排和低碳经济发展的主要载体。目前，世界碳交易体系主要建立在 CDM、ET、JI 这三种减排机制基础上，由出于规则要求或自愿行为的交易双方相互买卖减排信用而形成。在国家产业和环境保护政策的指导下，通过碳排放权交易机制，将污染的外部性转化为企业成本的内部化，利用中国巨大的碳排放权交易市场获得急需资金与先进技术，提高企业节能减排的动力和效率，促进企业向低碳经济转型；通过技术市场的供需机制创新，激励企业对节能减排技术的使用、新能源的开发利用和企业节能减排技术创新；通过碳排放权交易，使国内优势企业获得更多的发展机会，尽快做强做大。通过资本市场的金融机制创新，如建立碳基金、为各类节能减排提供融资服务以及各类碳金融工具创新，促进碳市场交易、碳技术创新和低碳经济发展；通过国际贸易机制创新，转变中国目前粗放型出口贸易结构，减少高碳产品出口，降低国内 CO_2 排放负荷，通过外商投资机制，吸引节能减排先进技术项目来华投资，通过国际合作机制，加强与发达国家节能减排项目的合作。

中国许多企业发展低碳经济目前遭遇到资金和技术这两大瓶颈的严重困扰，使他们不能顺利实现节能减排技术改造计划。而金融作为最重要的市场杠杆，至今不能为低碳经济解决所面临的资金紧缺，不能提供低碳技术开发、利用的平台，更不能发挥其优化资源配置的作用。鉴于碳金融体系的落后现状，中国应当加快改革步伐，建立健全碳金融政策支持体系（不是某一两项政策，它包括碳金融市场政策、碳金融组织服务政策、碳金融监管政策等），建立和完善碳金融服务组织，创新碳金融产品，并建立和完善由碳金融支持的场内和场外市场交易体系，借以建立起高效的减排市场化机制，促进中国的节能减排工作。

随着碳金融市场的发展，将催生各种衍生金融产品和碳金融服务出现。金融机构围绕碳交易市场的金融服务创新不但会促进碳市场容量进一步扩大，而且会使流动性增强和市场透明度提高。但是，如何才能通过市场机制将碳减排与碳交易活动有效联系起来，取决于相对的"碳强度指标"与绝对的"碳减排总量控制指标"对接。目前中国尚未建立"总量控制指标"，因而难以实现对接。由于总量控制是碳交易的前提之一，如果不承诺具体减排指标，没有碳减排总量控制，便难以创造出碳排放权的稀缺性，国内碳市场便难以形成。相应地，合理的碳价格信号便无法释放出来引导国内减排活动。

关于碳技术市场存在的主要问题是：从供给方面说，企业节能减排的技术创新动力不强，自我创新能力薄弱，导致供给不足。供给不足还可能与中国当前尚未形成低碳经济的产业链，未能形成规模经济，因而缺乏市场拉动力有一定关系；从需求方面来看，受到资金制约，用户难以购买昂贵的节能减排设备。因此，需要发挥碳金融的作用，并由国家出台相应的财政和税收补贴政策，以激励购买行为。对企业技术市场的供给问题，除了供需机制创新，还需要通过技术政策创新、加强国家创新体系来解决。

碳能源市场同样存在供给不足和需求乏力问题，应通过公平的价格机制、财政补贴和税收减免政策，刺激新能源和再生能源的开发，并积极创新产业政策，推动低碳产业链和规模经济形成，以增强需求引力。对新能源和再生能源利用，需要出台相应的政策鼓励措施，尤其需要实行政府购买制度，以拓展市场交易。

国际贸易市场的减排，目前由于相关的外贸政策不到位以及由于中国企业处于国际产业链低端的现状一时难以改变，单凭市场机制尚难以改善贸易结构，所以环境密度高的产品出口势头仍然不减，环境密度低和节能减排高技术产品进口较少。只有改善外贸管理，通过相应的低碳政策促进贸易机制在改善贸易结构上发挥作用，才能促使进出口贸易市场实现其减排的功能。

7.3.3 低碳经济的中观管理机制

在宏观管理的基础上可以进一步分为低碳经济的中观管理（即对一个地区或一个部门实施的低碳经济管理），其运行方式可分为以下五个环节。

7.3.3.1 优化规划环节

内含政策法规指导下的整合机制。在一个地区实行低碳经济，首先必须在国家政策法规指导下，对该地区建设发展进行科学合理的城市建设规划和工业节能减排规划。如果规划不合理，就会造成先污染后治理的加倍经济损失和沉重社会负担。在优化规划环节中，会涉及城市化改造、工业合理布局和交通体系重构等问题，需要严格执行国家的产业政策、相关法律和法规，进行必要的产业、基础设施和区域建设项目整合工作，一定要遵从城市与地区的整体优化安排，实行产业结构调整战略，大力压缩淘汰能耗高污染大的落后产业，积极有序地发展高新技术产业特别是环保产业，并实行低碳建筑和低碳交通的改造方案。在主体功能区划的基础上，进行城市和产业的合理发展规划，包括节能减排方案的科学设计以及工业能源的再利用问题，使所上项目具有可操作性，能产生长期宏观经济社会效益。关于新型城市化概念：是指改变以往不重视碳减排效果和环境承载能力的城市化发展模式，代之以合理布局的可持续发展的低碳建筑、低碳基础设施、低碳工业和低碳交通体系的城市化建设新模式。低碳交通体系是一个较为复杂的减排治理系统，涉及许多方面因素。在中国发展低碳经济中，实施新型城市化战略不仅可以有效促进节能减排，而且可以增加就业和带动经济增长。

7.3.3.2　投资准入环节

内含政策法规与竞争机制。有了好的规划就要上项目，包括城市和产业改造项目和新兴建设项目。上项目就会存在允许什么样的企业进入市场的问题。以节能减排为中心目标的投资活动，需要由严格遵守国家法律法规的技术水平较高的市场信誉较好的来承担重任，包括引进的外商投资项目也是如此。2009 年 6 月 17 日，中国工业和信息化产业部首次发布《新能源汽车生产企业及产品准入管理规则》，对企业进入新能源产业领域设置了门槛，以防止未来新能源汽车一哄而上，鱼龙混杂，出现以往的产能过剩和结构性劣化问题。可见，投资准入环节是促进中国产业结构升级的关键一环，是企业进入低碳经济的市场入场券。低碳经济不但直接实现对气候环境保护的目的，而且使工业化进程中国家在新规制下得以快速提升技术和结构水平。美国战略学家迈克尔·波特指出：随着国际环境保护的加强，世界市场正转向环境友好产品的生产。当一国的环境规制能正确反映国际环保趋势时，该国企业就能从率先实行的规制中获得竞争优势。他还指出：政府设计的环境规制有时可以激发企业创新。由此，部分甚至全部地补偿企业环境管理成本，在很多时候能使企业比不受环境约束的企业更具竞争力。中国比亚迪汽车公司由于遵循国家的环保节能政策，最先开发出节能汽车并打入环保规制严格的国际市场，得以迅速崛起，赢得了强大的市场竞争力。国家有关环境规制和政策将有助于那些适应形势发展的企业脱颖而出，实现后发优势，而且能促使整个国家经济发展和宏观效益迈上一个新台阶。在投资准入环节中竞争机制很重要，因为对于减排来说，它不仅选拔出适宜环境要求的优势企业，而且直接淘汰掉能耗高污染大的落后企业。

7.3.3.3　运行监控环节

低碳经济运行是在国家政策法规的指导和监管下，主要依靠市场机制发挥根本性作用，其最有效的管理机制是价格机制和金融机制。价格机制不光是市场化的能源价格信号，而且包括建立碳排放权交易的公平价格信号。有了灵敏的价格信号，企业就可以依据价格信号及时调整企业战略和市场行为，以适应低碳经济活动的要求。围绕低碳经济运行的金融机制，促使低碳投资和节能减排技术创新，促使企业注重生态效率的低碳经济发展，避免传统增长方式诱导的金融危机重演。在价格机制和金融机制的基础上，通过制度创新以及产业和技术创新，进一步构筑低碳经济的产业链，拓展低碳规模经济效益，推动各类节能高效技术、减排技术、再生能源技术的开发与运用，从而加速整个社会经济向低碳排放、低能耗、低污染、高效率的可持续发展模式转变。通过相关的监督控制管理机构，对整个运行体系建立灵敏的信息系统和高效反馈机制，以控制各种高污染、破坏生态环境的行为发生，防止价格信号扭曲和防止可能出现的碳金融投机泡沫，危害健康的低碳市场运行。

7.3.3.4　验收评估环节

在低碳经济运行过程中，必须把握好项目的验收和评估环节。由于环境保护的外部性，极易被一些社会公德较差的企业弄虚作假，扰乱市场运行秩序，导致节能减排流于形式难以达到规定的要求。在没有政府行政法规干预、监督管理和验收评估机制的情况下，企业使用环境资本并未支付应付的污染成本，这种负外部性导致企业为了本位利益，会减少节能减排投资以便降低本企业成本，且继续增加污染排放。只有通过验收评估环节，对不愿对节能减排进行投资治理和实施效果不好的企业予以严厉的经济处罚甚至动用淘汰机制，而对真正实行节能减排的企业，在其达标后政府予以一定的投资补偿奖励，才能促进节能减排顺利进行。

7.3.3.5　对外贸易环节

如果中国企业不积极调整原有出口贸易结构，仍然维持低附加价值、高能耗、高污染的环境密集产品出口，不仅不利于贸易增值，而且还要承担国外的 CO_2 和 SO_2 排放量，并容易被贸易国经常进行反倾销制裁，甚至被处罚"碳关税"。研究表明，如果每吨碳排放征收 30 美元或 60 美元的关税，将可能使中国工业总产量下降 0.62% ~ 1.22%，使工业品出口量下降 3.53% ~ 6.95%，并使工业就业率减少 1.22% ~ 2.39%。再看进口贸易，中国如不实行减少高能耗、高碳密集型产品生产的进口制成品替代战略，将不能有效实现减排目标和结构优化。另外，中国低碳经济发展目前缺乏先进的节能减排技术，需要从发达国家进口低碳产品和环境保护技术产品。因为有了先进的节能减排设备和技术，中国企业才能在发展低碳经济中取得实质性成效和进展。

总之，以上实施低碳经济的方法与机制，主要体现为从过去单纯依赖政府行政法规管制到向市场经济机制转变的思路。这种方法的目的在于把环境污染的外部性转变为企业的内部性行为，以提高节能减排的动力和效率。随着低碳经济的发展，市场机制将环境成本转换成为一种环境资本并成为提高企业竞争力的有效途径。政府需要对高能耗高污染低效率的企业制定相应的产业退出政策，对实施节能减排好的企业制定产业优惠和鼓励政策。同时需要把公平发展权纳入低碳经济中，处理好经济增长与节能减排的关系。为了限制中国过快的私人汽车增长，限制二氧化碳排放，实行环境税包括对汽车尾气排放的征税制度，这也是公平发展权的一种体现。

7.3.4　低碳经济的微观管理机制

低碳经济的微观机制主要体现在：在国家宏观管理和市场机制的共同作用下，节能减排进入企业内部成本管理与个人消费管理之中，在国家科学发展观和新的政策法令的制约下，企业将采取更加符合可持续发展的生产方式，个人消费也将转向文明合理，这些都会推进节能减排效果。

在全球气候变暖的背景下，以低能耗、低污染、低排放为基础的"低碳经济"成为全球热点，这场由欧美发达国家掀起的"低碳革命"已在全球悄然进行，"低碳化发展"也几乎冲击了全球所有国家和全球所有的企业。美国将低碳产业作为重振经济的战略选择，欧盟将低碳经济视为"新的工业革命"，英国将低碳产业作为新的经济增长点，而中国则将低碳经济的发展纳入经济社会发展规划。

从政治层面看，一些主要发达国家承诺，到 2050 年将全球二氧化碳排放减少50%，而就目前状况来说，全球二氧化碳的排放主要发生在发达资本主义国家和正在快速发展的发展中国家。目前，中国是一个快速发展的人口大国，又处于工业化发展的关键时期。因此，要实现上述碳减排的目标，中国扮演着一个重要角色。

中国林产工业目前存在着很多的低碳化发展瓶颈。实现林产工业的低碳化发展道路，必须制定中国林产工业发展的战略。依据前面对中国林产工业发展的现状分析，已经基本明晰了中国林产工业发展所面临的机遇和挑战，优势和劣势。在其基础上，中国林产工业发展的指导思想应以科学发展观为指导，面向低碳经济，通过转换企业发展模式和经济增长方式来构建一种低碳循环发展的经济体系，不断优化林产工业的配置方式，实现整体林产工业发展模式的战略转型，确保林产工业资源的安全，实现林产工业的低碳可持续发展。其具体的规划目标是在"两型"社会总体框架下，科学制定阶段发展规划，采用先进生产技术，实现"两化"融合面向低碳经济，坚决淘汰严重污染环境和浪费资源的落后生产工艺，不断推动中国林产工业的升级换代；以市场需求为导向，通过合理开发和利用国内外林产品资源，打造世界级的林产工业基地，提高中国林产工业对全球林产品市场的控制力；积极利用国内国外两个资本市场，在全球范围内实现生产要素的优化配置，积极推进林产工业的资产重组，逐步形成在全球范围内具有影响力的林产工业现代新型跨国企业集团，努力争取在 2020 年左右成为世界林产工业强国，实现林产工业的低碳健康发展。

低碳经济的发展模式就是在实践中运用低碳经济理论组织经济活动，将传统经济发展模式改造成低碳型的新经济模式。具体来说，低碳经济发展模式就是以能耗、低污染、低排放和高效能、高效率、高效益为基础，以低碳化发展为发展方向，以节能减排为发展方式，以碳中和技术为发展方法的绿色经济发展模式。其中，低碳经济的发展方向、发展方式和发展方法分别从宏观层面、中观层面和微观层面论述了低碳经济模式。低碳经济的发展方式不同于具体的发展方法，它是指在实现低碳经济发展目标过程的基本操作手段以及行为、态度和认知取向，是区域发展低碳经济过程中所采取手段的共同特征。在完成发展目标过程中，会采取一系列步骤或措施，每个步骤和措施称为发展方法。低碳经济的发展方式和发展方法不但具有尺度的不同，还具有战略和战术的关系，只有将不同的低碳经济的发展方法成功运用到发展实践中，才能逐渐形成具有区域特色的、稳定的低碳经济发展方式，最终实现低碳化发展的目标。

低碳经济的发展方向是低碳化发展。低碳化发展在保证经济社会健康、快速和可持续发展的条件下最大限度减少温室气体的排放。低碳化发展，重点在低碳，目的在发展，是一种更具竞争力、更可持续的发展。低碳约束将制约经济发展方向的选择，决定经济社会向低温室气体排放的方向演化发展。在保持现有经济发展模式和技术水平不变的条件下，碳排放的总量约束会限制经济发展的速度；而在保持现有经济发展速度和质量不变甚至更优的条件下，通过改善能源结构、调整产业结构、提高能源效率、增强技术创新能力、增加碳汇等措施可以实现碳排放总量和单位排放量的减少。

低碳经济的发展方式是节能减排。为了实现经济的可持续发展，减少能源消费和增加可再生能源及清洁能源使用是减轻能源生产和消费负面影响的主要手段，前者属于节约能源的范畴，后者属于减少温室气体排放的范畴。概括起来，要实现经济的低碳化发展和可持续发展，节能减排是一种重要的方式和手段。节能就是在尽可能地减少能源消耗量的前提下，获得与原来等效的经济产出；或者是以原来同样数量的能源消耗量，获得比原来更有效的经济产出。换言之，节能就是应用技术上现实可靠、经济上可行合理、环境和社会都可以接受的方法，有效地利用能源，提高能源利用效率。本书中减排的涵义不仅是指污染物排放的减少，还指温室气体排放的减少，偏重于温室气体减排这一内容。

低碳经济的发展方法是采用碳中和技术。政府间气候变化专家委员会（IPCC）认为低碳或无碳技术的研发规模和速度决定未来温室气体排放减少的规模。低碳或无碳技术也称为碳中和技术。"碳中和"术语是由伦敦的未来森林公司于1997年提出的，意思指通过计算二氧化碳排放总量，然后通过植树造林（增加碳汇）、二氧化碳捕捉和埋存等方法把排放量吸收掉，以达到环保的目的。碳中和技术主要包括三类：①温室气体的捕集技术，主要有三条技术路线，即燃烧前脱碳、燃烧后脱碳及富氧燃烧。燃烧前脱碳的关键技术是转化制氢，涉及高温下氢的膜分离技术，包括膜式转化装置、膜材料等方面的技术开发。此外，低能量二氧化碳吸附、溶剂、小型高效压缩机、过程标准化等均待进一步研究；富氧燃烧技术属于提高能源效率的范畴，技术的关键是氧气供应及高技术涡轮机的开发。②温室气体的埋存技术，即将捕集起来的二氧化碳气体深埋于海底或地下，以达到减少排放温室气体的目的。③低碳或零碳新能源技术，如太阳能、风能、光能、氢能、燃料电池等替代能源和可再生能源技术。目前，碳中和技术仍处于研发阶段，从技术经济角度来看离全面推广应用还有很大距离。明白了低碳经济的发展方向、方式和方法，接下来就是制定具体的发展规划。建议根据低碳经济发展初期、中期和后期所面临的不同经济环境制定不同的规划，增强规划的落实性。发展模式是一个多方面、多层次的概念，在借鉴前人研究成果的基础上，提出以下中国低碳经济发展模式。

7.3.4.1　自上而下的低碳经济发展模式

自上而下的发展模式是指由中央政府主导建立推动低碳经济发展的体制、市场、法律以及政策，限制高耗能产业的发展，鼓励低碳经济的发展。自上而下的发展模式富有效率，可以极大地推动低碳经济的发展和低碳社会的建设。但是自上而下的发展模式也容易产生大量的问题，比如：在不了解实际情况的时候仓促而行，与社会经济发展的客观阶段相脱节，非但不能实现低碳经济，反而影响了经济社会的进步。在严峻的能源供求问题和气候变化问题的背景下，在国家与世界的可持续发展要求下低碳经济的建立与发展是迫切的。而作为一个长期的发展的过程，低碳经济要求每个国家在发挥政府主导作用，推动低碳经济的建立时全面考量低碳经济建设的战略意义和可持续发展要求，树立全面协调和积极促进的观念。所以，政府作用在低碳经济的持续建设过程的初期和发展阶段应占据主导地位。中央政府主导建立有利于低碳经济发展的体制、机制、市场、法律以及政策，为低碳经济的发展创造有利的政治、法律和市场环境。政府主导作用在创造低碳经济发展环境的同时亦能引导社会树立低碳的发展意识，激励林产品加工企业投资低碳产业，鼓励民众形成低碳的生活方式。自上而下和自下而上的模式对低碳经济的发生条件和作用机制有自身的优点和不足，适合于长期发展过程的不同阶段。

7.3.4.2　由传统经济发展模式向低碳经济发展模式跨越式发展

跨越式发展的定义概念已被广泛用于社会发展的范畴。跨越式发展系一系列理论，中国可借此跳过一些低等、低效的技术和工业直接发展到更加先进的技术和工业。"跨越式技术"描绘了发展中国家通过使用相关技术走上新型发展道路，而避开了一些国家缓慢的发展方式。创新是跨越式技术的标志。这不仅仅是对技术的认定，还需要寻求新的方式在不同情况下运用目前的理念。跨越式发展可以实现技术优势，并避免能源密集发展模式。这些都是中国实现可持续发展的必备条件。如果没有这些条件，要想取得大幅度的能效提高就十分困难。中国是一个相对比较落后的发展中国家，而这也是中国实现跨越式技术的良好机遇。相应的激励机制，技术转让，国际合作和融入《京都议定书》的清洁发展机制市场都是取得成功的一些条件。这些条件综合起来可以使中国的发展模式完全不同于工业化国家走过的发展模式。

7.3.4.3　自下而上的低碳经济发展模式

自下而上的发展模式是指由民间机构牵头，企业，社会团体，政府共同参与促进碳的减排，调整能源结构发展低碳经济。自下而上的发展模式可以有效地考虑到市场的主导作用和民间对环境保护以及低碳经济低碳社会的看法，促成低碳经济和低碳社会的构建。但自下而上的发展模式也存在弊端，比如：效率较之自上而下的模式要低。自下而上的发展模式作用的基础是包括社会团体、企业、公民个人等非政府主体广泛意识到低碳经济的建设对经济、社会、环境和资源等长远利益，并能牺牲其部分短期的眼前利益参与到促进碳的减排，参与到共同建设低碳经济的社会经济活动中来。在自下而上的模式下，政府更多地充当"舵手"和"守夜人"的角色，制定促进低碳经济建设的公共政策，搭建非政府社会团体和个人参与碳减排和低碳经济建设活动的平台。这种模式对公众意识、公民社会、产业结构等要求较高，自下而上的发展模式更适宜低碳经济发展的中后期。前文中提到，自上而下和自下而上的发展模式的发生条件和作用机制有不同的要求，因此，深刻认识两种模式的优劣，不同的发展阶段采用不同的模式更符合低碳经济的发展要求。

第 8 章　中国林产工业低碳化发展的技术创新机制

8.1　技术创新理论分析

在 20 世纪中期兴起的以信息技术革命为核心的新技术革命的推动下，世界范围内产业结构发生了全方位的变革。其中最显著的变化是在各个产业间建立起了以知识和技术为核心的关联。根据世界知识产权组织对技术的定义，技术是制造一种产品或者提供一项服务的系统知识。这种知识可能是一项产品或是工艺的发明，一项外形，一个产品的新品种或是一种设计、布局、维修和管理的专有技能。

技术是产业发生的本源。首先，科技进步可以推动各种产业的产生和发展。如正是在第一次科技革命的基础之上，美国建立起以资源密集型和劳动密集型为特征的现代工业，在第二次科技革命的基础上建立起资本密集型工业为特征的现代大工业，在第三次科技革命的推动下，建立起以知识密集型的高技术化工业为特征的现代化工业。虽然科研成果在工业生产过程中的推广应用，产业会逐步发生改变，正是由于各个部门科技成果应用的程度不同，导致了产业结构的变化。其次，不同的产业建立在不同的技术基础之上。通过考察不同产业的主要技术基础，发现资源技术、能源与生产技术、信息技术分别构成了三次产业的技术基础，不同的产业有着与之相适应技术基础。

技术结构的变革是产业结构变革的主要动力。法国哲学家吕埃尔认为，技术现象和技术进步形成了技术结构系统，技术不是机器和工具的简单复合，而是现代文明的特殊现实。日本经济学家星野芳郎认为，技术的主要因素是目的以及符合目的的自然规律，他把生产工程放在技术体系的中心位置，在采掘、材料、机械、建筑、交通、通信、控制、动力八个过程部门之间建立了有机的联系，并且形成了独有的自然规律以及生产部门之间相互依赖、相互作用的技术结构体系。

技术是产业发展壮大的本源，技术以及技术结构的改变则是产业结构演变的主要动因。同时，相应的产业结构的状况又反过来制约以及推动着技术的发展。技术的变革是产业结构演进的前提，产业结构的演进是技术变革的结果。建立在技术基础之上并且随着技术变化而变化的产业结构就是"产业结构低碳化"。

技术创新是产业结构演进的最重要的推动力之一。回顾经济发展的历史，每次产业结构的巨大变化都伴随着技术革命的发生。技术创新与产业结构在变化时间、兴衰演进以及结构演变上都具有很强的相关性。技术创新对推动工业结构的低碳化主要表现在以下两个方面：

第一，技术创新可以通过影响消费需求和投资需求的变化影响产业结构。首先，科技的进步可以开发更多低碳产品，改变人们的消费需求；其次，科技的进步可以通过降低改善工艺、优化生产流程等方式降低生产过程中的碳排放，降低低碳、无碳能源的生产和使用成本，引导人们将资金投入到低碳产业、新型产业，改变投资需求。

第二，技术创新能通过资源供给、劳动力供给和资本供应状况的变化影响产业结构。首先，技术创新能够开发可替代的新资源，提高资源的使用效率，改变资源供给状况；其次，技术创新可以提升劳动者自身的素质，能够改变劳动力的质量，为低碳经济发展提供人才保障最后，技术创新可以提高生产效率，降低低碳商品的生产成本，进而扩大资本积累，改善低碳产业的资本供应状况。

8.2   技术创新与林产工业低碳化的实现

低碳技术是低碳经济发展的动力和核心，其创新能力，在很大程度上决定了一国能否实现低碳经济的发展。在《联合国气候变化框架公约》这个框架下，发达国家不断加大低碳技术的开发力度，太阳能、风能和生物质等技术不断成熟，随着这些以低碳为代表的新技术、新标准和相关专利的出现，最先开放并掌握相关技术的国家必然成为新的领先者，一旦这些技术确立了世界标准，将对依赖传统工业路径的发展中国家造成门槛。在全球化的经济格局中，发达国家和发展中国家的差距将由于低碳模式而再度拉开。

林产工业低碳化在某种意义上是建立在低碳技术创新基础之上并且随着技术的变化而变化的林产工业的变革过程。具体分析，林产工业低碳化可以表现在两个方面：一是指在整个林产工业中，低碳产业比重上升，高碳产业比重下降；二是指在产品结构中，高碳产品减少，低碳产品增多。林产工业的低碳化都离不开新技术的运用和推动。林产工业低碳化是以低碳技术为依托林产工业结构优化的结果。低碳技术全面渗透到林产工业，使得这些部门得到改造，形成以经济和环保效益双高的产业为主的林产工业结构。

8.2.1　技术创新推动林产工业低碳化的方式

林产工业低碳化最主要的动力来自于技术创新。技术创新推动林产工业低碳化主要有通过以下三种方式。

8.2.1.1　技术创新可以催生出来新型产业

产业的形成通常有两种方式：一是原有产业不断分解、形成新的产业。当某个产业发展到一定阶段，出现新的技术工艺，就会开始发育和萌芽新的产业，在需求的动力和市场压力下，这些新技术、工艺、产品就会从原有的产业中分化出来。二是某种新产品或新生产方式的规模扩大，形成新的产业。两者都与技术创新息息相关。在世界经济格局发生重大变革之际，低碳经济作为一个新的经济增长点，低碳经济将带来很多投资机会。

8.2.1.2　技术创新改变着产业间的投入产出技术关系

产业间的投入产出技术关系指的是各个产业之间相互依存的关联关系，它们互为产出条件，互为技术支持。正是产业间的投入产出技术关系要求产业之间保持一定的比例关系，而所有这些关系的核心就是技术关系。技术创新能够直接作用于产业间的投入产出关系，导致产业结构发生变化。具备前沿知识和技术的产业，利润率水平能够不断提高，吸引更多的资源进入该产业，产业规模不断扩大，而技术落后的产业则发展趋缓。

8.2.1.3　技术创新会影响需求结构的变化，从而影响产业的发展前景

社会生产的首要条件就是需求，技术创新通过以下两个途径影响需求。首先，是技术决定了产业间的需求关系，同时对生产性需求的数量进行了规定。回顾经济发展的历史，对产业需求的改变往往能够催生新兴产业或者推动对传统产业进行改造。其次，技术进步可以改变生活性需求，进而对产业结构变动也产生影响。如果厂商发现某项技术相关产品销路好，效益高，自然会扩大该种商品的生产，从而增加产量，也就引起了产业结构的改变。

8.2.2　技术创新与林产品加工企业低碳化

完成碳减排任务的主要途径就是节约化石能源消耗，发展清洁能源，提高能源利用效率，对二氧化碳等温室气体进行捕捉、存储和利用，这都有赖于技术进步，技术创新在低碳经济中应该发挥基础性作用。新能源是在新技术基础上开发利用的可再生能源和清洁能源，发展新能源是低碳经济的重要组成部分，也是未来可持续发展的经

济和社会的能源基础。各国为了实现碳减排承诺，发展低碳经济，必然会加大对低碳技术的研发投入，推广低碳技术应用。其他领域生产由于受到能源约束，也会通过技术进步弥补产出下降的影响，提高生产效率，保障其资本收益水平。

低碳经济作为新的经济发展模式，对于促进林产品加工企业技术创新，可以从外部驱动和内部驱动两个方面来看。

8.2.2.1　内部驱动

林产品加工企业生产目的就是追求利润最大化，就算是没有低碳经济政策的约束，林产品加工企业也有通过技术创新来节约能源降低成本的内在动力，只是从成本角度来看，传统化石能源具有成本优势，使得林产品加工企业不愿意采用更为昂贵的新能源。随着低碳生产和低碳生活模式的提出，得到越来越广泛的认可，低碳意识在生产、流通和消费等领域逐步渗透，低碳生产和低碳经营已经成为林产品加工企业竞争的重要手段之一，很多林产品加工企业开始把应用低碳技术作为获得公众认可的途径，特别是通过低碳技术创新，林产品加工企业在融资、政府扶持、同行信赖、赢得消费者认同等方面获得优势，在这些因素的作用下，林产品加工企业更加注重其低碳经营形象，具有低碳技术创新的积极性。发展低碳经济将催生新能源、环保等一系列新的产业，具有开拓性的林产品加工企业会抓住机遇，开辟新的生产和服务领域，掌握主动权的关键在于自主创新和技术进步，林产品加工企业为了获得在新领域的竞争力，也会主动进行低碳技术的自主创新，甚至利用技术创新设置行业壁垒，限制其他林产品加工企业进入行业，通过阻碍资本流动以获得垄断利润。林产品加工企业进行低碳技术创新也会面临不少阻力。最大影响因素就是技术创新风险，低碳技术研发需要额外投入大量的人力、物力和财力，增加了林产品加工企业生产成本。作为新的技术创新领域，低碳技术本身还存在不成熟性，在技术研发和应用的初期阶段，表现出高成本、低收益的特征，难以与现有比较成熟的高碳生产技术进行竞争，技术创新失败的风险更是加大了林产品加工企业进行低碳技术研发的阻力。另外，如果成功的创新技术不能得到有效的保护，很容易被别的林产品加工企业模仿，从而会丧失创新带来的技术优势，打击林产品加工企业低碳技术研发的积极性。当然，随着低碳技术的日益成熟和广泛应用，这些阻力会逐步变小，发展低碳经济促进林产品加工企业技术自主创新的作用越来越明显。

8.2.2.2　外部驱动

低碳经济政策的实施迫使林产品加工企业不得不转向技术创新，首先，传统能源约束、能源价格和碳税等政策作用，加大了林产品加工企业的生产成本，为了资本利润，林产品加工企业只能通过技术创新来改进生产工艺，提高生产和管理效率，才能完成节能任务，或者抵消低碳政策带来的成本增加。其次，政府为营造低碳技术创新环境，就会实施财政、金融等手段鼓励林产品加工企业技术创新，包括直接科研资助、信贷优惠、政府采购和财政补贴等扶持政策，这些政策和措施作为一种外生的驱动力量从不同的侧面提高林产品加工企业低碳技术创新的积极性。这种刺激效应的大小也是受到多种因素影响，关键在于政府扶持政策的力度大小和持续时间长短以及给社会带来的预期，如果政策力度太小或者存在不确定性因素，对林产品加工企业的刺激作用就不会明显。最后，技术创新已经成为竞争优势的重要来源，低碳技术创新将成为林产品加工企业在低碳发展模式下竞争的重要手段，林产品加工企业要在激烈的竞争中立于不败之地，必须加大低碳技术的积累和应用，充分利用新的低碳技术与管理方法，以积极主动的战略去面对新的竞争态势，才能提高其整体竞争力。

8.2.3　林产工业低碳运行的技术经济策略

在各个产业领域，技术与成本依然是制约低碳经济发展的关键性因素。如何采用相应的技术经济策略，促进林产工业产业结构性调整，满足社会低碳经济的需要，期望在纤维资源配置、建筑领域拓展和废弃木质资源碳汇交易三个方面，重点开展实证性研究。

8.2.3.1　优化配置木材、秸秆等纤维资源

由于草类原料的特性，不能满足纸制品质量和品种的需要，同时草浆造纸企业存在规模小、建设分散、技术装备水平低、污染严重等问题。对此，中国已提出了林纸一体化的战略规划。然而，造纸木材仍供给不足。2008 年中国纸及纸板 7980 万 t 的产量中，非木浆产品占 16.13%。将刨花板、纤维板生产中适于制浆的木片调配用于木浆生产，而将麦秸等农作物纤维资源用于刨花板、纤维板生产，通过资源利用的置换配置，在提高木浆产量的同时，既解决了草浆生产的一系列问题，也拓展了人造板原料的资源供应面。从财政、税收以及技术创新层面，支持利用麦秸等纤维资源生产人造板，将开创造纸工业和人造板工业双赢的局面。

8.2.3.2　扩大木结构材料在建筑领域的应用

木结构材料在建筑上的使用比例，不仅能替代高耗能的钢材和水泥，降低碳排放强度，而且在建筑节能方面也有突出的表现。从全球范围看，建筑领域的能耗、温室气体排放和废物产生量，约占总能耗及相应排放量的 30%~40%，而中国既有的近 400 亿 m² 的城乡建筑中，95% 属于高耗能建筑；各类能耗之首当属采暖和空调能耗，占建筑总能耗的 50%~70%。中国建筑单位面积的采暖能耗，相当于气候条件相近的发达国家的 2~3 倍。推广节能性建筑，是中国的中长期发展目标。

有关研究表明，在中国的气候环境和使用环境下，木结构建筑的采暖和空调年耗电量，较钢混结构建筑，可减少 21.15%；在全寿命周期的能耗和环境影响上，均优于轻型钢结构、混凝土结构。可以预见，推动木质结构材料在建筑上的使用，将是林产工业促进低碳经济的重要战略性措施之一。

8.2.3.3　建立废弃木质原料利用的碳贸易市场

林产工业废旧木质产品的利用，可延长木材中碳的贮存期，具有减排增汇作用，符合《京都议定书》中清洁发展机制（CDM，clean development mechanism）原则。CDM 是碳减排的灵活履约机制之一，对发达国家而言，提供了一种灵活的履约机制；而对于发展中国家，通过 CDM 项目，可以获得部分资金援助和先进技术。碳汇价格预期在 2015 年达 1215 美元/t，此后每年增加 215 美元，至 2030 年达 50 美元/t，对于木材资源利用率水平较高的中国而言，采用市场机制，包括财税等综合手段，建立废弃木质原料利用的碳汇交易，在获得社会资金补贴木材工业低碳运行的同时，还可达到降低二氧化碳排放、补充木材资源不足和引进先进技术等多重目标。

8.3　林产工业低碳运行的技术途径

低碳经济是低碳发展、低碳产业、低碳技术、低碳生活等经济形态的总称，以低能耗、低排放、低污染为基本特征，以应对碳基能源对于气候变暖的影响为基本要求，以实现经济社会的可持续发展为基本目的。低碳经济的实质在于，提升和应用能效技术、节能技术、可再生能源技术、温室气体减排和储存技术，以促进产品的低碳开发和维持全球的生态平衡，是从高碳能源时代向低碳能源时代演化的一种经济发展模式。

低碳经济的重心集中在低碳能源技术开发方面，已成为世界科技前沿的重点领域，每个大国都把先进的低碳能源技术作为根本性战略，并加大投入。有统计表明，全球已有 50 多家金融机构，投资 13 亿美元开发低碳技术，涉及石油、化工、电力、交通、建筑、冶金等多个领域，涵盖煤的清洁高效利用、油气资源和煤层气的高附加值转化、可再生能源和新能源开发、传统技术的节能改造、CO_2 的捕集和封存等多个方面，以期在低碳经济方面，占领技术制高点。

林产工业低碳运行的技术途径主要包含三个方面。

8.3.1 木质材料替代矿物源材料技术

木质材料替代能源密集型的矿物源材料，可以减少碳的净排放。虽然部分木质产品中的碳，最终将通过分解作用返回大气，但森林的可再生性又将部分排放的 CO_2 重新吸收，不但可以增加陆地碳贮存，还可以大大减少材料生产过程中的温室气体排放。而矿物源材料的制造，化石燃料燃烧导致的是 CO_2 的净排放。

可以预见，开发以木材等可再生资源为原料的生物降解性高分子材料，将成为化学工业的重要发展方向。纤维素基高分子材料、木质素高分子材料、聚乳酸以及其他林产资源基高分子材料等生产技术的应用，可有效减少石油基化工产品的使用；同时，生物质基高分子材料具有生物降解性，不会对环境造成影响。在建筑、交通等领域，拓展木质结构材料的应用，可减少对钢材、水泥等高耗能材料的使用，降低传统工业对化石能源的过度依赖。

8.3.2 木材及产品的延缓碳释放技术

以提高木质资源利用率和材料使用的生命周期来延缓木材的碳释放，是林产工业支撑低碳经济发展的有效途径。从生物质的全生命过程(life cycle，从植物种植到最终被焚烧或分解腐烂)而言，在不增加森林采伐量的前提下，森林与木材及产品在生命周期内的温室气体投、产平衡，即"碳中性"(C neutral)。防腐木材、热处理木材、木塑材料、木质功能性改良材料的应用，提高了木材的耐久性；低质、废弃木材等纤维资源(含树皮)的回收利用，均延长了木材的使用周期，起到减缓碳释放速度的作用。

8.3.3 林产工业节能降耗技术

工业生产能耗降低，有利于减少一次能源，如煤炭、石油和天然气的碳排放。中国的产业结构、消费结构目前均处于高能耗阶段，加上节能技术水平较低、能源管理漏洞较多，能耗强度和能源效率明显偏低。有关研究表明，中国能源系统的效率仅为 33.4%，较国际先进水平低 10%。虽然木材工业在制造业中，总体能耗水平相对较低，但仍需要针对耗能重点，开展节能降耗、提高能源效率技术的研究并推广之。

8.3.3.1 风送和除尘系统节能改造技术

在刨花板、纤维板与木制品生产过程中，风送、除尘系统的装机容量，占总装机容量的 20%~30%，设备选型与节能设备的采用，对能耗水平影响很大。以年产 3 万 m^3 和 5 万 m^3 的中纤板(MDF)生产线为例，风送和除尘系统若平均降低装机容量 5%，则整条生产线全年可节电 17 万~27 万 kW·h。

8.3.3.2 纤维板的热磨、干燥节能技术

根据 LY/T145122008《纤维板生产综合能耗》标准，纤维板单位产量基本能耗分级指标中，MDF 的综合能耗低于 320kg 标准煤/m³ 者即为优秀等级。不考虑产品种类(高密度纤维板和湿法纤维板)生产能耗的修正基数(上调)，以及不同地区因平均气温不同的生产能耗气温修正系数(下调)等因素，按 2008 年全国纤维板产量 2906.156 万 m³ 计算，全国纤维板生产综合能耗高达 930 万 t 标准煤；而发达国家 MDF 的综合能耗仅为 156kg 标准煤/m³。在纤维板生产中，除风送和除尘系统外，热磨、干燥工序等是另外一个耗能重点，需要加大相关技术的研发。

8.3.3.3 木材干燥和降低人造板热压过程热排放技术

木材干燥和人造板热压是木材加工行业的主要的耗热工序，基于成本经济性的创新，余热回用技术具有重要的价值。木材干燥能耗占锯材加工能耗的 40% ~70%，且大部分能量以水蒸气的方式排放到大气中，需要改进设备及控制方式，降低湿空气的排放温度及排放总量。

8.3.3.4 工业节能新技术的推广应用

主要涉及木制品低切削量节能加工技术、太阳能木材干燥技术，以及推广应用符合国家有关节能规定的锅炉、变压器、压缩机、风机、泵类等。随着经济发展和人民生活水平的提高，人们对木质材料的需求越来越大，同时木质材料在一些领域可以替代化石燃料、钢铁、水泥等能量密集型产品，其产品碳储存量和碳流动对于评价温室气体的减排潜力和提交国家温室气体排放清单有着重要意义。

第4篇
对策篇

第9章 中国林产工业低碳化发展的战略措施

应对气候变化将成为未来几十年乃至上百年人类可持续发展的关键主题之一，各国需要共同采取应对行动。是否认真采取减缓气候变化的举措已经逐步演变成国际社会衡量一个国家是否对全球负责的重要标尺，成为影响国家形象和软实力的重要因子。应对气候变化将在很大程度上引领各国未来社会经济发展的方向，重塑各国经济结构乃至世界的经济格局，决定各国未来的核心竞争力。

而应对气候变化、实现可持续发展最重要的社会经济内涵之一，就是实现各国乃至全球的低碳化发展。有的国家，特别是部分发达国家已经开始了向低碳经济转型的全面部署，力图在未来的国际竞争中确立优势地位。气候变化问题已经成为中国可持续发展的新的重大约束条件，并且在未来几十年的时间里将逐步从软性约束过渡到刚性约束，成为中国和平发展进程中的特殊背景和需要妥善应对的战略性问题。

发展低碳经济是应对气候变化对中国挑战的战略性选择，应当成为中国可持续发展政策的重心和新型工业化道路的重要内涵，需要及早作出明确的战略判断和全面部署。同时，低碳经济的核心是发展，发展低碳经济是一个长期的、渐进的过程，不可能一蹴而就，需要紧密结合中国的国情和发展阶段，兼顾国家长远和现实利益，有计划、有步骤地实施，要通过不断地探索和实践，走出具有中国特色的低碳化发展之路，确保国家长远的战略利益。

发展低碳经济需要充分发挥法律、经济政策、行政手段等的组合作用，并不断调整和创新政策工具。在"十一五"期间，中国采取了较多的行政手段，而在未来的发展中，应以法律手段为基础，逐步加强经济手段的运用，并辅之以必要的行政手段。首先，应从国家层面制定出发展低碳经济的规划，明确政府、林产品加工企业及各利益相关方的责任和义务，突出政策在绿色发展中的主导地位，同时建立国家绿色发展的综合协调机制。其次，优先解决资源、能源及环境要素的价格形成机制，改变现有资源配置的不均分配，使其价格真实反映资源稀缺度、市场供求关系及污染排放的外部成本。为此，应通过公正透明的程序来听取利益相关方对环境定价机制的意见，依靠市场来调节。最后，在涉及资源环境税收(如能源税、环境税、碳税等)的议题上应统筹考虑，配合相关财政政策及整体税制改革，同时减少人力资源相关税收，使税负总体水平保持平衡，以减少对林产品加工企业竞争力的影响。碳减排不只是技术问题，更是经济问题、机制问题。只有在市场经济中建立合理的机制，才能引导林产品加工企业进行各种节能减排的创新，也才能使林产品加工企业拥有创新的动力，才能取得最后的胜利。

9.1　政府层面

9.1.1　推行国家低碳经济发展战略

面对严峻的气候变化形势，部分发达国家已经制定出发展低碳经济的国家长远战略。2007 年 6 月，英国出台《英国气候变化战略框架》，标志着英国建设低碳经济的国内战略以及在全球开创低碳经济的国际战略。2007 年 6 月，日本内阁会议审议通过《21 世纪环境立国战略》。这部有关环境政策的战略报告将有关低碳社会的论述确立为政府目标，并宣布要构建以低碳社会为基础的国家环境战略。美国和除英国外的欧盟国家都紧跟英国的步伐，先后将发展低碳经济提高到国家战略的高度。

中国要更加积极主动地参加气候变化的国际谈判，掌握国际动向，影响谈判进程，在国际规则的制定中争取主动地位，尽可能为中国争取更多的发展空间，为中国发展低碳经济赢得更多的过渡时间。

要在认真分析各国低碳化发展的经验和走向的基础上，结合中国的国情和未来发展的需求，在适当的时机提出国家低碳经济发展战略，并将其作为国家可持续发展的重大战略，将实现低碳化发展作为中国社会经济中长期发展的战略目标之一，对中国的低碳经济发展进行全面规划、部署和推动。同时充分认识中国的发展阶段和国情特点，走出有中国特色的低碳化发展道路。

9.1.2　建立和完善国内排污权交易制度

排污权交易是受到各国关注的环境经济政策之一。它由美国经济学家戴尔斯于 20 世纪 70 年代提出，并首先被美国国家环保局用于大气污染源及河流污染管理，后来德国、澳大利亚、英国等国家相继进行了排污权交易政策的实践。中国在大气污染控制方面也开展了公开交易排污许可证的试点工作，并取得了一定的效果。中国主要执行排污费征收标准和超标排污处罚，其执行标准偏低，法律赋予环保部门的手段单一、办法较少、权力较弱，客观上造成了付费即可排污的不合理状况，污染排放总量难以得到有效控制。排污权交易制度在中国的实施还处于起步阶段，还没有形成统一完善的法律制度，但国外的成功经验以及各个排污权试点成功的实践，地方的零星立法，国家关于污染物排放许可证制度和污染物排放总量的立法确立以及各种国际环境条约的推动，都将成为建构中国排污权交易制度的基础。碳排放权交易制度不仅能体现总量控制策略，而且能依靠市场手段促进林产品加工企业主动实现总量控制目标。首先，由政府核实当地碳排放总量，碳排放权进入交易市场，林产品加工企业通过技术创新减少的二氧化碳排放量可以在二级市场上买卖获利。这样，林产品加工企业就有了减少碳排放的利益动力。可以设想，如果当地碳排放总量一旦确定，其排放权就类似于垄断资源，有限的碳排放权必然带来价格不菲的交易，而碳排放企业在利益驱动下，就会通过各种途径去减少二氧化碳的排放。

9.1.3　利用国际资源，对外树立负责任大国形象

在走向低碳经济的进程中，要把"引进来"和"走出去"结合起来，充分利用国际国内两个市场、两种资源，在能源、环保、资源等领域积极开展合作，增加管理、人才、资金的交流。积极加强国际合作，主动拓展合作渠道。与西方发达国家相比，中国的科技水平与技术创新能力都稍逊一筹。西欧发达国家在20世纪后半期已经开始意识到气候变化的严峻性和发展新能源技术的战略意义。积极加强与发达国家的合作，吸收发达国家环境保护的经验，借鉴各发达国家可再生能源与新能源产业的政策经验。中国要积极开展与低碳技术发达国家的合作，以此促进中国低碳能源技术的革新与推广，促进低碳产业的发展。

积极利用清洁发展机制等国际公约的资金机制为中国发展低碳经济服务。中国与印度等几个大的发展中国家在利用清洁发展机制方面都发展迅速，但作为最大的发展中国家，中国在利用清洁发展机制上却落后于印度。通过利用清洁发展机制，中国不仅能利用国际碳基金等国际资金项目，引入国际项目帮助环境污染严重的地区改善环境，而且能够通过引入西方先进的环保低碳技术，加速中国低碳技术的革新速度，推动环保技术与清洁技术水平的提升。

提升国际科技合作的层次和水平，形成布局合理、重点突出、目标明确的低碳经济国际科技合作格局。中国政府及其有关部门要广泛地参与国际活动，但当前参与的多边和双边合作远不能适应能源部门的快速发展的需要，要更好地协调和提高国际合作的层次与水平。按照"以我为主、互利共赢、促进自主创新"的原则，继续开展具有中国特色又兼具全球意义的全球变化基础研究，如地球科学系统联盟框架下的世界气候研究计划、国际地圈——生物圈计划、国际全球变化人文因素计划和生物多样性计

划等四大国际科研计划以及全球对地观测政府间协调组织和全球气候系统观测计划等，适时牵头发起低碳技术关键领域的国际科技合作计划，提高中国低碳技术研究水平和自主创新能力。鼓励和支持中国科学家、科研机构和企业，发起和参与低碳技术领域国际和区域科学研究计划与技术开发计划，充分利用全球资源，分享国际前沿科技成果。

积极参与未来国际气候制度的制定与完善，要通过举办和参加跨国跨地区的全球气候合作会议及项目，为全球各国应对气候变暖，着力节能减排作出中国应有贡献。同时，与各发展中国家一起努力，寻求通过制度化的手段，来推进发达国家向发展中国家的技术转让。

良好的国际环境与国家声誉对建设低碳经济有重要的影响。中国发展低碳经济，切实加强对外宣传，在领导人会晤、国际会议和其他场合，积极宣传中国应对气候变化、发展低碳经济的措施和成果，适时提出中国关于未来应对气候变化、发展低碳经济的方案部署，在相关区域合作、全球合作中依中国的优势领域提出引领性方案模式，提高中国在相关国际事务中的领导能力和对国际舆论的影响力，树立负责任大国的形象。

9.1.4　建立低碳经济发展的法律体系

全国人大常委会已于 2005 年 2 月 14 日通过《可再生能源法》。这部法律的颁布执行，必将对中国未来正确应对气候变化产生积极影响，也可以确保低碳能源产业的积极迅速发展。随着与《可再生能源法》相配套的法律法规的出台实施，中国发展可再生能源产业与低碳经济需要的法律法规体系逐步完善，发展新能源产业开始成为国家基本法的要求。一系列法律法规的出台保证了低碳经济发展的法制环境，为国家低碳经济的发展奠定了法律保障与支持。另外，《中华人民共和国循环经济促进法》在 2008 年 9 月 5 日通过了全国人大常委会的审议。新法律将有力地促进中国循环经济发展，提高资源利用效率，保护和改善环境，实现低碳经济与可持续发展。通过颁布这样一部法律，中国的低碳能源发展与环境保护行动将切实得到实施。同时，发展循环经济也是达到国家发展低碳经济目标的重要的不可缺少的途径。

虽然在中国发展低碳经济的法制环境慢慢形成，但《可再生能源法》与《中华人民共和国循环经济促进法》及其配套法规的执行与实施成效却不明显。政府、林产品加工企业和社会公众对这些法律有很高期望值，但由于法制尚不健全、低碳能源市场发展不成熟等客观原因，法律颁布实施后的实际执行效果并不明显。依法促进低碳经济的发展，必须使有关可持续发展的法律法规得到有效的实施。

为了更好地促进低碳经济的发展，应该加快相应的立法工作。要加快对《循环经济法》与《循环经济促进法》配套规范性文件的制定，完善促进可再生能源发展与低碳经济实现的法律体系。提高能源效率是中国转变经济发展模式与应对严峻气候变化形势的最重要方面。制定能促进能源效率的法律法规体系。在现有能源结构的条件下，以"命令—控制"和"成本—收益"机制相结合制定与《循环经济促进法》等法律相配套的能促进能源效率的法规体系，明确能源效率标准和标识制度，采取系统配套的财税激励等措施，促进能源可持续发展与利用的能力。

加强包括《可再生能源法》在内的各种法律法规的实施。政府为了保证推进低碳经济发展的法律能够有效实施，需要通过规划措施，制定和完善可再生能源总体规划及风能、太阳能、地热能等专项规划，完善"配额制"和"固定电价"等相关政策制度，以求改善可再生能源的利用状况，加强可再生能源的供应。加强相关促进能源效率的法的实施，切实减少能源生产与消费过程中的能源散失与浪费，促进能源效率的上升。如此，中国的经济增长模式将随着中国能源效率的不断提高而走向集约化增长的新工业化发展道路。

通过政府对新能源产业的引导，发挥市场对资源的基础性配置作用，加快建立有利于低碳经济发展的市场环境。对中国现有的可持续发展政策、规划进行认真梳理，把低碳经济作为各项相关政策的重要内容，融合"成本—收益"的政策规制，从经济政策、产业政策、财税政策、环境政策、贸易政策和科技政策等全方位地支持低碳经济的发展，用立法保障市场机制。政策对不利于低碳经济发展的政策进行调整，对有利于低碳经济发展的相关政策结合具体情况在政策强度、涉及面和时间进度上进行调整。同时注意不同政策之间的协调与配合，形成促进低碳经济发展的良好政策和法律环境。重视市场机制在促进低碳经济发展中的作用，充分利用市场手段促进低碳经济发展。根据市场经济规律，运用价格、税收、财政、信贷、收费、保险等经济手段对市场主体进行调节，推动有利于低碳化发展市场机制的进一步完善，鼓励企业走低碳化发展之路。优越的市场环境对中国向低碳经济转型具有重要的意义。

9.1.5 搭建财政税收政策支撑平台

低碳经济下政府是支持和引导林产品加工企业的提升行为的重要外部力量，支配资源和政策导向，政府的支持和引导有利于林产品加工企业核心竞争力发展的方向流动，为林产品加工企业核心竞争力培育提供良好的发展环境。政府的政策导向直接影响制造业产业内企业核心竞争力发展状况。如果国家政策鼓励林产品加工企业向低碳生产发展，将对企业核心竞争力培育方向确定起到正向推动作用。在低碳经济发展过程中，国家调整财政补贴，设立专项资金，对低碳生产的林产品加工企业提供优惠资金，促使林产品加工企业加大投入和技术改造，督促林产品加工企业进行低碳生产，降低林产品加工企业由传统生产模式转向低碳生产模式过程中的成本和风险。

9.1.5.1　完善财政支持手段

推进低碳经济发展，需要完善财政支持手段，加大财政补贴力度。低碳经济产业具有风险性、投资庞大、收效慢等特点。这对于林产品加工企业来说不愿投资相关产业，所以，低碳经济发展需要政府财政补贴。政府需要制定相应补贴政策，采取物价补贴等方式，鼓励林产品加工企业进行低碳产业的研究与投资。政府还需要完善支持手段，例如对在低碳经济发展中有突出贡献的学者实施奖励，通过社会对低碳进行宣传，鼓励群众及林产品加工企业进行相关研究，给予相应奖励以降低群众及林产品加工企业发展低碳经济的成本，提高林产品加工企业对于低碳经济的研发投入，使低碳经济得以更好地推进。政府还可以提供绿色信贷补贴，通过绿色信贷补贴，降低林产品加工企业技术改造和新能源开发成本，鼓励林产品加工企业实施更多低碳化发展和清洁生产项目，促使林产品加工企业在低碳经济下尽快培育和扎实企业竞争力。通过政府面向开展低碳经济的林产品加工企业有针对性的财政扶持，大幅度地调动林产品加工企业低碳经济建设的积极性，指导整个社会资源向低碳经济的方向发展。

9.1.5.2　制定相应治理收费政策

政府需要对以下方面进行治理，主要包括对废旧物资进行商品化收费、征收倒垃圾的费用以及提高污水治理费。对不符合低碳经济发展的方面进行收费是最直接的方式，可以有效进行生产过程的"前端治理"。

9.1.5.3　制定促进低碳经济的征税政策

要积极研究开征碳税，为进一步低碳技术创新以及大规模应用提供稳定的价格。建议碳税的起步税率不要很高，并逐步调整碳税。对资源开发环节进行税费调整的方式包括：提高排污收费价格、扩大征收税费范围、将排污费改为污染税等。资源税则由量计征改为从价计征，用以提高资源开采效率。首先，扩大征税范围，实行差别税率。根据林产品加工企业的规模、废物处理能力等征收水、大气污染税系列专项新税种，对不同地区、不同污染程度企业区别对待，实行差别税率，以此刺激林产品加工企业改进生产方式、增加房屋设备，最终减少高污染的生产，从而加强低碳经济中的"末端管理"。其次，提高税率、加大税档，实行惩罚性的征税政策。对非再生资源征重税，采用累进制征收，对林产品加工企业进行税赋惩罚，使林产品加工企业提高高技术含量设备的使用，推动低碳经济发展。再次，调整进出口税收政策。对国内紧缺产品出口逐步减少直至取消，鼓励进口国内紧缺的林产品，鼓励低成本、低消耗来保障国内市场的需要。最后，增加征收新的税种。例如征收新鲜材料税，根据对林产品加工企业新购的新鲜材料征税，促进林产品加工企业内部原料循环利用，对间接产品开征新税，在征收生态税的基础上开征燃油税，可以阻止相关产品的使用。征收垃圾的焚烧以及填埋税，可以减少垃圾数量，主要针对倾倒垃圾的林产品加工企业，在处理垃圾时严格把关，促进低碳经济发展。

9.1.5.4　出台税收优惠政策

首先，对林产品加工企业进行减免税政策。对于回收成本较低的废旧物资需要提高废旧物资的进项税额或降低原料为废旧物资的产品增值税税率；引导林产品加工企业尽可能使用替代资源，降低不可再生资源的消耗并相应征收资源税；林产品加工企业环保设备可以享受所得税优惠，将优惠范围扩大到环保产业新产品、新技术研制之中。其次，调整所得税的税前扣除。对于新技术、新产品以及新工艺的开发投入需要进行对提高资源使用效率的综合利用，鼓励林产品加工企业更新改造旧设备。降低可再生能源领域增值税。促进可再生能源发展方面，需要实行所得税优惠政策，降低进口可再生能源设备进口关税。对林产品加工企业的低碳研究给予税收优惠。促进科技创新方面，要增加政府低碳技术创新研究预算投入，对林产品加工企业给予税收优惠。

9.1.5.5　其他配套政策制定

制定低碳化发展创新管理制度。政府是制度创新的主体，政府应对低碳化发展的管理制度进行制定。对不同地区、领域以及学科来说，政府管理制度创新也应是不同的，应明确规定制度面向主体的产权结构、经营制度、利益分配等，为低碳制度创新提供经济、技术等方面的行政管理部门、咨询以及审议机构等的管理服务体系，尽快落实《制造业调整和振兴规划》实施细则，并进一步完善及鼓励林产品加工企业低碳化发展的其他相关政策，这样可以规范林产品加工企业市场操作行为，减少低碳经济下林产品加工企业发展的不确定及风险性，维护企业利益，维护市场契约关系以及市场秩序，为林产品加工企业制度创新提供良好的制度参照。

9.1.6　强化促进林产品加工企业技术创新的激励政策

9.1.6.1　建立和完善低碳技术创新投资

首先，在充分调研的基础上，根据不同领域的特点，调整和深化研究机构的改革，加快预算制度、促进人事制度等配套制度的完善以及科技资源的合理流动和有效利用。其次，应协调低碳经济、节能环保等相关内容的研发项目，优先制定低碳化发展科技路线图，同时关注商业化示范项目并吸纳更多林产品加工企业的参与。最后，在低碳技术研发领域，除了研发单项技术外，还要特别关注符合中国国情和长期利益关系的低碳技术系统的开发和示范，如清洁煤发电的 CCS 和 IGCC 联产技术和煤炭多联产系统。

9.1.6.2　加强低碳技术研究与开发

低碳技术的发展涉及国家未来的核心竞争力。实现低碳经济社会的目标，必须依靠科学技术的发展。要落实《国家中长期科学和技术发展规划纲要》的总体要求，对低碳技术研发及时进行超前部署，充分发挥科技对经济的引领作用，加快构建支持中国低碳经济发展的技术体系。国情不同，低碳经济的发展道路也有所不同。要增强本国的技术吸收能力与自主创新能力，完善相关体制，充分发挥制度环境的激励作用。完善人力资本开发与管理体制，加强人才培养和人才基地建设，切实加大对适合于中国低碳化发展道路的技术研究与开发力度。建立适当的人才激励机制，重视新能源科技人才的培养与储备，并通过创造吸引科技人才的企业氛围、有利于实现科技人才自身价值的研发环境以及适当的薪酬刺激等措施。大力开展有关新能源的基础性研究工作，增强相关科研能力。加快新能源和可再生能源技术的研发和促进技术进步，强化自主创新能力，培育具有自主知识产权的核心技术。大力培养相关方面的高素质人才，为可再生能源发展提供人才支持和储备。加大技术研发资金投入，支持鼓励企业进行先进设备改造和创新，提高国产化程度和装备制造产业化。国家对可再生能源开发利用、技术研发和设备生产等给予税收优惠支持，促进可再生能源技术进步与产业发展。

制定合理有效的引进政策，诱发技术扩散，防止技术垄断的形成。引入多个大型跨国公司的竞争型投资，通过改变竞争结构和竞争环境促使国际竞争国内化，增强新能源产业的竞争程度。通过给跨国公司施加竞争压力，有效提高跨国公司技术扩散的速度和层次，防止跨国公司的技术垄断。改变以往侧重单纯为技术而引进技术的方式，引进包括生产制造技术、组织管理技术和市场营销技术在内的复合式技术结构，甚至可以在重大工程的招标中提出技术含量要求，利用重大工程促进跨国公司技术扩散，迫使跨国公司在项目建设的同时，提供中国所需技术及相关培训。破除跨国公司新能源技术垄断，促进技术扩散还需要进一步完善投资环境，进一步加强高技术园区的作用，促进跨国公司的研发聚集，以便有利于跨国公司技术的扩散；建立健全有利于新能源技术扩散的市场规范与服务体系，通过新能源产品标准、技术规范和相应的技检投入以及中介机构提供的认证与信息服务，来加强市场监测、规范市场竞争、增强新能源产品的市场认同度、提高投资信心；注意这些制度与中国经济制度、企业制度环境的一致性，与相关法律、法规、政策的衔接配套，如电力法、节能法、环境保护法等。

由于低碳经济在国际社会中还属于一个崭新的领域，中国在这些方面不仅技术上落后，在相关政策研究领域也缺乏必要的经验。为此，建议应充分利用中国现有平台，及早培养中国自己的低碳经济政策和技术专家，为下一步参与国际环境政策与规则制定做好准备。在密切关注低碳经济国际发展趋势的同时，积极参与相关国际政策的制定和推动活动。加强具有低碳经济特征的前沿技术的研究开发与原始创新，抢占科技制高点，在节能和清洁能源、可再生能源、核能、碳捕集和封存、清洁汽车等低碳技术领域取得重大技术突破。特别重视具有战略意义的低碳前沿技术和具有产业带动意义的低碳新兴技术的研究开发，促进具有低碳经济特征的新兴产业群的发展，并成为国民经济新的重大的增长点。

9.1.7　构建林产工业低碳化发展的金融服务体系

9.1.7.1　制定信贷政策

信贷服务作为中国金融服务的主要形式，在产业低碳化发展中起着重要的基础性作用。而从银行自身角度来看，支持产业低碳化发展，也是银行承担环境责任，谋求自身可持续发展的战略选择。目前，低碳经济已经成为世界未来经济发展的必然趋势。如果银行不能站在战略高度，跟上产业低碳化发展的步伐，那么，银行在未来就可能会失去竞争力。因此，银行只有创新信贷服务模式，按照低碳经济理念设计银行信贷产品，才能在推进产业低碳化发展与银行可持续发展之间获得相对均衡。

（1）建立低碳优先的信贷政策。2007年7月，国家环保总局、人民银行、银监会三部门为了遏制高耗能高污染产业的盲目扩张，联合提出一项全新的信贷政策《关于落实环境保护政策法规防范信贷风险的意见》，要求金融机构要依据环保部门通报的情况，严格贷款审批、发放和监督管理，对未通过环保评审批准或者环保设施验收的新项目，金融机构不得新增任何形式的授信支持。这份被称为"中国现阶段绿色信贷的基础文件"实施以来，取得了一定效果，对遏制高耗能、高污染等产业的发展以及促进企业采用低碳生产技术起到了明显的作用，但在低碳经济背景下还有待完善，需要补充建立低碳优先的信贷评价体系，并将新增低碳贷款作为一项战略性指标纳入到银行关键业绩考核指标体系，确保政策执行。

（2）创新低碳信贷产品。信贷产品同其他金融产品一样，其发展与信贷服务对象需求及其变化密切相关，与传统经济发展模式相比，低碳经济下的产业信贷对象发生了一些变化：一是战略性新兴产业的发展，如节能环保、新一代信息技术、生物医药、高端装备制造、新能源、新材料等，具有资本密集、技术密集、能耗低、污染少等传统产业无法比拟的优势，也属于典型的低碳产业，是现代产业体系的重要组成部分。二是产业共生网络的发展，如循环经济产业链构建和产业园区发展，通过践行减量化、再利用、资源化的"3R"原则提高资源能源利用效率，减少二氧化碳排放。在此情况下，金融机构的信贷服务将由支持单一企业转变为同时支持附着于产业链的上、下游企业群，由支持单一产业转变为同时支持共生网络内的多个产业。三是碳交易市场的发展，如 CDM 机制，对金融产品和制度都提出了新的要求。因此，金融机构要适应服务对象的变化，对信贷产品进行适应性调整，一是调整信贷结构，促进资源从风险高、盈利少、社会贡献度低的行业和企业向社会贡献度较高的行业和企业集中，实现生产要素优化配置，提高经济运行的质量和效率；二是适应循环经济产业链和产业园区服务对象的变化，着力对信贷产品组合长度和宽度进行调整，为其提供系列化、循环式的信贷资金支持；三是适应碳交易市场的金融服务创新需求，根据全球碳交易市场规则，对中国境内产生的温室气体排放量，按照 CDM 机制开发有价产品，将国内碳交易市场逐步演变成为银行信贷市场。同时，研究开发碳基金以及市场化的碳排放权衍生金融产品，形成以 CDM 项目为核心的碳金融体系。

（3）建立低碳信贷管理机制。低碳经济是一个新事物，低碳信贷业务也会涉及很多新的问题，主要涉及两个方面：一是低碳经济涉及很多专业知识，比如碳交易市场的不同运行机制及制度要求，产业共生网络构建的产业链接技术，战略性新兴产业发展的政策体系等。从这个意义上说，低碳信贷对金融机构提出了新的管理要求，金融机构必须拥有一批既能掌握经济金融理论和信贷操作技能，又能知晓上述专业技术知识的专门人才，才能顺利实施低碳信贷业务。二是低碳信贷涉及更为专业的风险管理问题。因为低碳项目相比传统项目，信贷风险往往更大，比如产业共生网络建设贷款项目，一旦某个链条上的某个环节产生问题，往往传递到整个链条上的所有企业。因此，针对产业共生网络的整体贷款比传统针对单个企业的贷款风险要大得多。面对这些新的问题，金融机构要积极改变现有信贷管理观念，对低碳信贷进行研究、探索与总结，加快建立低碳信贷管理机制。具体应从以下三个方面着手：一是建立低碳信贷人才培养机制，通过实施有针对性的低碳业务培训、引进既掌握经济金融理论和信贷操作技能，又知晓低碳专业知识的专门人才等措施，打造高素质的低碳信贷队伍；二是强化低碳信贷风险管理，要按照产业低碳化发展特点和要求，建立低碳信贷风险控制流程及操作系统，做好风险评价和预警工作，完善信贷风险补偿机制；三是加强低碳信贷业务整体管理，实现"五个平衡"，即政策性金融与商业性金融的平衡、制造业信贷与服务业信贷的平衡、项目信贷与环境信贷的平衡、生产信贷与消费信贷的平衡以及信贷产品创新与衍生工具创新的平衡，保障低碳金融业务的开展。

9.1.7.2 建立碳交易市场

虽然中国是清洁发展机制项目中最主要的供应国，为国际碳交易市场创造了大量的减排额，但是中国仍处于整个碳交易产业链的最底端。逐步建立碳排放交易市场已明确在"十二五"规划的建议中提出。中国碳市场的建立不但是降低二氧化碳排放，提升国际地位的现实选择，也是经济发展的内在要求。

(1)中国建立碳市场的必要性。

第一，减少碳资源流失，增强中国议价能力。因为没有自己的碳交易市场，中国处于单纯碳资源供给方的地位。由于碳交易的市场和标准都在国外，中国没有话语权，发达国家的买家便可以人为压低价格。有些碳资产价格在国际上可以达到十几欧元1t，但在国内却只有四五欧元。为世界碳市场创造的大量减排成果，得不到相应的经济回报，被发达国家以低价购买后，通过包装、开发变成价格更高的金融产品在国外进行交易，由此造成了中国碳资源的巨大流失。因此，中国必须建立自己的碳市场，通过市场机制调节，改变国内碳排放权价格弱势地位，保护中国企业的利益。

第二，有利于推进中国清洁发展机制的发展。中国 CDM 市场虽然比较活跃，但技术转让的水平却非常低。CDM 的设置实际上是鼓励技术转让的机制，而大多数企业只将资金作为唯一目标。通过建立碳交易市场，可以加强各级政府和企业对国际减排机制的了解、认识，从而提高对清洁发展机制合作规则的利用，不但要引入国外资金，更要加强技术的转让。这样才能获得大规模新技术的开发和运用，促进中国节能减排目标的实现。

第三，规范国内企业交易操作行为。由于缺乏国家交易操作规范知识，中国许多企业开发的项目得不到联合国相关部门的认可。资料显示，截至 2008 年 6 月，经国家发改委批准的 1400 个 CDM 项目中，成功在联合国 CDM 执行理事会(EB)注册的只有140 个，而真正拿到 EB 签发核证减排量的却只有 51 个。只有被联合国注册认可的减排量才有经济价值，才能给项目主体带来经济利益。中国的这种情况正是由于没有建立碳市场，缺少与国际接轨的规范的交易机制造成的。

(2)建立碳交易市场的具体建议。

第一，建立全国统一的碳交易市场机制。目前，各地已建立或正在筹建的环境交易所过多，阻碍了统一标准的执行，不难想象，这些省市级的交易所很难形成大规模交易量，也不利于碳交易产品的国际对接。各省市投入大量人力、物力筹划建立碳排放交易所也造成了资源的浪费。从国际经验看，一个国家或地区一般只有一个交易所，欧盟以及英国、美国都是如此。因此，应当整合现有资源，建立一个全国性碳交易市场机制，统一制定政策标准、交易制度、具体程序等，避免出现过度竞争。

第二，建立碳市场管理和研究机构。碳市场是一个新兴市场，碳排放权交易在中国的运行尚需一定的监控，应成立专门的碳交易市场管理机构，完善有关碳排放权交易的法律法规。借鉴国外经验，制定和实施一套科学的环境监测标准与碳排放权交易的具体规则，对碳交易进行管理、调控和监督。同时，针对中国碳市场研究不成熟的情况，应建立专门的碳市场研究机构，大力培养 CDM 领域的人才，从事实践性和操作性的全方面研究。并加快研究符合中国国情和企业实际的温室气体测量、核查和报告体系等。

第三，建立碳市场中介机构。企业在进行碳交易过程中，最难也是成功关键的环节就是注册流程。许多企业对 CDM 的价值、操作模式、项目开发、交易规则等并不熟悉，也找不到合适的买家，这就需要中介机构提供帮助。在国外，中介机构会负责绝大多数的 CDM 项目评估及排放权的购买工作。而中国像北京中碳技术有限公司这样的中介机构非常少，而且大多处于起步阶段，难以开发和运作大量的 CDM 项目。因此，建立专门的中介机构，给企业提供较为全面的信息，来提高企业交易效率，促成企业能较快地完成交易，降低交易成本是十分必要的。

第四，加强金融创新，促进碳市场发展。随着碳交易市场的蓬勃发展，越来越多的金融机构涉足碳金融领域，服务于碳排放权交易的金融业务和衍生产品也迅速兴起。因此，政府可以融入金融方面的考量，在制定一系列与环境相关的法律、法规、政策、条例和标准时，不该局限于现有的金融体系，应制定相应的激励机制，从制度层面发展环境金融。应鼓励银行、基金公司等金融机构提高自身的环境责任意识，充分调动他们在低碳经济下捕捉商业机会的积极性，稳步渐进地推动适合中国国情的环境金融产品的兴起和发展。

9.1.7.3　完善政策性金融政策

政策性金融是当前弥补金融市场失效的一种有效金融方式，往往在商业金融和资本市场无力或不愿承担的业务领域，通过各种特殊的投融资活动，起到建设制度、培育市场的作用，既能成为商业性金融和金融市场的有益补充，又能在国民经济基础性产业和战略性产业领域中发挥主导性功能，促使国家产业政策得到落实。因此，低碳经济中的很多领域都是政策性金融需要重点介入的领域，无论是传统产业的低碳化改造还是新兴低碳产业的发展。政策性金融是实现产业低碳化发展目标的重要金融服务手段，具体工作可从三个方面展开：一是调整信贷策略，体现低碳导向。国家开发银行、林产工业发展银行、进出口银行等三家政策性银行要根据国家相关政策适时调整自己的信贷策略，严格客户生产过程节能减排等环节的调查，对不符合要求的项目坚决不予受理。二是密切跟随国家新的政策要求。从严审查、监督、管理各项贷款，切实防范因违背国家环保政策形成的信贷风险。三是学习商业银行，积极推进金融产品创新。可针对产业低碳化发展的金融需求特点，积极开发和引入多样化且有针对性的金融产品，如分别针对风电、水电等可再生能源 CDM 项目的支持方案、针对低碳产业示范基地建设和老工业基地改造项目的支持方案、针对石化、钢铁等传统产业改造项目的支持方案等，切实起到支持产业低碳化发展的作用。

9.1.8　加大林产工业低碳化发展的监督检查力度

9.1.8.1　建立健全监督检查制度

加强监督检查，是确保低碳林产工业支持政策落实的有效手段。要保障低碳林产工业支持政策的有效实施，就需要建立相应的监督检查制度。

(1)制度建设应遵循的原则。一是积极稳妥、宁缺毋滥。制度的建设要高标准、全方位，要考虑到低碳林产工业支持政策的各个环节，实现检察监督范围的全覆盖、监督检查活动的全参与、监督检查手段的全方位。二是保障农民的切身利益。各级林产工业部门要采取一系列措施来保障低碳林产工业生产和主要林产品有效供给和林产品价格机制以保障农民利益。三是与时俱进，不断提高监督检查水平。加大检查指导和依法查处力度，强化全程监控，逐步建立依法监督检查的长效机制，全面提升监督检查的能力和水平。四是对支持政策实施过程中的违法行为进行严厉查处。严厉查处在低碳林产工业支持政策实施过程中的各种利用支持政策的违法犯罪行为，彻查假劣农资的来源和去向，对构成犯罪的案件，坚决移送司法机关处理，坚决维护广大农民群众的合法权益，保障社会的和谐稳定。五是充分发挥民众监督和媒体监督的重要性。依靠广大民众对支持政策的实施进行监督检查，动用媒体力量增加支持政策的透明程度，确保支持政策的有效实施。

(2)制度建设的具体内容。一是监督检查机构全覆盖。全国范围内省、市、县各级林产工业部门都应设有专门的监督检查机构，并配备相应的领导与人员。也可在现有各级党委和政府纪检(纪委)监察机构的基础上，增加其对低碳林产工业支持政策的职能。二是实现监督检查机构的全面参与。在实施低碳林产工业支持政策中，监督检查部门主动参与林产工业支持政策执行情况的监督检查等活动，确保低碳林产工业支持政策落实和有关项目实施的"公开、公平、公正"。三是实施监督检查手段全方位。为进一步提高监督检查水平，主动邀请人大代表、政协委员、企业参与监督活动，拓宽监督渠道，增强监督检查的效果。同时，借助各种媒体网络，畅通举报投诉渠道，自觉接受社会各界的监督。四是建立对环境保护的监督检查。对低碳林产工业支持必须做到保护生态、环境与文化，实现林产工业可持续发展。走开发与保护、发展与稳定相结合的发展道路。在旅游开发经营的过程中，要树立新的资源观和节约观，以可持续发展的理论和方式发展低碳林产工业，正确处理资源开发与环境保护的关系，低碳林产工业开发建设项目必须严格执行环境影响评价制度和"三同时"制度，明确各项环境保护措施，规范建设施工行为。五是继续深化行政审批制度改革。对保留的行政审批事项，要明确实施条件、审批程序和时限要求，进一步完善工作流程和管理规范。对取消后仍需加强监管的事项，要建立健全后续监管制度，制定配套措施，加强事中检查和事后稽查。切实加大对低碳林产工业支持政策的监管力度。进一步建立健全投资项目公示制度，提高资金使用透明度。要把新增低碳林产工业投资项目执行公开情况作为监管重点，确保建设进度，尽快形成实物工作量。同时，要严格资金管理，确保资金安全。六是注意发挥群众参与监督的积极性。通过发放资料、印发小册子、张榜公布补贴标准、加强广播电视宣传、公开监督投诉电话和网上举报等形式，发动群众积极参与监督。对群众来信来访反映的问题，及时督促有关职能单位进行调查核实，情况属实的要严肃处理。七是要积极做好化解矛盾和处理重大突发事件的公开工作。进一步加大中央各项政策措施的公开力度，特别是低碳支持政策中涉农补贴、农村集体财务、民主管理制度等事关农民群众切身利益事项的公开力度。对容易引发社会矛盾的重大问题，要及时发布权威信息，切实维护党和政府的形象。

9.1.8.2　建立健全有效的监督检查机制

(1) 监督检查机制建立的意义。

为了保证低碳林产工业支持政策的实施效果，应建立完备的监督检查机制。这种机制应以农民和农村合作组织自律为基础、地方政府监督管理为保障，社会中介监督为补充的监管体系，形成监督检查合力。各地建立低碳林产工业支持政策督察联席会议制度，建立有效的政策协调和信息共享机制，促进低碳林产工业的发展，及时发现和解决低碳林产工业支持政策实施问题，有效防范阻碍低碳林产工业支持政策实施的不良行为。积极推进体制机制创新，强化以市场导向为基础、政府推动为保障的发展机制；立足林产品质量和风险防范，建立规范高效的认证工作机制；立足品牌的公信力，建立依法监督检查的长效机制；立足强化职能职责，加强体系队伍建设，完善低碳林产工业工作系统的运行机制。创新监督机制，服务科学发展。加强监督检查，防止权力失控、决策失误和行为失范。坚持把全面落实科学发展观的要求贯穿于监督检查工作的全过程，将规范权力运行与创新监督制约机制同步实施，把支持发展、服务发展、促进发展和保障发展作为监督检查的根本任务，把服务变得更直接更具体，把监督保障变得更超前更有效，做到在参与中服务，在服务中监督，在监督中发展。

（2）监督检查机制有效实施的措施。

第一，增强监督意识，形成监督检查的良好环境。一是加强宣传教育力度；二是建立监督权利的激励机制和保障机制；三是强化监督检查机关工作人员的监督意识，充分发挥专门监督检查机构的职能作用。拓宽监督渠道，形成多角度、宽覆盖的监督检查体系和社会氛围。

第二，突出监督重点，强化监督检查的综合效果。一是加强低碳林产工业实施情况的监督检查；二是加强对领导干部特别是主要领导干部的监督；三是加强对重点支持项目的监督检查；四是加大对重点领域、重点部位的监督检查。

第三，创新监督制度，健全监督检查的工作机制。一是完善重点项目资金联合监督巡查机制，进一步理顺有关监督检查部门的督察职能；二是明确督察责任，落实督察措施，确保监督检查"无缝化"；三是优化运行机制；按照权力制约的特点和决策、执行、监督相互协调的要求，在继续深化试点的基础上，重点选择示范单位，总结工作经验。

第四，拓宽监督检查渠道，创新监督检查的方式方法。一是实施有效的内部监督；二是创新监督手段；三是充分发挥信访监督的作用；四是用好舆论监督。

第五，加强组织协调，打造监督检查的网络体系。一是要发挥监督检查机构的主导作用；二是推行阳光政务；三是充分发挥群众和社会舆论的参与作用。

9.1.8.3　定期开展低碳林产工业支持政策的考核评价

在全球发展低碳经济的大环境下，要想将低碳林产工业支持政策的作用发挥得淋漓尽致，就应建立低碳林产工业支持政策考核评价机制，对低碳林产工业支持政策的执行效果不断跟踪调查与分析评价，并根据分析结果和政策环境的变化情况制定出配套的支持政策，以提高政策效率。

低碳林产工业支持政策绩效评价就是对低碳林产工业支持政策执行的结果以及达到的目标程度，运用一定的指标和方法，依据一定的标准所进行的客观评判。开展低碳林产工业支持政策绩效评估是发展低碳林产工业的重要手段之一。其目的是对低碳林产工业支持政策的执行过程和实施结果进行准确、客观的评价，从而加强政府对低碳林产工业的宏观指导，促进低碳林产工业支持政策的改革与创新，提高低碳林产工业的经济效益和社会效益。

（1）明确评价体系的指标和方法。

对低碳林产工业支持政策的考核评价，首先要明确评价体系的指标和方法，才能真正对症下药。评价体系的指标可以分为：经济效益指标、科技创新能力指标、生态效益指标三种：

①经济效益指标。在低碳林产工业支持政策体系的作用下，林产工业各部门取得的经济效益是验证政策实用性最重要的一点。林产工业的投入产出比，低碳林产品的销售利润率以及农民的收益等，都是决定低碳林产工业经济效益指标的要素。

②科技创新能力指标。科技创新能力分为创新水平、技术开发能力和技术推广能力。因此，对科技创新能力指标的评价就是具体分析低碳林产工业的科技水平、技术开发能力和技术推广能力。低碳林产工业的创新水平评估内容包括：从事低碳林产工业科技人员的数量，低碳林产工业下农民的综合素质，先进低碳技术成果的应用范围，与科研机构结合的紧密程度等。低碳林产工业技术开发能力的评估内容包括：低碳林产品的技术含量，引进低碳技术的数量，投入技术开发的经费。低碳林产工业技术推广能力的评估内容包括：低碳新品种、新技术的使用情况，生态设备的更新情况，低碳技术推广人员的素质情况，农民接受低碳技术的情况。

③生态效益指标。生态效益指标是构成林产工业支持政策评价指标体系的重要组成部分，它是衡量中国林产工业支持政策在林产工业中应用程度和低碳经济目标实现与否的重要指标。生态效益指标包括：低碳林产品与传统林产品的比率、低碳技术的适用范围、林产工业绿色生产值的高低。

这三类指标构成中国低碳林产工业支持政策评价综合体系，根据这一综合评价体系，量化评价指标，选择适当的评价模型，对低碳林产工业支持政策进行综合评价。通过对低碳林产工业支持政策的综合评价，可对林产工业支持政策的应用方向和水平作出评价，找出影响支持政策实施的因素；通过对低碳林产工业支持政策进行综合评价，可以为政府的未来决策提供依据，制定更加适合低碳林产工业发展的林产工业支持政策；通过对低碳林产工业支持政策进行综合评价，可以了解低碳林产工业支持政策的实施程度，便于政府对支持政策进行监督管理，出台更加完备的配套措施。

(2)制定评价标准和原则。

制定统一的评价标准，有利于增强评价结果的可比性。中国还没有确定评价标准，评价标准缺乏统一性，这使得评价工作难以有序地开展。因此，要尽快制定有效的、统一的评价标准，以此为评价工作的基准，有助于低碳林产工业支持政策评估人员在同一类型、同一层次、同一组织内进行比较，减少评价工作中的人为因素。支持政策评价体系是林产工业支持政策实施的必要环节，而制定评价标准是开展评价工作的关键环节，应由国家林产工业部门以及地方政府林产工业部门统一制定标准，并且每年要修订并颁布一次。

评价原则是评价工作的指导思想。明确低碳林产工业支持政策评价体系的原则，有助于保证评价工作的效果。一是要体现实效性。充分体现绩效评价的目的，紧密联系低碳林产工业目标，体现低碳林产工业发展的基本规律，切实发挥评价作用。二是要体现适应性。对低碳林产工业技术的推广，生态设施的建设，政策应用情况等的评价，要加以区分对待，作出针对性强的评价，拒绝片面化和概括化。三是要体现科学性。要综合运用多种评价方法，建立合理的、科学的评价体系，协调好低碳林产工业各要素的关系，作出全面、准确的评价。四是要体现可操作性。评价要注意资料获取和方法掌握的难易程度，保证评价结果的可操作性，提高其实用性。

（3）建立专家评估咨询系统。

为保证评价的科学性，应建立专家评估咨询系统。低碳林产工业支持政策执行过程中以及评价过程中不可避免地会出现一些专业性问题，这些问题的解释以及解决很大程度上要依赖一些专家。因此，建立专家评估咨询系统，随时和定期地征询专家意见，既可以有效保证评价的合理性和科学性，也为低碳林产工业支持政策的事实提供咨询服务。

专家评估咨询系统应由省、市、县、乡镇各级政府抽调具备相关知识的人员，如经济的、技术的、法律的等方面人员组建专门小组，建立低碳林产工业支持政策专家评估咨询系统。对专家进行问题咨询时，既可以采用个别咨询方式，也可以采用集体会议形式；既可以进行网上咨询，也可以登门拜访。为调动专家的积极性，应适当给予专家一定的报酬。同时，鼓励农民代表参与评估工作，让农民对评估工作进行监督，这将使评估工作普遍化，提高评估数据和结果的可信度。

此外，为了保证评估的及时性和准确性，要充分利用现代化手段，专门开发系统软件，充分利用现代手段的先进性，汇总统计数据和资料，使评估工作更加专业，更加简便，更加准确及时，这将提高评估工作的针对性和有效性。

（4）建立健全自然资源核算机制。

低碳林产工业自然资源核算机制是指一定时间一定空间内的低碳林产工业自然资源，从实物、价值和质量等方面，在其真实统计和合理估价的基础上，统计、核实和测算其总量和结构变化并反映其平衡状态的工作。低碳林产工业自然资源核算是实现林产工业可持续发展的一项基础工作，它有助于确定或确认自然资源的最佳或最适度的利用水平；有利于适量地、及时地判断在数量、质量和价值量等方面的变化，有利于分析自然资源变化的影响因素，有助于防止和纠正自然资源过度消耗的现象。

要尽快建立和完善符合中国国情的自然资源核算制度，规范核算项目，调整和增设统计项目，并将自然资源统计工作规范化、制度化。完善低碳林产工业自然资源报告制度，逐步实现定期化、规范化、公开化的低碳林产工业自然资源报告制度，对低碳林产工业自然资源及其利用情况进行定期发布，使资源状况社会化。另外还要完善部门预算机制，明确中央财政拨款去向，落实发展低碳林产工业的专项资金，加大对低碳林产工业的支持力度。还要建立低碳林产工业推广的统计制度。评价需要全面、系统、完整的数据资料，资料数据的正确性决定了评价工作的准确性，因此，必须建立一套比较完善的低碳林产工业推广的统计制度，保证评价数据资料的真实性、完整性、连贯性，才能实现评价工作的可持续性。

9.1.9　完善环境成本信息披露机制

在低碳经济的影响下，林产品加工企业的利益相关者越来越关注企业对环境受托责任的履行情况，社会各界对环境成本会计日益重视，对环境成本会计信息披露的研究也日益深入系统。特别是《指南》的颁布，将林产品加工企业环境成本会计信息披露的研究大大向前推进了一步。但还应该看到，当发展低碳经济已经不是一种选择，而是一种必要的时候，中国环境成本会计信息披露在理论化、规范化、制度化等方面还有待加强。

9.1.9.1　建立健全环境成本信息披露的准则制度规范

环境成本信息的披露需要有相应的法律和制度作为支撑。2006 年颁布的企业会计具体准则对于林产品加工企业进行环境成本核算提供了相应的基础。对于突发环境事件或受到重大环境处罚的，应当在 1 天内发布临时环境报告等规定，这在一定程度上使林产品加工企业漠视环保的行为得以改观。

但是，仅有上述这些法律或准则还是远远不够的，因为现有的会计法律法规或规定，是有其特定的针对性的，并不是专门针对环境会计或环境成本会计的，目前只是从这些法律法规中找到一些与环境成本会计有关的规定，而这些规定大多是只言片语的、不完整的，并不能对环境成本信息揭露起到真正意义上的指导作用。因此，环保部、证监会、财政部等部门应尽快结合中国国情制定健全的环境成本会计准则和制度，以及更为具体和具有可操作性的实施准则，使环境成本会计信息披露有统一的规范和标准可以依据。以弥补信息披露机制的漏洞，防止林产品加工企业的短期行为，保证披露的完整性，保证环境会计信息质量的可靠性。

9.1.9.2　限定环境成本信息披露的载体

信息的披露需要有一定的载体，这受制于一国环境成本会计的发展水平，环境成本会计信息以何种形式提供给信息使用者，即林产品加工企业到底应该采用哪种载体来披露其环境成本信息，以便于使用者及时根据这些信息作出正确的决策。就我国的现状来看，企业环境成本信息披露载体的确定经历了以下四个发展阶段。

（1）初级阶段——企业年报或董事会报告。在这个阶段，环境成本会计的基本理论尚在探讨之中，环境成本会计的具体项目尚无定论，也并未在企业中推及，林产品加工企业也没有单独核算环境成本，环境成本仅是体现为排污费、绿化费等，并夹杂在管理费用、制造费用等科目之中，难以建立像财务会计一样存在平衡关系和数字逻辑关系的报表。此时的环境成本信息披露，也仅仅是在林产品加工企业的年报或董事会报告中看到只言片语，无清晰的环境成本项目，只是以某种非正规的形式，以文字说明企业环境活动对企业财务的影响、对社会的影响。这种叙述性的披露模式是报告企业环境活动和环境成本最简单的方法，虽然没有用货币计量，但仍能向利益相关者提供诸如企业的环境保护方针、环保守法及环境管理、环境保护项目的介绍以及经营现状包括企业的环境投入以及环境成本等信息、环保政策的变化可能引起的风险和机遇、企业污染物排放达标情况以及污染治理情况、环保事业对公司未来发展的影响等方面的信息。

（2）起步阶段——传统会计报表。这个阶段比第一个阶段要前进一步，此时，环境成本的核算得到一定程度的重视，开始对林产品加工企业中一些重要的环境成本项目分大类加以反映，分类可能并不详细，比如有环境保护成本、污染治理成本等，此时林产品加工企业不具备编制独立的环境成本报表的条件，即便能编制一张类似的报表也缺乏普遍认可的基础，使这些信息难以用这种形式被普遍利用。因此，可以通过采用在传统会计报表中增加项目的方式进行反映，因为环境成本属于成本类，所以这些项目的增加，影响到的主要是利润表，可以在利润表的成本栏目中按需要增加相应的栏目，如节能减排成本等。这种方法可以与传统会计报表相衔接，能完整反映企业环境成本的全部内容。除了在利润表中包括环境成本信息外，还可以在报表附注中提供有关的环境会计问题及其解决方法的资料，如林产品加工企业采用的环境标准及其变化对数据的影响、林产品加工企业对环境的损害情况及其处理措施、林产品加工企业的环境治理措施、重大环境事故的说明、环境资源能源利用等。

（3）发展阶段——可持续发展报告或社会责任报告。随着环境成本会计发展进程的推进，特别是低碳经济的发展，作为承担社会责任的一个重要的组成部分，越来越多的林产品加工企业开始核算环境成本，计算由此带来的环境收益。而且林产品加工企业还要将这部分成果在可持续发展报告中进行披露，日本的很多企业在这方面很具有代表性。可以借鉴国际上的一些先进做法，在可持续发展报告中进行披露。这种情况下，环境成本通常作为环境会计的一个组成部分而存在于可持续发展报告之中。这种做法比第二个阶段又先进了一步，此时可持续发展报告中，除了环境成本信息外，还可以了解其他的环境会计信息，更便于信息使用者全面了解企业的环境责任及其履职情况。

（4）成熟阶段——独立的环境成本报告。这是环境成本会计发展的最高阶段，在这个阶段，环境成本会计已成为一个独立的学科，而且环境成本核算在林产品加工企业已全面铺开，此时的环境成本会计与成本会计、管理会计一样，在理论上具有独立的学科体系，在实践中具有完善的实施方案，林产品加工企业也会像核算产品成本一样核算环境成本。当然，处于这个阶段的环境成本会计就会毫无疑问地拥有它自己的报告体系，用以披露林产品加工企业完整的环境成本信息。单独编制企业的环境成本报告，可以用文字、数字、图表等形式报告企业的环境成本信息。环境成本表揭示企业在环境损耗与保护方面发生的各项内部费用和社会成本，主要指各种资源消耗和环境保护支出，包括企业生产消耗的各种自然资源、为减少和防治污染以及恢复环境所发生的诸如美化社会工作环境、产品三废处理与控制等治理费用、因污染环境所产生的社会成本。

以上是林产品加工企业环境成本信息披露载体选择的四个阶段，企业可以根据自己所处阶段和环境成本核算发展的程度予以选择。现阶段中国林产品加工企业可分以下两种情况来选择不同的披露载体。若是小企业，由于环境业务的量相对较少，按照重要性原则，可以选用第二种形式，既能披露环境成本信息、又能减少一定的工作量。反之，若是大中型企业，其业务繁多，则涉及环境成本会计的业务的量也很大，因此可以选择第三种形式，即在可持续发展报告或是社会责任报告中进行专项披露。在环境成本会计的相关制度非常健全的情况下，可选择第四种情况，即编制独立的环境成本报告。

9.2　企业层面

9.2.1　树立林产品加工企业的低碳意识，实施低碳的可持续发展战略

所谓战略理念，是指企业全部生产经营活动（包括其战略管理活动在内）的指导思想，即为企业生产经营活动所确定的价值观、信念和行为准则，主要包括四个方面：使命宣言、经营理念、核心价值观和企业文化。一个企业的战略理念将直接影响甚至决定企业的行为，过去，人们一直将"先污染后治理"作为企业的经营理念，显然这不适合低碳经济的要求，与当前大众（消费者或潜在消费者）的低碳心理渴望相冲突，这种大环境的变化，要求企业必须调整自己的经营战略理念，走低碳化发展之路。

目前，在发展低碳经济的大背景下，许多林产品加工企业都在调整自己的经营理

念，如生产企业认为降低污染、减少排放就是"低碳化发展"；流通企业会说，减少流通环节，减少汽车尾气排放，就是"低碳化发展"。但是，衡量一个林产品加工企业是否真正走上了低碳化发展的道路，最为简单的识别就是看其运营战略是否包含低碳战略理念，林产品加工企业的低碳运营还有很长的路要走，作为当前的首要任务，就是要促成林产品加工企业低碳战略理念的形成，其具体途径，可以从以下三个方面入手。

(1)调整林产工业所有者和经营者的低碳人生观。现代哲学认为，有什么样的人生观就会有什么样的价值观，有什么样的价值观就会有什么样的方法论。所以，作为拥有企业经营决策权的企业所有者和经营者，必须清晰林产品加工企业低碳运营的理由，从思想上接受低碳理念，否则，林产品加工企业的低碳化发展就只能纸上谈兵。面对资源与环境危机问题，应切实加强生态经济道德观念建设，注重提高林产品资源重要性及有限性意识，注重提高低碳环境保护意识等。

(2)调查并弄清林产品加工企业的战略理念是否受到企业全体职员的认同，是否符合现在的低碳经营环境，如果答案是否定的，那么企业就必须使低碳理念在企业得以宣传，否则，再好的低碳战略也得不到有效执行，企业的低碳化发展也将阻力重重。

(3)塑造低碳企业文化，形成低碳运营信念、低碳价值观、低碳行为规范等，将低碳企业文化整合到战略理念中，使新的战略理念具有深厚的现实低碳文化基础。

通过以上三个方面的努力，就可以制定出符合林产品加工企业低碳化发展的经营战略，并且获得全体员工和顾客的认同，只有这样，企业的低碳化发展战略才能得到执行。作为林产工业，要想实现可持续低碳化发展，则必须按照低碳经济的要求，改变过去"先污染，后治理"的发展理念，改变过去"资源取之不尽，用之不竭"的粗放发展模式，必须构建总体战略发展体系。

(1)建立中国林产品资源安全战略体系。要想从长期的角度保障中国林产品资源的安全，突破林产工业发展的上限约束，必须构建林产品资源安全战略体系，如林产品资源安全保障体系、适度消费的资源节约型体系及废弃物资源化的回收体系，要坚定不移地面向低碳经济走可持续发展道路。

(2)加强林产品加工企业间的沟通和交流，建立一体化资源网络发展战略体系。林产品资源综合利用是一项涉及多产业的复杂系统工程，在对林产品资源综合利用过程中，不仅要突破企业间的狭隘利益观，还要打破产业和地域的界限，实现资源的合理流通配置，建立一体化资源网络发展战略体系。同时，作为单个企业，要不断融入到林产工业这一大的价值网络之中，不断地从网络中获取自己所需的一些网络资源，降低经营成本。

（3）注重林产品总资源的开放战略，建立再生林产品资源循环利用体系。在低碳战略理念的指导下，林产工业要实现可持续发展，必须实施林产品总资源控制战略，即在保障社会经济合理发展的条件下，控制林产品总资源，降低林产品资源消耗强度，提高单位林产品资源的社会效益、经济效益和生态效益。邓小平同志曾说过，发展是硬道理。在像中国这样发展中的国家，没有发展的"资源控制"是无意义的，必须在科学发展观的指导下，走科学发展的道路。

（4）提升战略管理能力。在动态环境下，林产品加工企业战略需要不断改变。为了与低碳经济发展模式相适应，企业需不断调整企业战略和政策。但是企业战略的调整会对企业正常运营带来较大的挑战，也需支付巨大成本。这就要求企业要注重战略水平提升，保持一定的柔性。战略柔性需要非常规技术、有机结构和创新文化综合支撑，包括生产系统、营销系统、财务系统柔性等。在组织结构上采取扁平化、弹性结构，缩短中间管理层次和信息传递路线，推行弹性预算、灵活决策等适应性强的管理方式，加快林产品加工企业面临危机时的反应速度，最大程度减少企业危机。

（5）大力推行清洁生产战略。首先加强末端治理，在传统生产流程末端添置主要污染排放物处理设备，在未完成整个生产流程改进前，暂时减少污染问题，为改进清洁生产流程提供时间。清洁生产是从生产的源头和全过程充分利用资源，从原料开采到产品报废的整个产品生命周期对材料的回收、利用、处理等全部过程进行考虑，对每个生产环节的工艺手段和技术措施逐一安排解决，使每个林产品加工企业在生产过程中废物最小化、资源化、无害化。利用清洁技术，提高资源利用率与生产效率，从源头降低二氧化碳排放量和其他污染物。要完善生产者责任制，明确生产者责任制：要求生产企业将理念应用于产品设计、能源制造以及废弃物处理，扩大责任人范围，使决策者、使用者承担相应责任，并加强回收处理能力。

（6）注重供应链及物流管理战略。将供应链管理纳入林产品加工企业低碳时期核心竞争力培育中来，由于有些林产品加工企业合作的供应商往往因为企业规模小，技术、资金、人力有限，在环境管理方面不具备优势，这一环节是企业环境管理中的薄弱环节，因此各林产品加工企业在选择供应商时，应制定衡量标准，在传统供应链环境下供应商的衡量标准基础上，也要顾及供应商的环境表现，结合企业生产需要及经济效益和环境效益三重目标，进行供应商筛选。同时林产品加工企业在物流过程中也应加强地毯管理，对运输、装卸、管理过程制定出相应的具体可行标准，通过减少运输过程，合理选择运输工具等手段降低物流对环境造成危害。

9.2.2　改变公众的消费理念，建立碳足迹标示制度

能源消耗与碳排放主要形成于物质产品的生产过程和消费过程。哥本哈根会议提出的对发达国家减排的方案以及中国提出的主动减排方案，都属于生产领域的解决措施。实际上，研究表明消费领域产生的能耗与碳排放量是高能耗、高排放的主要原因。发达国家能耗占全球能耗总量的50%，其中制造业能耗占其总能耗比例不到40%，而消费领域能耗却占到60%～65%。因此，国外许多国家都将推广低碳消费理念作为重要手段进行大量广泛的宣传，从改变国人的消费方式和习惯入手降低二氧化碳的排放。中国在低碳技术发展方面所遇的困境很容易导致生产领域的节能减排进入极限状态，从消费端大力推行低碳方式是更有效的手段，且存在很大的减排空间。同时，建立产品碳足迹标示制度也是改变人们消费观念的有效方法。

碳足迹是指一个人的能源意识和行为对自然界产生的影响，也就是标示一个人或者团体的"碳耗用量"。产品碳足迹是指产品、行为或服务，计算它们直接或间接的在原料、制造、运输、使用到废弃的整个过程中，所产生的二氧化碳排放量，注明在产品上，就是产品的碳足迹标示。英国、美国、加拿大等国的碳标示市场发展都比较迅速，许多企业已经开始将碳足迹的分析运用到管理和优化生产运输流程中。通过碳足迹分析企业可以向消费者提供产品的碳足迹信息，让消费者得到一个量化认识，了解产品对环境所造成的影响，进而引导大众向低碳消费决策转变。中国应该大力推广碳足迹方面的科普知识，尽快建立碳足迹标示制度，以此在全社会倡导合理的物质消费，让普通百姓都能参与到低碳消费的转变中来。

9.2.3　加大技术投入，推进技术创新

随着低碳经济的发展，对碳排放的要求会更加严格，碳税、碳关税、碳竞争等都会对产品提出更高的要求，只有掌握相关技术，进行企业运作系统调整，实现产品的转型与升级，才不会在低碳竞争中败下阵来。中国林产品加工企业应结合发达国家的经验，抓住机遇，积极应对，实施低碳战略，以低能耗、低排放、低污染作为发展模式和产品标准，从以下两个方面作为企业实施技术创新战略的主要对策。

9.2.3.1　运作系统技术创新

林产品加工企业技术创新战略实施最直接的支撑条件在于内部创新运作系统的建立与完善。林产品加工企业应转变观念，建立低碳文化。从中长期发展的视角审视企业的成本与利润，实现生态环境质量、提高资源的利用率、合理配置和利用资源、促进资源的可持续利用等；不是把实现低碳经济停留在概念层面，而是要真正把低碳经

济意识、低碳化发展计划纳入到整个企业运作系统。

运作系统包括三大要素：

首先是企业家创新决策能力。这是决定企业的绿色创新系统有效运行的首要因素，是企业创新决策的出发点。企业家的每一个决策，都影响着企业的发展方向，低碳战略会成企业未来竞争优势所在，企业家应该形成低碳思维，中国企业现阶段应走出新的低碳路线。

其次是企业技术平台。企业各领域的硬件、软件技术基础，往往侧重于产品技术、生产制造技术、营销技术及管理技术。它是企业进行创新最直接的平台。实现低碳遇到的最大挑战可能是成本会比较高，这就需要林产品加工企业灵活应对。国家先进经验表明企业技术创新不仅要自行进行技术创新活动，引进创新也发挥了重要的作用。国际间的低碳技术转让是发展中国家能够发展低碳技术并最终向低碳经济发展的必要之路，技术的国际间转让能够很好地解决林产品加工企业中低碳技术的缺乏，促进关键低碳技术的不断突破，从而加快世界整体低碳经济建设的步伐。因此，必须通过合作以及协商发挥市场机制的作用，及时关注国外先进碳技术，注重将国际先进技术引入企业，减少研发时限和难度，夯实企业低碳经济下培育竞争力物质基础。同时对于具有相对优势的核心低碳技术，林产品加工企业可以与国外发达国家进行合作开发，这样不但能够降低研发成本、节约资源，还可以相互学习，实现资源共享，通过国际间的低碳技术转让，减少技术创新障碍。中国实现低碳经济的根本出路还在于提升自行技术创新能力，即自主创新，要将引进消化吸收与创新有机结合起来，技术创新是新能源能级提升的孵化器，需要结合公众对提高生活品质的需求以及资本市场的融资平台，推动企业进行低碳产业自主创新进程，并通过引进消化吸收再创新将宝贵的技术创新转化为企业生产和技术提升的动力，自主创新对低碳经济产生积极作用，实现经济的可持续增长以及向低排放模式的快速转变。

最后是生产运作平台。生产运作不仅仅是生产能力的问题，它是指林产品加工企业整个业务流程的高效运作能力，当然生产制造能力是较为重要的。在整个生产运作中，应注重过程中的每一个环节，有效控制和降低碳排放，引领和助推低碳经济的发展，同时利用推进低碳经济机遇，不断提高产品品质和核心竞争力，切实增强应对市场竞争和变化的能力。

9.2.3.2　产品结构的低碳升级

应对气候变化所推动的低碳技术和产业的新兴与发展，将成为未来世界经济发展的大趋势，未来的林产品加工企业竞争必定是基于低碳产品与技术的竞争。从长远战略来看，低碳产品具有巨大的发展空间，林产品加工企业大力推动低碳产品的生产不仅是企业社会责任和环境责任的体现，同时也有利于进一步提高企业的竞争力。

(1)通过"碳标签"推动低碳产品的生产。走在前列的欧美国家很多产品已通过"碳标签"以及低碳产品认证以标明该产品生命周期内的碳排放量。在低碳经济时代，消费者会更有意识地选择低碳产品。低碳产品认证以产品为链条，吸引整个社会在生产和消费环节参与到应对气候变化中来，通过向产品授予低碳标志，从而向社会推进一种以顾客为导向的低碳产品采购和消费模式。

(2)通过产业转型实现企业向低碳产品的转型。中国的林产品加工企业正加速进军节能环保、资源循环利用、新能源等新兴产业，借助国家调整产业结构和转变经济发展方式的机遇，走上向"低碳转身"的转型之路。因此需要对市场变化更敏感，尤其在经过了金融危机后，林产品加工企业转变发展方式的需求更迫切，许多林产品加工企业已具备转型升级的条件和基础。于是一些林产品加工企业抓住调整产业结构的机会，走出了一条低碳转型的新路径。

9.2.3.3　能源消耗结构的低碳调整

低碳经济发展模式对于中国而言，应该依赖于能源消耗强度的降低。为实现整体能源消耗强度下降，中国林产品加工企业发展战略举措的重点应该是能源效率的提升和能源消耗结构的优化。

(1)尽可能使用清洁能源和低碳能源。中国的能源状况是贫油、少气(天然气)、富煤。有关资料显示，如果以世界人均水平为基础单位计算，中国除煤炭资源能达到58.6%的水平之外，其他重要资源都不足世界人均水平的一半。天然气、石油的人均储量分别相当于世界人均水平的7.69%、7.05%，但是中国可再生能源资源很丰富。因此，中国林产品加工企业应着力调整和改进能源构成结构，多使用清洁能源和低碳能源，充分利用和开发中国的太阳能、水利资源、风力资源、生物燃料、地热、潮汐能以及核能，把太阳能、风能、生物质能等综合形成一条能源链，达到调整能源结构、缓解能源短缺、减少二氧化碳的排放，实现资源可持续供给。

(2)推行循环经济，提高能源的使用效率。要鼓励新能源的采用、传统化石燃料的清洁生产、低碳燃料的研究开发及循环利用。以最小的资源代价发展经济，以最小的经济成本保护环境。发展循环经济就是要摒弃传统的粗放经营方式，通过建立生态工业园，在企业中推行清洁生产，提高能源和原材料的使用效率，改进生产工艺和流程，对可能产生的污染进行全过程控制。循环经济的新理念符合产业结构优化调整的原则。

9.2.4　重视人力资本投入

现在中国林产品加工企业拥有国外最先进技术和廉价劳动力资源，但高素质人才却是稀缺资源之一。如果人力资本素质不能得到提升，林产品加工企业的很多物力资本投入并不能发挥最大效用，甚至事倍功半。林产品加工企业要加快培养和引进发展低碳产业急需的科技人才和高水平的团队，储备一批在新能源和碳技术方面具备国际领先水平的人才。

在人才的吸引上，林产品加工企业要加强博士后流动站和技术工程开发中心的建设及发展，通过此类基地建设，吸引世界优秀人才进站，培养更多高档次的科技人才队伍。制造业务企业引进项目对人才的波及作用，用项目吸引高级人才。吸收引进人才，仅仅依靠完善的机制制度是不够的，人才引进与培训水平与林产品加工企业投入成正相关，因此林产品加工企业应树立以人为本思想，重视对人力资本的投入，建设创新人才培养的软环境。要建立人才培训及激励机制，吸引更多的优秀人才加入到低碳经济技术创新的队伍中来。逐步建立起多渠道全方位的人力资本资金支持和保障体系，为人才引进机制顺利实施提供保障，例如对引进企业的高级人才给予住房、家属就业、社会保险等方面优惠，避免高素质人才流失。注重员工后备梯队建设，如果员工尤其是高素质人才交替过程中出现了断层，将对企业发展带来较大影响。在一定时期内，林产品加工企业资金资源是有限的，将资金分散投资将降低企业生产经营能力，影响企业竞争力提升，因此林产品加工企业需将主要资金投入到关键环节上。首先在现阶段应将主要资金投入到引进能够提高企业生产效率和减少污染方面的自主创新研发人员和注重企业内部员工培训方面，注重员工思维方式培养，尤其是对知识和自己的判断力进行培养，创造性提出解决方案。其次将人力资本开发与投入作为一项长期任务，改善高素质人才研究条件，提供充分研究时间，帮助其科研成果转化。同时还要注重基层员工培训，培养员工合作意识，以提高林产品加工企业整体竞争力。

9.2.5　确定重点发展能力和产品

企业核心竞争力并不是由单一资源、技术或能力构成的，只是不同时期其主要作用的能力会有所变化，林产品加工企业应根据环境变化调整发展能力。这就要求林产品加工企业首先要细致划分企业具备的能力，识别在低碳经济时期，与之匹配且可以深入发展的核心能力或能力组合及能力变动方向。充分分析市场需求与消费者心理，经过分析研究，明确企业发展新的核心能力过程中拟解决的关键问题和具体路径，从企业资源中选择支持该能力的关键性要素，制定发展该能力的发展规划和策略，着力培育、开发与提升，或借助外部知识与技术，通过企业内部培育机制作用，将该能力转化为生产动力，生产具有市场竞争力的改进产品或新产品。

低碳经济时期，发展低碳生产能力是提升企业核心竞争力的一个有效途径，林产品加工企业应充分利用现有资源，加大引进吸收低碳能源并充分利用，着力培育、开发符合市场需求的产品。如果忽略低碳经济发展要求，依旧依赖传统竞争力培育路径，可能很快会丧失原有竞争优势。从源头注入低碳环保基因是关系到产品在打造低碳品牌核心竞争力的形成。因此，林产品加工企业要将产品策划和研发阶段的低碳管理作为重中之重，将环境因素纳入产品设计之中，将环保性能作为产品的设计目标和出发点，林产品加工企业要最小化利用天然资源，合理利用可再生材料，最大化提高企业材料的循环利用率，强化产品节能环保的禀赋特性，低碳产品要在环保性能上领先于国内同行和国家标准的产品，这样才能具有自己的核心竞争力。

9.2.6　优化林产工业资源配置方式

9.2.6.1　调整中国林产工业内部企业的资源配置关系，实现中国林产工业内部资源优化配置

中国林产品加工企业的主要特点是中小企业多，考虑到这一现实的工业结构，要实现林产工业的低碳可持续发展，就必须要按照市场经济的规律和网络化环境下专业化分工的要求，调整林产工业内部企业的资源配置关系，优化总体战略布局，推动林产工业内部存量资产的重组与再生，其具体对策如下：

(1)通过调整林产工业内部企业的资源配置关系，实现林产工业内涵式的发展模式，形成类似于发达国家寡头垄断或者垄断竞争的市场结构格局，避免自由竞争市场格局，推动林产工业内部存量资产的重组与再生，实现中国林产工业内部资源优化配置战略。

(2)通过调整林产工业的资源配置关系，形成资源向低碳大企业集中，市场份额向低碳规模企业集中，效益向品牌低碳企业集中的市场资源配置格局，增强中国林产品加工企业的世界竞争力。这符合不可再生资源型企业运营的特定市场规律，有助于推动中国林产工业的健康成长。如通过收购兼并等方式扩展企业资源的配置范围，按照企业低碳价值网络的结构特点，形成林产品主业突出、低碳运营绩效明显、具有核心竞争力的低碳林产品加工企业网络集群，实现中国林产品加工企业之间的资源优化配置。

(3)通过调整林产工业内部企业的资源配置关系，降低林产工业低碳产业结构转型的成本。林产工业结构调整时会产生结构调整成本，这种结构调整成本主要表现为

三个方面：一是专用型设备的沉淀成本，如设备报废、设备改装及设备的降价处置等；二是劳动力调整所形成的摩擦成本，如劳动力因转行而出现教育培训、重新安置和寻找新工作的成本；三是工作异动导致员工个人资源的部分损失，如从一个城市到另一个城市会使得人际关系资源部分失去，自己固定资产的降价处置等。但是，如果这种结构的调整转型发生在林产工业内部，那么，上述结构调整的成本会得到大幅度的减小。

9.2.6.2 调整中国林产工业外部资源获取范围，实现中国林产工业外部资源优化配置

市场经济是一种竞争经济，也是一种开放经济，它要求林产品加工企业还必须加强与林产工业之外的企业进行战略合作。为此，一方面需积极引进外来战略投资合作者；另一方面，还要鼓励林产品加工企业创造条件"走出去"，鼓励林产品加工企业到国际市场直接融资，鼓励林产品加工企业开展境外加工贸易，实现跨国经营，扩大中国林产工业外部资源获取的战略范围，突破林产工业低碳化发展的市场上限，实施"走出去"的外部林产品资源优化配置战略。

调整中国林产工业外部资源获取的战略范围，实施"走出去"战略，既要符合林产工业转移全球化的要求，也要符合林产工业升级全球化的要求，特别在林产品资源开发战略方面，要加大开发海外林产品资源的力度，形成长期稳定的林产品资源基地，规避中国林产品资源对外依赖的劣势，保障中国林产品资源的安全。大力推进海外林产品资源开发，通过国际化经营，争取控制一部分海外优势林产品资源，增强中国林产工业在全球范围内的控制力。同时作为国家层面，必须对海外资源的开发进行统一的宏观规划，必须为林产品加工企业的海内外上市及产品进出口政策等方面给予政策的支持，必须设立相应的海外林产品资源勘查专项资金，通过各种补贴、优惠贷款等方式对林产品加工企业给予资金上支持。只有这样，才能提升林产品加工企业海外市场的竞争力，才能使林产品加工企业在更大的市场空间上优化总体战略布局，最终实现林产工业的低碳可持续发展。

9.2.6.3 融合林产工业"两化"，实施面向低碳经济的林产工业全面资源优化配置

随着网络技术的发展，特别是网格技术的出现及其商业运用，以网络为载体的电子商务在商品流通中的中心地位变得越来越明显，实现工业化与信息化的融合战略，可以为政府、企业和居民提供一个全面协同配置资源的平台。实现林产工业两化融合有三个层面：一是在林产品加工企业的清洁生产层面，必须以数字化网络控制整个企业，必须围绕企业现代化网络经营开展创新管理研究，以提高林产品加工企业清洁生产全过程协同工作的效能；二是在林产品加工企业的资源配置层面，必须在林产品加工企业内部计划的基础上，围绕林产品加工企业间的协作机制及对市场的快速及时响

应等核心环节推进林产品加工企业信息化建设，提高企业市场响应能力；三是在林产品加工企业的规划决策层面，要以信息管理系统的建设为基础，围绕资本运作、发展战略、产品市场与客户需求等核心环节推进林产品加工企业的信息化，以提高林产品加工企业适应动态变化环境的能力和科学决策的能力。

中国林产工业的发展必须实现"两化"融合，走新型工业化的发展道路。在低碳经济的发展大背景下，要促使中国林产工业进一步走向新型工业化的发展道路，林产品加工企业就不能走简单的规模扩张之路，而必须十分重视可持续的低碳化发展，作为资源开发型林产工业，应把合理开发资源，提高资源利用效率放在突出位置。围绕高新技术林产工业的发展，加快开发技术含量高的林产品，拓展林产品产品的应用领域，提升中国林产工业的经济效益、社会效益和环境效益。

9.2.7 促进林产工业系统的共生演化

9.2.7.1 林产品加工企业价值网低碳共生演化的序参量控制机理

"序参量"是前苏联著名理论物理学家朗道研究系统相变前后出现宏观物理性能或结构差异时而最先提出，是一个用来描述系统有序程度的物理参量。后来协同学创始人赫尔曼—哈肯把序参量概念引入自组织过程，认为在一个复杂系统的演化过程中，存在着大量参变量，如果某个参量在系统演化过程中从无到有地变化，并通过对系统其他参变量的支配或役使作用，主宰着系统整体演化的过程，指示出新结构的形成，反映新结构的有序程度，它就是序参量。序参量不是系统外部指令或驱动而产生，而是有系统内部大量子系统之间的合作和协同一致而产生的。自此以后，序参量也被广泛用于社会科学领域的研究。具体到林产品加工企业价值网，在其实际的运作过程中，序参量究竟是如何控制其低碳共生演化的，可以建立序参量控制机理的概念模型加以说明。

在概念模型中：在开放的、远离平衡的和有外部物质、能量、信息的非特定输入或输出的条件下，林产品价值网以其内部子系统之间的非线性相互作用为动力，在内、外涨落的随机作用下，林产品价值网成员企业间的非线性均衡受扰，从而可能导致林产品价值网演化偏离原有的高碳平衡态，在基于低碳控制参数的调节和相关低碳序参量的支配下，通过林产品价值网内的客户资源系统、内部运作系统及企业间的合作供应系统的竞争与协同，使得支持低碳演化的良性涨落放大，支持高碳演化的非良性涨落受抑，林产品价值网自组织程度不断提高，并不断经历渐变、突变，最终促使林产品价值网从低级向高级共生演化，实现低碳运营模式转型。

所谓的被组织是指通过改变对序参量有指导作用的控制参量，对序参量施加外部压力的一种手段。实施这种手段的变量，可视为林产品加工企业价值网共生演化中的低碳控制参量，通过这些控制参量影响序参量，从而最终影响演化的方式和路线。

这一概念模型有着重要的现实管理学意义。一方面在于它揭示了林产品加工企业价值网低碳共生演化的序参量控制逻辑关系，从而为林产品价值网决策者提供一个简洁的分析框架；另一方面在于它强调了在"后危机时期"和低碳经济背景下，林产品价值网企业要想成功地实现发展模式转型，须正确设定相关的低碳序参量和低碳控制参量，这是成功实现转型的关键。

9.2.7.2　序参量的培育与控制对策

在"后危机时代"，林产工业发展模式由高碳模式转化为低碳模式是经济发展的必然选择。为了科学地对林产品价值网的低碳共生演化实施被组织策略，以调节控制参量，并最终能达到影响林产品价值网低碳共生演化的序参量，需从以下几个方面进行：

(1)在战略思想上，要正确认识"后危机时代"企业序参量的新特征及其对控制林产品价值网演化的核心作用，积极培育林产品价值网低碳演化中的良性序参量，促进林产品价值网的低碳共生演化，实现林产工业发展模式的低碳转型。

依据协同论，序参量在整个系统中具有决定性作用，它影响着整个系统内部各个子系统之间的集体协同程度，决定着系统宏观的有序程度。因此，没有序参量，林产工业系统各子系统的行为方式就会失去了整体协调发展的方向，林产品加工企业价值网也就不会由无规则混乱状态变为宏观有序状态，也就无法最终实现系统整体可持续发展的目标。同时，也必须清晰地认识到，在"后危机时代"，企业序参量出现了一些新特征，面临一些新环境，如低碳经济、两型社会等。因此，企业高管层必须在战略思想上，正确认识"后危机时代"林产品加工企业序参量的新特征及其对控制价值网演化的核心作用，积极培育林产品价值网低碳演化中的良险序参量。在低碳经济背景下，林产品价值网成员企业之间要特别要注重从产品的设计、生产、消费等各环节注重低碳经营因素，促进林产品价值网的低碳共生演化，实现林产工业发展模式的低碳转型。

(2)在林产品价值网的演化控制中，需正确处理"后危机时代"林产品价值网网内或网外在新的林产工业结构调整下出现的局域涨落，促成林产品价值网整体的宏观良性巨涨落生成，促进林产品价值网的低碳共生演化，促进林产工业发展模式的低碳转型。

协同学认为，非平衡系统的局域涨落在非平衡相变中起着重要的触发作用。在系统未达到临界点以前，局域涨落是一种破坏自稳定的微扰，会扰动系统的结构，但由于系统本身具有一定的自稳定性，涨落造成的偏离和影响会不断地衰减直至消失，最后回到原构型的稳定态。但是，前面已经论证了，当系统受到持续的扰动而趋于临界点时，情形则恰好相反，局域的随机小涨落会被不断放大，并最终形成整体的宏观巨涨落，使系统出现一组新的稳定局域序参量构型，完成系统的非平衡相变，因此在林产品价值网的演化控制中，需正确处理"后危机时代"林产品价值网网内或网外在新的林产工业结构调整下出现的局域涨落，促成林产品价值网整体的宏观良性巨涨落生成和低碳共生演化，促进林产工业发展模式的低碳转型。

（3）在林产品价值网演化的控制参量调节上，需正确把握"后危机时代"参量调控的时机和方式，促使调控参量尽快达到新的阈值，促进林产品价值网的低碳共生演化，实现林产工业发展模式的低碳转型。

在对林产品加工企业价值网演化的控制上，外部控制参量对林产品加工企业价值网的控制一般采取参数控制方式，一旦控制参量通过适时准确的调节而达到一定的阈值时，林产品价值网微小的涨落会导致林产品价值网发生突变，从而使得林产品加工企业价值网出现新的有序态和非线性耦合效应，林产品加工企业价值网也就取得了质的演进。因而，林产品价值网成员企业一定要充分抓住"后危机时代"的林产工业发展先机，找准各自核心能力发展的重点与协调发展的最佳结合点（即外部控制参量所应达到的一定阈值），注重外部控制力量在适当时间、以合理的方式介入林产品加工企业价值网的演化，以促进林产品价值网的低碳共生演化，实现林产品加工企业价值网发展模式的低碳转型。

总之，随着上一轮经济危机的不断演化，经济的运行已进入了一种缓和与未知动荡并存的"后危机时代"，这一时代是各种林产工业结构调整和企业发展模式低碳化转型的关键时期，哥本哈根会议为这一关键时期提出了新要求，以此为起点，人类的生产活动、消费活动及经济增长的方式都将从此步入一条更加讲求绿色、健康和可持续发展的道路。

9.2.8 促进林产工业运营模式的低碳转型

9.2.8.1 价值链运营模式转向价值网运营模式

（1）网络交易环境下林产品加工企业价值链运营模式的局限。面对新的运营环境，传统的林产品加工企业价值链运营模式具有以下几个方面的局限性：①市场环境的复杂动荡性与不完全可控性，使得任何预测工具和手段都无法准确预测产品市场与要素市场的真实供需，传统林产品加工企业价值链模式难以做到产品供需之间的真正匹配，顾客的个性化需求无法满足。②电子商务技术的普及与使用冲击了产品市场和要素市场的销售模式，冲击了顾客的购物方式，影响了顾客的购物行为，传统林产品加工企业价值链模式下的营销模式已不再适用。③传统林产品加工企业价值链运营模式只透过单一生产和配销流程去提供产品和服务给所有顾客，顾客的独特价值主张难以满足，同时企业内外资源与能力没能有效地协调整合，企业间的核心生产能力无法得到互补，从而使得企业也就无法快速响应市场的需求，价值链分析尽管也考虑到了林产品加工企业的竞争者，但是却没有考虑在企业价值创造中扮演着越来越重要角色的互补者，传统林产品加工企业价值链分析已具有很大的局限。④传统林产品加工企业价值链运营模式具有明显的"牛鞭效应"，这种"牛鞭效应"一方面会使传统林产品加工企业价值链信息流、物流和资金流的偏差沿链条放大，导致决策"失真"；另一方面整个链条总的库存成本巨大，企业间的线性关系使得任何突发因素诱发价值链结点"断链"，都可能会使整过链条瘫痪，系统运营风险大。同时，传统林产品加工企业价值链模式刚性的供应结构无法实现弹性产出，无法进行柔性生产，尤其当需求是解决方案或个性化定制的时候，价值链模式更是显得无能为力。

通过以上的分析可以看到，传统的林产品加工企业价值链运营模式在新的企业经营环境中具有局限性，价值网运营模式的出现能够改善这种局限性，因为它比传统价值链更具优势，具体表现为以下三个方面：

其一，顾客主动触发价值网，从而使得企业能得到真实的需求信息。顾客需求直接触发价值网中的下单、生产和配送活动，而非传统的由企业触发价值链，从而改变了顾客被动接受价值链输出结果的交易状态，顾客的"上帝"地位得到了肯定，顾客的需求信息得到了确认。这样，价值网也就能把了解顾客需求的前端和恰好按前端承诺进行实施的后端融为一体，从而使得林产品加工企业的生产是基于顾客真实的需求，而不是企业据自我的主观推测，市场风险被降低，顾客的满意度被提高。

其二，整体价值网实时协同，从而使得顾客的需求得到快速响应。在创造价值的价值网中，林产品加工企业必须与顾客、合作伙伴、甚至竞争对手一起合作。企业可以依不同的顾客接触点、不同的活动、指派最合适的合作伙伴与企业各部门透过协同商务系统进行沟通与协调，透过弹性的商流、物流、信息流的设计，确保价值网可以迅速响应顾客需求的改变，从而使整体价值网产生了最大的顾客效益。同时整体价值网实时协同，也能减小企业的库存水平，减小"牛鞭效应"的负面影响。

其三，数字化传递使林产品加工企业间的资源得到迅速组合与调整。传统的价值链大多是模拟式的传递，而价值网则是数字化传递，从而使得顾客、企业及其他合作伙伴可以及时协调彼此间的资源，顾客下单到企业交货的作业周期明显缩短，企业资金流转速度加大。

　　总之，林产品加工企业价值网络具备网络经济、规模经济、风险对抗、黏滞效应、互补效应和速度效应六种基本竞争优势效应，因此在网络交易环境下，林产品加工企业应从战略的高度改造过去价值链的运营模式。

　　(2)网络交易环境下基于价值网改造林产品加工企业价值链的概念模型。企业将传统林产品加工企业价值链改造为价值网，一般有三个目的：第一，提升企业快速响应市场的能力；第二，提升企业快速提供个性化产品，增加顾客价值，增加顾客满意度的能力；第三，提升企业适应网络交易的运营环境，增强企业核心竞争力的能力。在网络交易环境下，这三个目的可通过建立如下林产品加工企业价值链改造概念模型来实现。

　　(3)网络交易环境下基于价值网改造林产品加工企业价值链的对策。

　　上述的网络交易环境下基于价值网改造林产品加工企业价值链的概念模型为企业改造传统的价值链提供了方法论。在具体的改造过程中，首先企业的高管层必须认清这种改造的客观必然性，从战略的高度重视这种改造，这是改造成功的基础和前提。然后，分别将传统林产品加工企业价值链按价值网的三子系统(客户资源网、企业间的合作供应网及内部运营网)进行改造，其具体的对策如下：

　　第一，以顾客价值需求为切入点，改造客户资源网。客户资源网由客户、渠道和客户资源及其相互关系组成，是改造后企业价值网的核心和驱动力。对于客户资源网的改造可以从三方面着手：①研究客户的价值标准，定义市场认定的价值，传递企业的价值主张。顾客的价值标准体现客户对产品的设计、质量、性能、包装、安全、售后服务等方面的要求，这些要求可以通过让有代表性的客户参加产品价值的生产、分配及转移等各项活动来实现。研究客户的价值标准，目的就是要定义被市场认定的价值，并将这种价值通过正确快速的方式传递给正确的顾客和准顾客。②收集网上随机顾客的价值诉求，构建企业网上快速响应系统。在顾客日益网络化的环境下，顾客一般都会先通过互联网去寻找所有相关的交易信息，向多家企业去表达自己个性化的价值需求，作为企业应及时存取客户信息，控制可能的客户接触点，并对客户的价值需求作出快速响应。③不断优化顾客信息系统，全力维护顾客关系，保护企业顾客资源。营销理论早已证实，寻找一个新顾客的成本远远高出保持一个老顾客的成本，因此，当交易发生以后，必须维护顾客关系，如果基于价值网的考虑，下面几点应予以重视：建立客户消费信息反馈系统，及时收集和处理顾客的抱怨和意见，提高顾客的满意度，不断优化顾客信息系统，与顾客保持稳固的合作伙伴关系，让顾客全面参入产品的价值创造过程。相对其他竞争性产品为顾客提供更多的消费者价值剩余，如增加消费者价值获得的知觉或者扩大消费者价值获得的评价等。

第二，以增强柔性运作为核心，改造供应合作网。供应合作网是价值网区分于价值链的主要因素，主要包括竞争者、补充者和供应者。这里的竞争者是指企业现有竞争者、潜在竞争者和替代品生产者。补充者是指那些客户可以从他们那里购买补充性产品，供应商也可向他们出售补充性资源的参与者。在价值网模式中引入替代者，有利于企业正确理解商业中的相互依存关系，因为如果将参与者按传统的价值链模式都理解为利润争夺的竞争对手，那么企业就会倾向于关注竞争而不是寻求合作机会，就会倾向于关注"蛋糕的分割"而不是"蛋糕的共同做大"。在价值网模式中引入补充者，这是对传统价值链模式的一种创新，因为在传统的市场关系分析中，补充者经常被忽视，但它是企业向顾客提供整体服务不可或缺的部分，是企业间相互为顾客创造价值的"共生体"，而且，随着市场环境的不断变化，补充者扮演的角色越来越重要，因此，企业必须以增强柔性运作为核心，把替代者和互补者也融入了中间产品乃至最终产品的供应系统之中，促使企业能通过价值网的实时协同，实现生产调整与市场需求波动的动态匹配。

第三，以提升企业核心竞争力为宗旨，改造企业内部运作网。企业内部运作网是在林产品加工企业将需求转换为实际供给的系列过程中，由企业的生产网络，信息网络，知识网络等所形成的企业内部运作网络。对于生产网络和信息网络的改造，林产品加工企业可以通过引进 ERP 等软件进产业务流程重组来完成，而对于知识网络的改造，这是一种看不见的却对企业发展起着重要作用的网络，它只能通过建立好一种好的机制才能在企业内部形成。企业内部运作网在实际的改造过程中，必须以提升企业核心竞争力为宗旨，明确企业营运范畴，清晰企业资源优势，明确在生产过程中，那些业务可自行负责，那些业务可外包或者透过合伙协议进行等，面对众多个性化需求明显的顾客时企业又如何定位，如何选择、如何交货以增加快速响应能力等，这些都是企业内部网络有效运行的基础，是林产品加工企业价值链改造的关键点。

总之，随着企业运营环境网络化的日渐普及，林产品加工企业价值链模式已具有明显的局限。而价值网模式是一个用来扬弃传统林产品加工企业价值链模式的前沿概念，是对价值链模式的继承与发扬，是企业在网络化环境下的最优运营模式。本书提出了网络环境下传统林产品加工企业价值链模式的价值网改造对策，从而为企业在这一新的运营环境下将价值链改造为价值网提供了新的方法论，为企业快速提升服务速度，响应市场以及快速提供个性化产品，增加顾客价值等方面的决策提供理论依据，为企业价值网网内成员间的"共生演化"提供一个自适应动态环境的机制。但是，价值网不是一把"万能钥匙"，它在解决传统林产品加工企业价值链运营模式局限的同时，又面临着新的难题和挑战，如价值网参与者之间的非合作博弈和企业非核心资源过度依赖外源而诱发的外生风险控制等问题，依然是当前理论界和实业界急需要解决的难题。

9.2.8.2　传统林产工业发展向信息化新型林产工业发展转型

全面提高林产工业的信息化水平，推动林产工业信息化与工业化融合，是新形势下发展新型林产工业的必然要求。林产品加工企业一定要坚持科学发展观，适应发展低碳经济的新趋势，加快推进两化融合，用现代的信息技术改造提升传统林产工业，积极拓展"两化"在现代林产工业发展中的融合空间。

"十二五"时期是中国林产工业加快转变发展方式的重要时期，推动信息化与工业化的融合，必须使信息技术渗透到林产工业产品的研发与设计、原料的采购与库存管理、林产品采选矿与冶炼及市场的开发等各环节，全面利用信息技术改造提升传统林产工业。

在林产品加工企业层面，要重点注意企业的目标管理与过程控制、必须坚决不移地淘汰落后的工艺，降低生产成本，提升企业的资源利用效率，合理利用国内外资源，增强企业的核心竞争力；必须坚决不移地进产业务流程管理，建立企业资源计划等信息系统必须坚决不移地发展清洁生产，强化林产品加工企业间的资源优化和林产品价值网络结构的合理化。

在林产工业的产业层面，要继续开展原材料、装备、消费品工业两化融合典型经验交流和推广，要深化信息技术在整个产业中的共享与应用，加强林产品产品流通和林产品市场开发的信息化，加强林产品价值网络的管理，加强林产品市场开发的信息化建设，建立完善的林产工业现代流通体系，努力实现传统林产工业发展向信息化新型林产工业发展的转型。

第 10 章　中国林产工业低碳化发展的行业策略

10.1　木材加工业低碳发展策略

10.1.1　重视原料林基地建设，优化配置资源

今后行业竞争焦点将集中在对林木资源的拥有上，为了缓解原材料紧张的压力和提高价格控制力，企业必须越来越重视原料林基地建设，向林板生产一体化方向转变。

优化配置木材、秸秆等纤维资源。将刨花板、纤维板生产中适于制浆的木片调配用于木浆生产，而将麦秸等农作物纤维资源用于刨花板、纤维板生产，通过资源利用的置换配置，在提高木浆产量的同时，既解决了草浆生产的一系列问题，也拓展了人造板原料的资源供应面。从财政、税收以及技术创新层面，支持利用麦秸等纤维资源生产人造板，将开创纸及纸制品业和人造板工业双赢的局面。

10.1.2　建立废弃木质原料利用的碳贸易市场

木材工业废旧木质产品的利用，可延长木材中碳的贮存期，具有减排增汇作用，符合《京都议定书》中清洁发展机制（CDM）原则。采用市场机制，包括财税等综合手段，建立废弃木质原料利用的碳汇交易，在获得社会资金补贴木材工业低碳运行的同时，还可达到降低 CO_2 排放、补充木材资源不足和引进先进技术等多重目标。其作用具体体现在。

10.1.2.1　可以弥补中国木材资源短缺的现状

中国可以采伐利用的木材资源越来越少，而伴随着中国经济及木材加工业飞速发展过程中产生的各种边角料以及废弃木质材料却越来越多，这些物料中的很大一部分是可以再利用的。中国目前木材加工利用率只有 60%，相比国外发达国家 90% ~ 95% 的利用率，提升的空间巨大。如果能将废弃木质材料加以回收循环再利用，能大大提

高中国的木材利用率，改变过分依靠进口木材的局面。此外，这些物料可以直接从城市废弃物中得到，与去林区采伐，然后长距离运输相比较方便许多。可以说，对废弃木质材料的循环利用是缓解中国日益紧张的木材供应局面的最有效途径。

10.1.2.2　可以改善生态环境

中国木材加工业普遍存在资源浪费大、排放污染严重等问题，资源和能源的消耗量大大高于发达国家。木材加工过程中排放出的废气、废水严重影响了城市的生态环境。排放出的固体废弃物大都采用填埋、焚烧的方式处理，对地下水以及土地资源产生较大的不良影响，而且还需花费大量的土地占地费、运输费和填埋费。此外，废弃的人造板制品大多含有甲醛等有害物质，对空气、土壤等周围环境以及人体健康都产生较大影响。发展循环型的木材加工业，可以实现清洁生产，从源头上减少污染物的产生。在生产过程中大大减少污染物的排放，是保护环境的治本措施。将废弃的木质材料纳入循环型木材加工业是实现可持续发展的重要出路。

10.1.2.3　可以实现节约生产及扩大就业

资源循环利用可以大幅度节约能源，这是一般的工艺和装备进步所无法比拟的。对于能耗较高的木材加工业来说，要走出产量增加、能耗上升的状况，单靠小改小革的节能措施往往是治标不治本。木材资源循环利用的节能潜力巨大，加大资源循环利用的力度，木材加工业的单位产量能耗和总能耗将能大大降低。木材资源循环需要收集、分类和加工，在整个生产的前半程是劳动密集型，需要很多工人。参照发达国家的循环模式，分类的工作也是由熟练工人手工完成的，机器较难完成。因此，还可以安排大量人员就业，稳定社会的秩序。

10.1.2.4　可以带来巨大的经济利益

木材资源的循环利用不需要培育林区，生产工艺流程短，基建投资和生产成本较低。根据废旧木料的情况、最终产品的品种和生产能力的不同，可以设计出相应的设备配置方案。对于年产 8 万 m³ 的刨花板生产线，一般需要增加设备投资 300 万～500 万元左右，企业利用回收的废旧木料作为生产原材料，能够享受国家税收方面的优惠政策。回收的废旧木料价格低廉，一般每吨几十元。如果年消耗木材量为 10 万 t，使用 30% 的废旧木料作为原料，即为 3 万 t，按照每吨可以节约 100 元计算，赢利将达到 300 万元。

以各种木制品、林产品的加工剩余物和废旧木材和制品等木质废弃物为原料，直接使用或通过相应的加工处理手段后应用。中国以煤和石油为主的能源消耗是温室气体二氧化碳的主要排放源。国家对此高度重视。节能减排和应对气候变化已经成为中国当前经济社会发展的一项重要而紧迫的任务。

当前，中国能源资源严重短缺，60% 的石油靠进口，石油、天然气剩余可采储量仅为世界人均水平的 7.7% 和 7.1%。石油化工、交通运输业是中国的重要支柱产业，它既是高能耗、高污染大户，更是高碳排放重点行业。仅就机动车而言，到 2013 年年底，我国机动车数量突破 2.5 亿辆；机动车船和机械设备所消耗的润滑油达 760 万 t，而且这两项每年均以 10% 以上的速度递增。大力发展低碳能源和低碳经济，是中国应对气候变化和实现"十一五"节能减排目标的战略选择。

10.1.3　出台行业政策，加强标准化建设

在行业政策方面，建议国家应加强相关政策的出台，加大对木材工业、生物质材料科学研究的支持力度，建立木质材料与能源评估体系，简化商品林采伐手续，对商品林采伐应制定科学、有效、合理的监督机制，真正使这一数量极大的资源得以利用。

国家要重视木材在低碳经济和固碳林业中的重要作用，并制定具体政策措施来促进木材工业的发展。提倡以木代钢、以木代铁、以木代水泥等部分石化材料，实现经济的可持续发展。加大碳汇支付力度，真正使木材产业成为低碳经济的排头兵。

由国家质检总局、中国国家标准化管理委员会发布的 GB/T 11718—2009《中密度纤维板》国家新标准已于 2010 年 4 月 1 日正式实施，替代 GB/T 11718—1999 版标准。新标准的修订与 GB/T 11718—1999 已经相隔 10 年。要提高中国产品在国际市场上的竞争力，就要有效应对国际贸易中的技术壁垒，大力提倡和积极推动采用国际标准就是有效的途径。因此，新标准的实施，对于规范中国中密度纤维板生产，有效规避贸易技术壁垒，接轨国际检测方法有十分重要的意义。另外，2011 年吉林省发布刨花板市场新标准，在国内首次规定了 E0 级刨花板的定义和甲醛释放量等技术要求，填补了国内空白，具有较强的行业规范、指导性和可行性。今后还要继续加强标准化建设，促进行业规范化生产和整体产品质量的提高。

10.1.4　加强技术创新，研究低碳技术

10.1.4.1　加强木材的科学防护

当木材、木质材料和制品被燃烧和腐朽时，原本被封存在其中的以有机物形式储存的 CO_2 又会被释放出来，所以实施木材的阻燃处理和防腐处理是十分必要的。世界上科技发达国家非常重视木材防护技术的研究与开发。美国每年木材防腐处理量为 1800 万 ~2000 万 m^3，相当于每年减伐林木 4000 万 m^3 多；新西兰每年处理量约为 270 万 m^3；英国约为 230 万 m^3。美国、英国和新西兰年处理量分别占木材消耗量的

15.6%、20%和43%。中国年防腐处理木材约为60万 m^3，约占木材消耗量的0.3%，说明木材防护能力很低。每年约有60%的商品木材没被立即加工利用，要经过夏季储存，其中又有40%的木材遭受真菌的腐蚀和虫蛀，严重影响木材品质和使用寿命。关于木材的阻燃处理量与木材消耗量相比更是微乎其微。木材燃烧不仅消耗资源，危害安全，更重要的是木材燃烧时，将储存的碳素又以 CO_2 等气体的形式排放到大气中，加剧破坏自然界的生态平衡。因此，必须提高木材防护意识，加强木材阻燃和防腐处理能力，优化木材防腐、阻燃等防护处理技术。

10.1.4.2 研究木制品和复合材料的低污染加工技术

由于木材具有独特的自然美感和环境学特性，所以常常用来制作室内家具和日常生活用品，装饰人居空间和建筑房屋。以木材为原料的各种加工形式制得的人造板、纸张及各种木质基复合材料广泛地应用在人们生活和各个部门。木材制品及各种林产品和复合材料则是将林木生长吸存的碳继续固定和储存，在木材或木质材料加工时，注意开发和采用高新技术，在低碳工艺和技术指导下进行加工，以节省能源和减少或避免这些材料所储存的碳又会以各种形式回归到大气中去，增加 CO_2 浓度和温室效应。

(1)研制低污染、无污染的木工胶粘剂和人造板用胶粘剂以及新型的胶合方法。如非甲醛系列胶粘剂，水性高分子复合型胶粘剂等。开发、研制低甲醛释放量的脲醛树脂胶粘剂。一些研究者通过改变脲醛树脂的摩尔比(F/U)和合成方法及固化体系，开发低毒性低甲醛释放量的新型脲醛树脂胶粘剂。这种胶粘剂用于室内装修和家具用材，可以减轻具有强刺激性的挥发性甲醛对环境和人体的危害。研制、使用不含甲醛的非甲醛系列胶粘剂，它属于非甲醛系合成树脂胶粘剂。国外已将其用于刨花板、定向刨花板、华夫板、中密度纤维板及其他人造板的生产，日本和西欧等一些国家已部分取代了甲醛系列胶粘剂。中国研究者经过多年科技攻关，已成功地开发使用异氰酸酯胶粘剂用于生产刨花板和湿木材胶接等，制造出用于木质材料和木材胶接的系列产品。这些产品用于室内家具制造和装修，彻底解决了室内环境污染和危害人体健康的弊端。

(2)采用"无胶胶合"或"弯曲""整形"方法制造素材或家具等木制品。这些产品用于室内堪称"绿色产品"。一些研究者利用木材中含有的水溶性天然物质在高温高压下处理，使之自生胶接制造中密度纤维板和胶合板。选择白蜡木、榆木等塑性好的木材在湿热共同作用下弯曲定型，制作的弯曲木家具轻盈、优雅，具有抽象性和艺术性。经过预处理和高温、高压或高频处理可以制成整型木，然后根据用途的需要制造各种家具或木制品。

(3)研制绿色涂料。木器油漆是指各种木制品和家具采用涂饰和涂料进行的表面装饰材料。国内外历史最久且至今应用最广泛的仍属油漆装饰。油漆时所用的涂料常用相应的溶剂来配成。这些溶剂诸如烃类溶剂、酯类溶剂、酮类溶剂、醇类溶剂和萜烯类溶剂，溶剂中含有大量的有机挥发物，这些具有毒性的物质(如苯类、汽油、酮类、醛类等)在室内会慢慢释放出来，造成污染和危害，因此必须选用"绿色"涂料进行木制品和家具的涂饰。木制品、家具用涂料和涂饰必须接受环境保护法规的制约，必须使用有利于室内环境、减少挥发性有机物(VOC)排放量的涂料；考虑现实可能使用的涂料，如高固体份涂料(不挥发份的目标值在 60%~70%)、紫外线固化型树脂涂料、水性涂料、粉末涂料、粘贴涂料等；为变革传统的涂饰技术，提高涂饰效果，采取科学环保型的木材前处理技术，如壳聚糖处理、聚乙二醇涂布、等离子体处理等。

　　总之，加强研究木材加工过程的低碳节能技术，进行工艺和设备的创新，应用新技术，提高木材综合利用率，能耗和物耗降低，注重循环经济发展。以此发展木材低碳加工产业，走低碳经济发展之路，已成为时代的必然选择。技术创新和产品创新将成为行业发展的内在动力。

10.1.5　加强产学研合作，提高木材加工行业的技术含量和附加值

　　加强教学、科研单位与企业的合作，加大科技成果的产业化转化力度，提高木材加工行业的技术含量和附加值。加大木材产业的科研投入，结合化学、高分子材料科学与工程、化学工程的科研人员联合开发利用木材和生物质材料，与材料、化工、农业工程、生物工程、环境科学等学科相结合，综合开展生物质材料的深加工利用，重视生物质能源、纳米技术在未来生物质产业中的发展前景。加强对高效、清洁、环保木质材料生产技术研究的支持，促进节能减排、可持续战略的实施。企业必须迎接挑战，以技术创新为核心，从消费者的利益出发，满足消费者的需求，推出具有技术含量的产品，这才是企业实现突破、行业实现良性发展的根本途径。

10.2　家具制造业低碳化发展策略

　　所谓的绿色低碳家具，是指用料倾向自然、节省能源、不含有害物质、不释放有害气体、易于回收再利用，产品设计符合人体工程学原理，延长产品使用周期、减少再加工利用的能源消耗。总之一句话，低碳原则的核心理念是节能、减排、健康、环保，强调以人为本，尊重生命与健康，构建和谐社会。"低碳"原则在家具行业如何落实到行动呢？怎样选择"低碳"的家具原辅料，怎样进行家具制造技术与机械设备的

"低碳"创新，怎样对施工工艺进行"低碳"改进，以确保所制造的家具符合"低碳"标准，是被国家权威部门认证并被广大消费者认可接受的名副其实的"低碳"家具。

10.2.1 产品规划

内容包括产品结构规划、产品定位规划、产品生命周期规划等。企业要从产品款式开发、结构设计、工艺改进、制度流程再建等各方面进行有效控制和节约，才能实际节约原材料，降低消耗。研发跟设备水平协调的产品，既要保持工艺又要节约环保。比如实木的使用，已经有中式家具企业利用普通木材替代珍稀红木，既能够保持它的造型与工艺性，又为全球低碳进程作出实质性的贡献。在开发过程中减少产品试制过程的碳排放，引入计算机、专业软件等方式进行产品结构、工艺合理性的验证，从而减少失败案例，达到节能减排。家具企业要改变以往粗放的管理模式，利用先进制造系统如 ERP，将销售、生产、供应服务等信息高度集成处理，提高销售系统与生产系统的数据交换效率，提高综合管理效能，从而减少各种资源的消耗。

10.2.2 材料选择

原材料选择是现代家具设计第一步，材料性质直接决定家具最终性能和环境属性，要选择既有良好使用性又与环境具有良好协调性的材料。坚持少即是多的原则，在不增加材料使用量的条件下，延长产品使用寿命，加大消费循环周期。

应用节能环保型技术材料是实现低碳家具的首要措施。在所有材料中，木材仍然是首当其冲的环保材料。在家具领域，很少有人研究木质家具与金属家具以及其他材料家具在环保方面的比较，那我们就用建筑的一些数据来比较一下，木材与金属对环境的影响是完全不同的，也借此来纠正一下一些人对木材的不正确认识。

根据清华大学 2006 年一项名为"中国木结构建筑与其他结构建筑能耗和环境影响比较"的研究表明，如果用木结构代替钢结构，将节省 27.75% 的能源和 39.2% 的水；如果用木结构代替混凝土结构，将节省 45.24% 的能源和 46.17% 的水。

而从生态环境破坏的角度考虑，混凝土结构是最严重的（120.46 元/m²），其次是钢结构（91.64 元/m²），木结构则是最少的（56.43 元/m²）；即便把生态环境破坏和自然资源消耗都考虑在内，每平方米木结构的潜在环境影响还是最低的，只有 85.68 元/m²，而钢结构和混凝土结构分别为 118.04 元/m² 和 143.08 元/m²。

美国纽约国家实验的研究证明：世界上唯一能称得上真正绿色环保的建筑——木屋，较一般水泥、砖瓦结构住房节能 50%。与钢材和混凝土相比，每生产 1t 木材，只需 453kW 电力，而生产 1t 钢材却需要 3780kW 电力，而且木材的成长过程还能吸收二氧化碳。

另一则消息也说明了使用低碳材料是实现低碳经济的首要途径。日前，全球三大零售巨头之一的 TESCO 在总部英国剑桥郡 Ramsey 正式推出了全球首家零碳超市，其具体做法就是使用木材框架而非钢材框架，生物燃料供热供电，停车场启用 LED 照明等低碳措施。

正是因为木材是可再生资源，它才有其他材料不可比拟的优点。只要政策导向正确，措施有力，市场需求大，木材只要合理地砍伐，及时补种，并不断扩大林区面积，在使用中科学的设计和使用，就能让森林可持续发展，人类的生活才会走上健康和安全之路。时任加拿大木业协会董事总经理的保罗纽曼表示，他注意到中国政府已将单纯的禁伐政策改为有计划的种植经济林和砍伐使用；而且进口木材的成本比起从国外进口钢材和炼钢矿石要低得多。因此，中国应加强研究降低木材获取成本的方法和途径，就能使木结构的节能和环保优势更加突出。同样，木家具的节能和环保也就更突出。

多用其他天然材料，如竹材、藤、麻、水草、玉米皮、秸秆等，都是可以通过艺术设计和技术处理应用到家具上的，并且可以大大减少对环境的污染和对我们人类身体的危害。

另外，如蜂窝纸芯，就是一种很好的环保材料。它质量轻，强重比大，稳定性好，在平板零部件上代替实心的厚板材，具有很强的优势，是一种生物仿生材料，在很大程度上可以减少对木材的消耗，同时又能减轻家具的重量，减少甲醛等有害气体的释放。在民用家具里应用已经比较普遍，尤其是在大型家具企业中。办公家具企业使用的范围和深度还远远不够，需要大力推广使用。

10.2.3　合成化学品的使用

在家具生产中，尽可能使用巧妙的结构设计和设备加工，减少对胶的使用，同时提高胶粘剂的品质，即减少胶粘剂有害气体的释放，减少胶的用量和优化涂胶方式，提高胶合强度。另外，尽可能采用先进的涂料，如水性涂料，光固化水性或粉末涂料，并尽可能采用先进的涂装设备和流水线，减少对涂料的浪费，提高涂料的利用率，减少对空气的污染和对操作者的健康危害，同时减少对水的污染。而我国家具企业 90% 的企业都采用人工喷涂，油漆的利用率有的不足 50%，不仅成本高，而且对水和空气的污染非常严重，更加需要进行研究和改造，进一步设计规范喷涂方法，提高喷涂件的一次合格率，减少涂料的使用，提高喷涂的工作效率。这样也可以从很大程度上减少涂料的浪费，减少碳排放，减少水污染。

10.2.4　精益生产

从管理入手，大力推行精益制造。精益生产是通过系统结构、人员组织、运行方式和市场供求等方面的变革，使生产系统能很快适应不断变化的用户需求，并能使生产过程中一切无用、多余的东西被精简，最终达到包括市场供销在内的生产各方面最好的结果。其特色是多品种、小批量，核心是消除一切无效劳动和浪费，把目标确定在尽善尽美上。

其要点包括以下方面：

(1)通过合理的配料方法及先进的制材设备，提高材料利用率。有效发挥以人为本的企业文化作用，使员工自发的对原材料合理搭配与使用，提高人工利用率。

(2)提高单位能耗的产出率，根据产量需求配备相应的加工设备，最大程度发挥设备的效率。

(3)通过采用先进技术、设备及回收利用措施，减少废物和排放物，降低环境影响和健康影响的代价，降低能源消耗和污染处理消耗等，提高生态效应。

对于家具企业来说，这个环节具有最大的节能减排的空间。我们的能耗很高，设备的利用率很低，一般在60%～80%之间；材料的利用率，人造板在70%～85%之间，达到90%的企业很少；木材的利用率根据材种不同而不同(红木除外)，一般都在60%～70%之间；空间利用就更差了，单位面积的每月产出一般在500元/m²的企业都不多，这就意味着一个生产面积在1万m²的企业，一年应该有6000万元的产能；人工的利用率也很低，好的实木家具企业人均3万元/月，人均产出已经算较高了，板式家具企业达到人均3.5万元/月也算是行业的高水平了。大多数企业在人均2万元/月左右徘徊。

因此，看了这些行业对资源的消耗数据，我们知道推行精益制造有多大的空间可以挖掘。只要我们降低了成本，提高了效率，就等于我们减少了能耗，少用了材料，并让有限的材料、能源和人力资源都充分地使用到创造价值上面，这本身就是最好的低碳经济形式、低碳家具产品、低碳企业"。

10.2.5　产品设计

比对环保"4R"守则，依据家具等木制品设计、木结构住宅等建筑设计及其构建人居微环境的设计理念，人们会领悟到在人类生活和工业利用中，以木材为原料，与环保"4R"的理念和意义有多么相似。木材的性质和行为与环境保护的目的和要求有着高度的响应性。

以木材或木质材料(如竹材、人造板等)为原料制造家具和室内设计，遵循绿色设计的理念。绿色设计理念是 20 世纪 80 年代在世界范围内提出，并迅速在多领域设计部门予以重视和实行。如：建筑及室内设计、家具设计、产品设计、包装设计等。其主要设计原则：节省能源，即着力从节约资源的角度开发产品和服务，如对节能、节水、节材等技术研究成果的应用。降低污染，即通过着力于减少、消除污染的途径开发产品和服务，如无氟冰箱、无铅油墨、绿色包装等；回收及再利用，即实施绿色设计，使产品可以翻新和循环利用，最大限度减少丢弃物，变废为宝，最有效地综合利用资源；消除污染，即着力于净化生态环境、提高生活质量而开发产品与服务。中国著名的家具与室内设计专家胡景初指出，"4R"理念属于绿色设计的一种设计方法，符合信息社会，使现代家具设计体现高新技术，又是以环境和环境资源保护为核心，以保护人类生态环境、维护人类身体健康为目的的设计理念及行为。这一设计是基于人们工业化发展中对能源浪费、环境污染、生态破坏的认识。"4R"是由英文的 recovery、recycle、reuse 和 reduce 四个词的第一个字母组合而来，这四个词的词意构成了现代环保设计(即绿色设计)的内涵之一。这种设计方法充分考虑产品原材料的特性和产品各部分零件容易拆卸，使产品废弃时能将其材料或未损坏的零部件进行回收、再循环或再利用。"减量"的含义是：在设计开发之初，尽量减少资源的使用量，将生产产品所需材料降到最低限度。在造型设计时要尽量做到简洁、明快、适度，细部设计要质朴而不乏精致，体现出高雅的设计品味；在包装设计上要避免过分奢华和超过产品自身价值，以合理满足产品的保护、运输及消费者审美需求为宜。把绿色设计的 4R 理念作为产品生产策略，将为企业创造一个"量少、质精和避免对环境造成污染"的绿色设计的文化。

一般而言，一件同时具有实用性和宜人性的物品必须满足健康、安全和环境的标准要求。对产品设计的研究不仅要考虑产品的实效设计，而且还要强调它所放置的环境，势必要考虑到利用有限而珍贵的地球资源，循环利用再生材料和可持续发展等问题。

10.2.6　产品包装

消耗大量资源，在包装过程和拆装后往往产生大量废弃物，造成对环境资源可持续利用的极大压力，在这样的背景下，"减少包装内容，改善包装的环保性能"成为产品包装设计的宗旨。

10.2.6.1　包装材料

发达国家认为包装材料要与环境相容就要做到"4R1D"原则，即 reduce、reuse、

recycle、re-grow、degradable。有数据表明，相对于塑料及金属等，纸包装的碳排放最低。纸包装的主要原料是纸浆，回收废纸制浆较木材制浆能节约能源和水资源50%~70%。

家具包装常用材料主要是纸材和塑料。家具的外包装一般都为各种类型的瓦楞纸箱，包装箱内经常用各种纸板来分隔空间或作为衬垫保护家具产品，为消费者服务的家具产品说明书、装配图等也需要印刷在纸上。为了保护家具在流通过程中不易损坏，一般采用塑料泡沫来作为缓冲衬垫，而利用塑料薄膜袋包裹产品，能起到防尘、防水的作用。但是有些塑料如 PS、PVC 等焚烧处理时会对环境造成污染，在选用时应当要慎重。家具绿色包装材料是指采用清洁技术、少用天然材料和能源，大量采用工业或城市固态废弃物生产的无毒害、无污染、无放射性、用利于环境保护和人体健康的材料。进行绿色家具的材料选择，由于其复杂性，至今还没有固定、可靠的方法。应根据实际情况，采用系统分析的方法从材料及其家具包装产品生命周期全过程对环境的多方面影响加以考虑，并综合考虑家具包装产品功能、质量和产品成本等多方面的因素，选择相对最优的材料。面向环境的绿色家具包装材料选择就是要在产品设计中尽可能选用对生态环境影响较小的材料。

10.2.6.2 包装方式

可拆装的板式家具多采用平板包装，即将单片板材或配套规格组合成型，包装成较小的体积。这样充分利用了包装材料，节省运输空间，降低成本。而对于不可拆装的家具，使用单独柜体进行包装时，也尽量将近似规格包装在一个纸箱或同一个包装物里。

10.2.6.3 包装技术

家具包装是为了能够让家具从完成生产到交付消费者使用的过程中不受到损坏。而家具绿色包装技术就是指采用一定的包装技术，给予家具产品充分的保护且保证不对环境造成破坏。家具包装大部分是手工操作，基本工序包括：装箱、封合、捆扎、贴标和打印等。为了给予产品充分的保护，还需要根据家具产品的特点以及流通过程的情况，采用缓冲包装技术、集合包装技术、防潮包装技术、防锈包装技术、拉伸和收缩包装技术等。

10.2.6.4 废弃包装回收管理

一些发达国家在包装废弃物回收利用这方面做得很好。例如美国，36 个州联合立法，实行环境标制度，在塑料制品、包装材料上使用绿色标志或再生标志，说明它可以重复使用，再生使用。并通过法规加以保障。每年包装纸盒的回收量高达 4000 万 t。同样，家具包装要进行废弃物管理，回收利用是最首要的手段。从物流角度来看，回收意味着产品回收的能力直接可以增加企业的利润。家具行业应该要把注意力放到回收包装是如何在供应、销售和回收流动中产生新的价值和回收对包装家具材料选择上的影响上等。各种研究数据都在不同程度上表明了，处理回收家具包装的市场是存在着巨大的潜力的。总体来说，家具包装废弃物管理系统，不仅是一个低碳经济下环境保护的过程，而且会给企业带来无法估量的利润。

10.2.7　物　流[①]

绿色物流作为"清洁生产绿色流通合理消费"的可持续发展模式的组成部分，除具备一般商品流通的功能外，还要履行支持绿色生产、经营绿色产品、促进绿色消费、回收废弃物等以环境为保护目的的特色功能。

原材料采购方面，要扩大对材料源头的投资，加大产地的深加工能力，提高各种材料的利用率，降低物流过程中的碳排放。企业要合理确定供货周期，选用最为合理低碳的方式运输产品，加强多种运输方式的衔接，建设物流信息系统，减少运输工具空驶率。

10.2.8　销售及售后

业内专家表示，在家具业销售环节，损耗和成本非常高，至少占到总成本的35%左右。产品包装，物流过程，销售流程，店面管理，店面设计等，都存在着大量不环保的弊端，这些弊端时刻吞噬着企业本来就不丰厚的利润。

因此，我们应该在终端大力倡导节能减排的理念，并实施有效的行动。低碳战略大大降低了企业的经营风险，这不仅仅是企业社会责任的表现，对于商业公司来说，节能减排、低碳式发展的实质价值在于节省成本。只要家具企业开始思考低碳销售，正确引导消费者低碳环保消费意识，中国家具业低碳经济必将走上良性循环轨道。

中国连锁经营协会调查数据显示，零售企业能耗约占总成本的10%～20%。沃尔玛中国官方网站的最新数据显示，截至2009年，沃尔玛已在北京、上海开设两家节能旗舰店。通过节能设施的应用，该店每年可节约用水达48%，节约电能达36%，即每年节约139万 kW·h，就等于减少排放了大约109.115万 kg 的二氧化碳。低碳战略大大降低了企业的经营风险。

中国连锁经营协会秘书长裴亮表示，减少碳排放已然成为零售商新一轮的争夺焦点。"这不仅仅是企业社会责任的表现，对于商业公司来说，节能减排、低碳式发展

---

① 低碳经济环境下的家具绿色包装研究. 夏江雪，庞燕. 物流工程与管理 2010 年第 32 卷第 6 期. 139～140，145。

的实质价值在于节省成本。"英国百货连续企业 TESCO 已经尝到甜头：以 TESCO 在英国曼彻斯特开设的一家节能环保卖场为例，其在电、水、气等能源消耗量同比下降 70% 的同时，该节能卖场的运营支出也随之节省了 48%。TESCO 集团称，公司在减排方面的投入正帮助超市每年节省一亿英镑左右的运营成本开支。

因此，应该在终端大力倡导节能减排的理念，并实施有效地行动。

(1)销售渠道。电子商务是一种全新低碳的营销模式，可以有效减少人力、节约能源、提高物流配送效率、减少外出购物等。曲美家具在 2009 年年底已开拓网上营销渠道，并正在不断丰富网上营销的产品范围及完善线下服务。

(2)卖场。要杜绝不环保的产品和过多的同质产品进入，在规划时将各种产品清晰分类。企业品牌要避免为了抢夺市场布点过密，这样可以减少内耗。据调查现在有将近 50% 的卖场过剩，其电、水、气等能源消耗都对企业的经营形成威胁。

(3)店面设计。设计师应考虑材料规格让其达到最大利用率。由于专场装修频繁，要求设计师使用更加环保的材料，以减少对空气的污染及对人体健康的影响。对于可再利用的材料，要妥善保管，如灯具、木地板等。照明设计方面要将环境照明与产品突出照明分路设计，将电能浪费减至最低。企业在不影响销售的情况下应降低改造的频率，同时可以尝试卖场的模块化装修，在更换少量产品时只进行局部改造，以降低成本。

(4)售后。企业将家具维修作为售后服务的重要部分，以提高产品附加值。旧家具的回收，是企业产品的延伸性服务，如一套沙发在使用几年后可以骨架保留，更换罩面等。另外可以把旧家具的回收、利用或者翻新作为一个产业去推动，这对于营造低碳社会有极大贡献。

10.2.9 加强创新

从一开始，家具行业就一直在呼吁创新。纵观家具行业的发展历程，我们的确看到了很多的创新，但是，这些创新基本上都是款式设计、风格造型的创新。随着低碳经济的到来，家具产业必须通过更多的渠道进行创新，来适应未来产业发展的趋势。原材料可以尝试创新，让多种材料实现融合，如实木与金属、塑料、玻璃、纤维等以降低实木材料的采伐周期，扩大绿化面积。工艺可以尝试创新，通过提高加工设备的技术含量，来提高加工效率、人均产值等，这样就能减少生产周期、节约能源损耗，以此达成循环低碳的生活目标。

一些有责任感的厂商在开采过程、生产过程、加工工艺上有了更多突破与创新。比如，德国有个著名的家具品牌，就是砍一棵树的同时，补种另外一棵树，这样在一定程度上维持了生态的平衡，也就等于降低了损耗。国内的丹麦风情等家具品牌的板材在制作过程中采用高温、高压成形，表面加涂特殊涂层，不但耐磨、耐刮花，而且具有非常良好的耐火、抗腐蚀性，这样一来增加了家具的使用寿命，也从另外一个角度降低了再次开采、生产的损耗。

10.2.10　强化企业低碳意识

家具企业不应一味强调产值、销售量，而是应该提高产品质量，延长产品的生命周期，在生产与制造过程中降低能耗，这才是低碳的思维。另外，企业要加大绿化的参与，整合整个产业链，实现有效的碳补偿。通过植树等方式把 CO_2 排放量吸收掉，或者计算抵消这些 CO_2 所需的经济成本，付款给专门机构，由他们通过植树或其他环保项目抵消相应的 CO_2，以降低温室效应。目前，已经有越来越多的家具卖场及企业参与到这项行动中来。

10.2.11　产业链携手与横向联合

欲推进低碳进程，应由家具协会牵头，倡议家具企业共建低碳家居时代。因为低碳绿色家具，需要从行业内达成共识，鼓励家具企业研发推广低碳绿色型、环保型创新产品，通过新的行业标准，鞭策行业决策者、精英，为打造低碳、绿色家居共同努力。例如，跟大多数行业一样，整体衣柜行业也是一个上中下游产业链紧密结合的行业。上游指原材料供应商，包括板材和五金配件、封边条、胶粘剂等。中游指整体衣柜制造商。下游指整体衣柜经销商。要想实现整体衣柜的低碳化，必须依靠整个产业链的共同努力，光靠一个环节的努力是远远不够的。

（1）上游。对于上游来说，要积极探索木材替代品的研发，用新型的低碳板材（比如高分子材料板等）逐步取代中纤板、刨花板等传统板材，或者对中纤板、刨花板、UV 板等改良降低甲醇含量的同时，提高企业内的生产质量标准，又能降低消耗，降低成本。

（2）中游。整体衣柜企业位于定制家具产业中层，有承上启下之能，面对板材供应商，应多加要求，施加压力，让板材供应商多研发绿色板材，而定制家具企业的研发部门加大应用新低碳板材的新产品研发。同时生产车间改进生产设备（如全自动数控机床等）和修改与之相适应的生产工艺，加强管理的科学性，信息管理系统的投入使用，最大限度地减少材料、电力和人工的浪费。

（3）下游。物以稀为贵，供求的杠杆，决定价格。有需求就有市场，要共建低碳家居时代，要从需求终端入手。现在低碳、低碳经济风靡全球，国内各大媒体都深入分析如何应对低碳经济的来临，如果真能建成一个低碳经济社会，对每一个消费者都有密切关系，百益而无一害，相信消费者都会赞成。所以在政策自上而下之时，同时配合市场机制，向消费者大力宣传低碳观念，引导消费者接受绿色家具化妆培训，畅享低碳生活。

目前，板式家具逐渐已占到整个家具市场份额的50%，因其外观、设计以及价格因素，越来越多消费者选择它作为家装首选。由于国家强调节能减排，木材的综合利用率高的人造板成为家具行业今后的首选。加上今后世界范围内实木资源的匮乏，原材料价格的上升以及板式家具更加符合城镇化的需要，板式家具优势会更加明显。

刨花板在性能、质量、环保方面有优势，会成为今后几年发展的方向。刨花板在未来5～10年中的用量肯定会加大。刨花板是低碳、环境友好型产品，胶水使用量小，生产过程不需要水洗，污染物排放量小，有利于环保。此外，在欧洲，刨花板的发展要快于纤维板。所以我们企业现在80%使用刨花板。

大型人造板企业要与家具企业结成"零整战略伙伴关系"。板式家具要走出低利润的怪圈，突破环保绿色壁垒的限制，离不开人造板行业的发展，这就需要将双方的竞争关系转向合作伙伴关系，通过一系列的战略合作，共享信息技术，共同研发，共享利润，共同降低生产成本。在人造板企业与板式家具企业对接过程中，还横亘着"小而散"的饰面企业，这严重影响了板式家具行业的发展。为此，饰面企业将被整合进人造板企业。未来，必将有大型的人造板集团直接与品牌家具企业对接，直接供应适合的贴面板材。

大型人造板企业统一完成制胶、浸渍、印刷、压贴和裁板，能够省去中间环节，板式家具企业将更多的精力投入在品牌建设、渠道扩展、设计规划等方面，这将为家具企业跨越式发展提供了充足的支持。

提高板式家具产业链竞争力的关键是与人造板企业建立的战略合作关系。在世界家具市场竞争激烈的今天，战略合作使双方成本均有降低，研发能力、生产能力均有提高，最终实现共赢。

10.2.12　加大政府政策力度

低碳理念在家具行业的推广与普及要有政府支持，要制定适合企业低碳发展的相关配套政策，这样可取得事半功倍的效果。另外政府要对家具企业作出具有可持续发展前景的技术规范指标，这会对整个产业体系的发展起到很好地保障作用。

家具绿色包装战略的实施，除了依赖家具行业和家具企业的管理创新、技术创新之外，还受到社会宏观环境的影响和作用。家具绿色包装发展的政府规制的目的在于政府对家具行业和家具企业的包装行为予以限制和禁止，是对家具企业包装活动的约束与干预。主要包括环境立法保护、包装许可证制度、绿色包装标准。

政府制定相应的法律、法规和政策来约束规范和引导废旧产品的回收及有效利用。国外某些家具企业的实践证明，通过政府或行业协会制定合理的回收法令，可以使得生产者、消费者、销售者三方在回收源再利用过程中承担不同的责任。比如：生产者负再生利用，销售者负责回收运往厂家，消费者负责法定的再生利用费用和商店从用户住处到指定回收点的回收与运输费等，以形成全民回收的有效机制。另外，政府对循环型社会公共设施的完善要给予财政支持。这对产品的回收利用提供了法律的支持。

10.3　纸及纸制品业低碳化发展策略

10.3.1　转变产业生产方式

10.3.1.1　装备升级

近年，中国纸及纸制品业从国外引进了大量的先进技术设备，例如制浆、造纸、碱回收"三废"处理、自动控制装置等。这些先进技术设备的引进积极推动了中国纸及纸制品业的发展。制浆造纸装备业。应认识到社会经济发展要求，准确把握当前面临的形式，实施结构调整，积极投入科研资金，树立良好的品牌形象，以便为造纸企业提供更先进的设备为目标，扩大自身的发展空间。很多国内造纸企业采用了国产的先进技术和设备，同样取得了良好的效果。同时要在引进的过程中，学习和消化国外先进的技术，做到自主创新，研发拥有自主知识产权的先进设备。

10.3.1.2　技术创新

在低碳经济背景下，中国纸及纸制品业应当从国情出发，利用已具备的科技资源，以影响行业发展的、急需解决的关键技术为切入点，对原创性研究项目和重大高新技术产业化项目进行筛选并扶持，努力在某些项目上实现突破。合理利用资源和能源，确保与低碳经济同步发展。只有这样才能确保企业的产能和效益得到提升，实现跨越式发展。

（1）节能技术。一是节能工艺装备关键共性集成技术。当前重点研发和推广应用的造纸企业节能工艺装备关键共性集成技术主要有：蒸汽动力系统能量梯级（多级）利用与集成技术；能量转换环节与利用环节各级能流的耦合与最优匹配技术；全厂热、电、冷三联供优化耦合技术，生物质能源转化技术；低位能能量利用技术，低能耗打浆技术、低能耗原材料替代技术、强机械脱水节能集成技术、高效干燥技术、软测量与优化控制技术、变频驱动技术应用；过程余热回收集成技术等。二是能量系统诊断与集成优化技术。企业能量系统诊断与集成优化技术是近年发展起来的新型工业节能优化应用技术，它是从系统优化的角度研究企业的能量系统（包括物料系统）。系统节能集成优化技术的全局特性，使得该技术在炼油、化工等过程工业得到快速发展和应用，也使其具有单项节能技术所无法替代的地位，弥补了单项技术分散、不系统的缺陷。

（2）水资源利用。第一，必须对制浆造纸技术和装备进行升级，研发和使用新的节水技术和装备，实现耗水量的降低；第二，研发和使用废水深入处理和回用的新技术，使水的循环利用率得到充分利用。

（3）污染物治理。有机废水和有毒物污染是纸及纸制品业的主要污染物。目前，纸及纸制品业排放废水化学需氧量约占全国企业废水化学需氧量的3.7%。而有毒污染物主要来自于非木浆，中国纸及纸制品业的草浆利用率达80%以上，为主要的污染源。一是生物技术。废水处理中的生物技术不断取得新的突破，麦草生物机械浆生产瓦楞原纸已成功产业化，非木浆的生物漂白也被各企业推广应用。二是清洁生产技术。解决中国纸及纸制品业的环境污染问题，必须依靠清洁生产技术。国外清洁生产技术研发首先主要关注纸浆漂白方面，其次是废纸脱墨制浆和高得率制浆，化学制浆的重点是节能和深度脱木素。而中国纸及纸制品业的生产中非木浆占80%以上，因此研究开发非木材制浆漂白清洁生产技术、流程和装备是技术创新的重点领域之一。三是循环生产技术。应根据农业生态学、工业生态学、环境科学、化学化工、工业生态学、系统科学和循环经济等的基本原理，创建"农—林—纸—热电—化工"一体化的循环经济生态链。进一步深入探讨循环经济的机制与模式，研究与造纸相关的循环经济关键技术，推动产业结构的调整。四是综合利用技术。污泥处理利用技术、白泥深加工技术、纤维性废渣转化利用技术等都是目前的热门技术。

（4）纤维资源。一是木质纤维。林浆纸一体化是将原来分离的林、浆、纸三个环节整合在一起，形成以纸养林、以林促纸的良性循环产业链，从而带动林业和纸及纸制品业发展。国内一些大型纸业集团如泰格林纸集团、华泰纸业、晨鸣纸业等都在加快林浆纸一体化建设战略的实施，加紧累积森林碳汇。二是非木材纤维的开发利用。中国非木材制浆造纸技术水平较高，与现代农业技术、现代生物技术结合，拥有转基因技术改造植物生长的纤维构成和化学组成，使其更适合制浆造纸，研发出新的制浆造纸技术。三是非植物纤维的开发利用。非植物纤维重点是矿物纤维。研究开发矿物纤维制备技术，使矿物纤维功能化，这方面空白点较多，值得重视。继续研究开发新的造纸化学品，不断研究开发矿物纤维纸系列产品，等等。努力使纸张中的非植物纤维组成达到较高的比例，进一步节省植物纤维资源。

（5）废纸的再生利用。利用废纸造纸可以节约大量的原生纤维，而且节能、节水、环保。废纸的回收利用要求改进废纸脱墨技术和净化技术，开发新的脱墨剂，解决好胶粘物去除等问题。开发节水技术，增加优质长纤维的供给，提高木浆比重，淘汰落后草浆生产线，优化中国造纸原料结构，减少污染物排放，鼓励企业间优化重组，才能帮助中国纸及纸制品业向低碳模式转变。

（6）最大可能利用自产能源，采用可再生能源。例如，进一步加强制浆废液碱回收利用，用于产生热、电能效率。还有企业内部废渣用于锅炉燃烧，甚至可利用秸秆与煤混烧。在现有条件下，尽可能把余压、余温、余热都能够充分回收利用。

中国大多数企业经营者仅仅是被动遵循政府制定的低碳政策，企业对环境污染的支出必然增加了企业环境遵循成本，这会进一步降低其经济效益和竞争力。这种消极的应对模式严重阻碍企业的技术创新。如果企业能够充分利用政府的激励性政策，那么企业不但能因为技术创新而提高生产率，而且可以在一定程度补贴环境管理成本。因此，造纸企业应对低碳经济要有正确的认识，将低碳经济的影响归纳到生产过程中，使环境成本内部化，从而获得环境效益与经济效益的双赢局面，坚持技术创新。

调整技术结构，加快技术进步创新，逐步推进技术与装备现代化是中国纸及纸制品业应面临的挑战。造纸企业和行业应该意识到自主创新的重要性，应该意识到真正的核心技术只能靠自主创新而来，否则中国纸及纸制品业在国际竞争中就会处于不利地位，失去应有的尊严。因此，中国纸及纸制品业应该走具有中国特色的新型工业化道路，高度重视自主创新，转变观念、创新模式、提高质量。

创新是企业核心竞争力的灵魂。技术领先的企业通过技术进步走高端产品路线或实施差异化战略，就可以寻求不充分竞争的细分市场来获得超额利润。在纸及纸制品业的技术创新过程中，造纸企业应成为开发投入、创新活动、创新成果应用的主体：①企业决策者要具有创新精神和创新理念，积极动员各种内部资源和组织与外部的创新合作；②企业要改变重固定资产投入、轻研发投入的思想，提高研发的资金投入；③企业要积极开展有关宣传和技术培训，鼓励试验、创新，尊重知识、尊重人才，激发广大职工的创新积极性。

从改革分配制度入手，建立激励机制，要在重视引入、发现和培养具有创新思维的技术带头人才的同时，重视和发挥研发团队的作用。秉持自主创新，人才为本的理念。纸及纸制品业应建立健全科学合理的人才培养、开发和管理体制，以培养出优秀的人才；应完善评价标准，营造良好的竞争环境，为优秀人才能够脱颖而出创造条件。造纸企业应健全人才培养计划，大胆引进高层次人才。

现今，尽管中国造纸企业自主创新能力相当薄弱，但走"产学研"相结合的道路符合中国纸及纸制品业的现状，因为经过国家多年来的投入建设，高校和科研院所已具备较好的科研条件并拥有量一定的成果积累。需要提高高等院校、企业和科研机构间的合作开发力度，实现优势互补，推进企业技术创新能力。在技术开发方面，高等院校、企业与独立研究机构各有所长。一般在研究开发方面高等院校和独立研究机构更具有优势，但缺乏技术成果工程化方面的能力与经验，而企业比较擅长设计和中试。现今，在人力资源投入和技术开发资金，技术开发机构的建设等方面，大中型造纸企业与全国工业企业相比，院校有明显的差距，故迫切合理利用企业外部创新技术的资源，加强与独立研究机构的合作，显得尤为重要。在技术创新方面要大力倡导高等院校、行业与研究机构相互密切合作，针对提高企业技术创新的能力，鼓励和支持高等院校和研究机构以不同方式进入企业，如共建技术中心，从多方面的为企业技术创新活动服务。针对某些对行业发展影响重大的共性技术的研究与开发，需要在更大规模的范围内组织进行，这个技术动态联盟由大学与研究机构和行业中的多家企业组成。增强产学研的合作，可以在资源和能力方面发挥大学、研究机构和不同企业的明显优势，优势互补，从而提高创新技术的资源配置效率。

10.3.2　实施一体化战略

在低碳经济环境下，企业需要在节能减排方面作出一定的投入。而小企业由于资金有限，必然不会在技术创新上有太多的投入。另外，企业间，行业间的整合可以更好地利用资源，降低成本。

随着中国纸及纸制品业进入买方市场以及产品同质化竞争日趋激烈，可以预见未来企业间的竞争将更多地围绕原料资源、产能规模、市场和人才等要素而展开。

造纸企业可以从以下几个方面入手：

10.3.2.1　并　购

（1）通过并购完善产业链配置。

废纸、木浆、芦苇等是纸品生产的主要原料，低成本获取原料资源是造纸企业提高竞争力的重要保障。因此，并购方企业更加关注目标企业是否拥有原料资源控制力，以期通过并购确保自身所需原料的低成本、稳定供应。产业链上下游企业的兼并重组，这样可以起到优化衔接、提高盈利能力、减少资源消耗的优势。

典型案例就是中国纸业投资总公司以 25 亿元现金增资重组湖南泰格林纸集团。

中国纸业涉足纸及纸制品业较晚，重组前主要业务集中于白纸板、特种纸的生产和销售，而在产业链上游的林浆环节仍属空白。湖南泰格林纸集团(下称"泰格集团")在产业地位、资产规模、发展潜力等方面均有其自身的优势和特点，特别是拥有丰富的林地资源储备和较为充足的自供浆能力。中国纸业增资重组泰格集团，旨在快速实现在林浆上游资源领域的突破，为进一步开发海内外林浆资源奠定良好基础，确保公司实现长期可持续发展。

(2)通过并购完善战略市场布局。

纸及纸制品业物流量大，涉及原材料、化工料、产成品等大宗商品的物流运输，所以造纸企业优先选择在接近原料地或接近目标市场的区位进行战略布局。为此，快速完善国内战略市场布局是企业实施并购重组的又一重要动因。

典型案例就是华泰集团以 1 元收购诺斯克河北工厂 100% 股权。从销售市场看，目标企业位于河北，具有靠近京津、辐射中西部地区的区位优势，但其市场一直未打开，即使在其所在地河北市场所占份额也仅为 10%。华泰集团通过此次重组有效完善了全国战略布局，重组后针对京津地区和西北地区的市场将主要从河北工厂供货，可大幅降低运输成本。

从原材料运输来看，诺斯克原来主要以美废、欧废和日废为主要原料，运输成本较高。然而，京津地区的国产废纸收购市场最成熟、量最大，因此重组后，华泰可以对其废纸消耗结构进行合理调整，有效降低原料物流成本。

(3)并购重组形式多元化。

以往的并购更多是以强并弱，多为控股收购，强调"控制"。随着行业整合进程的深入，后续的并购将更多以强强联合为主，多为参股、合资等方式，体现为竞争与合作共存，尤其是在外资并购中更为常见，强强之间利用地域资源差异，市场资源差异等实现优势互补。

典型案例就是日本制纸以 35.5 亿港元收购理文造纸控股股东所持理文造纸 12% 股权。双方合作前，日本制纸并没有中国业务，该两家企业均看好中国纸品消费市场的快速增长。因此，希望通过"强强联手"共同开发中国市场。双方的合作可大大节约产品研发时间，做到技术即时转移。此次股权转让后，理文造纸与日本制纸订立商业合作协议，确认双方有意共同寻找合作机会。

类似的案例还有美国国际纸业与太阳纸业成立合资公司，共同开发包装纸业务。这种做法是值得许多国内企业借鉴的。在全球资源的争夺中，我们的企业完全可以以参股、合作等形式，成为资源价值增长的参与者和分享者，而并非一定要做主导者，这也可以大大降低国内企业"走出去"的难度和风险。

纸业高度依赖林业资源、水资源，地域分散性比较强，集中度低的结果就造成了生产能力过剩，市场无序，竞争激烈，产品价格激烈波动与利润率低下的局面。通过集中生产来解决产能和产品过剩，改善市场秩序提高利润是大势所趋的。

由于纸及纸制品业是典型的原材料依赖性工业，所以在上述提到的一体化战略当中，我们要着重了解产业链一体化中的供应链一体化，比较典型的有林纸一体化，中国造纸企业在林纸一体化方面已经有所实践，同时这也是未来发展的方向。

10.3.2.2 战略联盟

企业战略联盟的定义为两个或两个以上的企业通过公司协议或者组织联合等方式结合，为达到某种战略目的组成的网络式结合体。结盟企业在特定领域内整合资源，使得在竞争中能够协同竞争，达到优势互补，从而获得各自的收益。这种发展模式增强了联盟企业总体的竞争力，但并不会削弱企业原有的竞争力。

低碳经济中，企业为了实现环保指标，需要对科研和环保项目投入大量的资金，这就对企业的资金和规模提出挑战。中国的造纸企业普遍具有规模小、集约化程度低的特点。因此，必须进行联合、兼并、重组，以扩大规模。由于经济的发展和技术的进步，企业不再可能像过去那样可以独占某一领域，仅靠自身力量已经不能适应市场的变化。所以，企业在增强自身的核心竞争力的同时，应寻求与竞争对手的合作，寻求协同竞争的方式，已达到共赢的结果。组建纸及纸制品业企业战略联盟便是增强企业竞争力的有效手段。

同时，世界纸及纸制品业发展的历史证明，林纸是一个统一体，不可分割。林纸互相依赖，共同发展。在中国现有的管理体制下，由于造纸企业本身没有林业用地，但又必须发展造纸原料林基地和走林纸一体化的道路。长期以来，中国林业与纸业分属两个部门，以至于林场造纸或纸厂造林，均受自身条件的束缚。中国的很多造纸企业规模较小，根本没有足够的经济实力去建设自己的原料林基地。组建造纸企业战略联盟正是适合中国国情的方法。

组建造纸企业战略联盟对中国纸及纸制品业将产生以下影响：

(1)有利于扩大中国造纸企业规模。近年来，虽然中国纸及纸制品业发展迅猛，但是相比发达国家其产业影响力较弱。在发达国家，纸及纸制品业已经成为国民经济十大支柱制造业之一。中国的纸及纸制品业在组织结构上还存在企业规模水平偏低、市场集中度偏低、市场分散竞争程度较为严重等缺陷。中国拥有造纸企业6000多家，这些企业平均的规模年产约2.3万t，相比于世界造纸企业平均年产8万~10万t的规模，差距还很大。组建造纸企业战略联盟可以有效提升中国造纸企业的市场竞争力，改善其规模小、经济实力差的现状，有助于中国造纸企业参与日益激烈的市场竞争。

（2）有利于中国造纸企业的专业化协作。企业间的专业化协作水平低和企业组织结构松散是中国纸及纸制品业面临的问题之一。主要体现为全能型造纸企业占相当数量，大中小企业之间没有合理的专业分工协作关系，产业内的重复性建设和生产的现象严重，资源得不到合理分配，不同规模的企业间拥有近似的产品结构、技术结构和劳动组织，没有明显的分工层次，不能发挥各自的优势。因此，需要组建造纸企业战略联盟，促进专业化分工协作，有效提高劳动生产率。

（3）有利于中国造纸企业参与国际市场竞争。发达国家的纸及纸制品业跨国公司已经建立起了全球化的纸业生产、研发和销售网络，在全球范围内开展了专业化协作生产。中国市场是这些跨国公司全球化经营的非常重要的目标市场。目前，中国造纸企业与工业发达国家的造纸企业差距较大，还不具备跨国进行专业化分工协作的能力。严重的市场分割和较低的专业化协作能力限制了国内造纸企业参与全球化竞争。组建造纸企业战略联盟将有利于国内造纸企业参与国际竞争。

（4）有利于中国造纸企业合理利用资金，加快企业技术进步。作为资金、技术密集型企业，很多造纸企业缺乏技改资金，这制约了造纸企业的技术进步。组建造纸企业战略联盟，可以有效结合企业之间、金融机构和科研院所的资源，促进造纸企业的技术进步。这样可以拓宽企业融资渠道，打破专业技术限制，激活企业间的技术交流，形成专业化协作关系，使得纸及纸制品业的生产关系达到现代技术综合发展的要求。组建造纸企业战略联盟可以促进技术结构调整，淘汰旧的技术和设备，引进国际先进造纸设备，或者对国内技术设备加以改造，加速纸及纸制品业的技术进步，有效整合资源，避免重复建设，有效提高纸及纸制品业的整体技术装备水平。

（5）抑制分散竞争，深化市场经济发展。近年来，严重的过度竞争也在中国出现，造纸行业也不能幸免。过度竞争会使市场秩序恶化，降低资源配置效率。企业需要转变经营战略思想，将单纯的竞争发展为协同竞争。组建企业战略联盟，可以抑制过度竞争，优化市场竞争环境，追求企业在竞争中的共赢。这也会促进中国市场竞争秩序的规范化，有利于形成合力有序的市场竞争环境。

10.3.3　调整原料结构

10.3.3.1　大力推进林纸一体化工程

针对中国林纸一体化工程遇到的挑战，可以采取如下方法进行解决：

（1）完善林纸一体化资金优惠政策。一是与银行开展深度合作，全面推进林权抵押贷款，为林纸一体化工程提供充足的发展资金；二是进一步完善财政补贴政策，适当增加对纸浆林建设项目的补贴比重，在政策层面进行扶持；三是实现林业保险的多方位投保制度，降低林业经营风险；四是有效整合税费制度，对所征税种、税率和计税基准进行明确和统一，避免重复征收、不合理收费等现象，对重点项目实行优惠政策，减轻税负；五是建立补偿机制，通过政策导向和法律约束等手段，对发挥重要作用的人工林投资者给予必要的生态补偿，鼓励林纸一体化项目建设。

（2）优化采伐管理政策。制定较为宽松的采伐政策，要对纸浆林的采伐和商用林的采伐区别对待，允许各地区根据自身的实际情况，对采伐指标进行适当的调整，在发挥人工林应有的生态价值前提下，不仅满足纸浆材采伐需求，也保证了林纸一体化企业的原料供应。同时，要对管理流程进行优化，减少不必要的管理环节，进一步节省采伐时间、运输时间，降低采伐成本，提高造林者的生产积极性。

（3）完善制度机制。良好的运行机制，是促进林纸一体化项目实现的有利保证，这就需要政府、企业和社会各界共同努力，一是避免行政干预。政府的扶持、政策的推动、相关机构的监管要符合企业运行的实际，要避免对企业的自主经营、现代企业管理和市场运作产生影响。二是深化林权制度改革。要建立产权明晰、经营自主的林权流转机制，在保障广大林农利益的基础上，积极落实纸浆林基地的用地，通过现代化的公司将分散的林地进行集中统一经营管理，提高林地的使用效率。三是整合产业链。将林、浆、纸、板、商等环节进行有效整合，使其成为一个有机联系的一体化供应链，切实增强整个产业的综合实力和整体竞争力。四是要走可持续发展之路。林纸一体化的发展，就是建立在和谐、可持续发展的理念之上的，因此，一方面要鼓励人工混交林的培育，避免单一树种的种植带来的生态风险；另一方面，要在大力发展自然林业的同时，加大废纸回收利用和能源的再次利用，大力发展循环经济，实行绿色生产、低碳生产。

10.3.3.2 扩大废纸回收利用

（1）加强传统进口废纸稳定性，扩宽废纸进口渠道。历年来，中国都会从美国进口大量废纸，为了加强该渠道的稳定性，简化进口的流程，降低成本，中国可以在美国成立相应的公司来回收废纸，设置专门的打包点，并由专业人士管理。

另外，中国需继续扩宽废纸进口的渠道，例如俄罗斯废纸。俄罗斯的森林覆盖率高，造纸原料全部为木材，因此废纸的质量也很好。若国家能放宽相关政策，俄罗斯废纸将作为优质的造纸原料大大缓解中国纸及纸制品业原料紧缺所带来的压力。

（2）制定严格的废纸分类标准。如应将同类产品中木浆产生的废纸和草浆产生的废纸分开，以方便相应企业回收利用。同时，可对标准中规定的内容和要求进行进一步细化，以保证废纸的整体质量。

（3）制定国家级和地方级管理条例。制定国家级和地方级管理条例，以便促进废纸回收工作正规、大规模地开展。

（4）学习应用先进废纸回收经验。例如中国一些大型造纸企业如何加大废纸回用率的先进经验。而发达国家在废纸回收方面起步较早，有更完善的技术和方法可以借鉴。

美国和加拿大等发达国家在早期时候使用"两箱法"收集废纸，即双流线废品回收法(double stream recycling)，回收的时候采用两个箱子装废品，一个专门装废纸，而另一个则用来装金属、玻璃等其他废品。这样的方法一直使用多年。到 20 世纪末，为了将回收过程简单化，从而达到回收到更多废品的目的，政府开始推行与双流线废品回收法相对应的单流线废品回收法(single stream recycling)。即将所有的废品都放在一个箱子中进行收集，由专门的人员和设备进行分类回收。目前在美国，这项回收法已经有 22 个州 100 个城市的 2200 万人和约 90 家废品回收公司参与进来。

10. 3. 4　调整能源结构

一般认为由生物质(燃料)产生的二氧化碳是自然界可循环的，而由化石燃料产生的二氧化碳才是大气温室气体的增加量。从这个角度看，纸及纸制品业在低碳经济中更具有优势和竞争力。在整个纸及纸制品业生产过程中，会产生大量的余热、余压和余能，这些资源如果能得到再次利用，对降低企业成本、减少环境污染等方面有着不可估量的作用。

制浆造纸过程中要产生大量的蒸煮废液，可以溶解来源于植物纤维原料50%左右的有机物质，同时，树皮及其他燃料的数量也很可观。美国纸及纸制品业所使用的能源中，自产能源(黑液、树皮等)占57%，原煤只占10%左右。日本该行业所使用的自产能源占总数量的40%以上，原煤约占23%。而在中国的制浆造纸企业中，小型企业利用再生能源的数量很少，大型企业(约占企业总数的10%)的利用率也只有20%，利用率非常低。很多中小型造纸企业对这些自产能源并没有很好地利用。这些能源与其他清洁能源如电、天然气相比，成本要低得多。因此，提高自产能源的利用对中国纸及纸制品业来说，有一定的潜力和必要性。

10. 3. 4. 1　建立自产能源供电系统

利用浆厂燃烧废液进行发电，是一种对资源的重复利用，与一般以煤为主要发电资源的火力发电厂相比，该方法能源利用率明显较高。一般火力发电厂的利用率只有40%，而热电联产项目的能源有效使用率却达到了85%，这对于中国高能耗低产出的生产模式具有颠覆式的推动作用。

10.3.4.2 建立废料分类回收利用制度

对纸浆黑液、备料工段产生的剩余物如树皮、锯木屑、苇膜、苇穗等废料，可燃垃圾、废水处理厂排出的污泥和沼气等进行及时有效的分类回收，并利用这些潜在能源发电或者加温，可以提高能源利用率。

10.3.5 淘汰落后产能

集约化对中国来说虽然会产生一些弊端，但显然是有必要的。要减轻这些弊端的影响，应防止过度集约，分阶段地实现集约化，给解决这些问题留一定时间。从国家政策来看，其实已经规定分阶段淘汰落后产能，但一些企业未认清集约化的本质和目的，盲目跟风，最终导致生产能力的浪费。因此，在集约化的同时，也应加强对相关企业的宣传教育，避免盲目集约和过度集约。

10.3.6 增加资金供给

低碳经济的核心是技术创新，而技术的研发和获取在于融资机制是否完备。这些先进的低碳技术，一方面需要靠中国的自主研发，另一方面需要国外技术转移。低碳经济下，融资是技术研发、获取和推广的需要。中国造纸企业发展低碳经济，需要大量资金维持企业的运营和发展，因此低碳融资同时又是项目运营发展的需要。

企业上市融资是比较好也是比较常用的方法。另外，企业也应该充分利用国家对低碳的优惠政策。造纸企业还可以变企业单纯融资为金融与产业对接。随着中国纸及纸制品业的快速发展，国内外金融资本也看中了纸业的发展潜力，资本也伺机介入纸业领域的重组整合。如投资公司鼎晖就瞅准时机战略投资泉林包装，并推动其在香港成功上市。

清洁发展机制的核心内容就是发达国家给发展中国家提供技术和资金，从而获得发展中国家减排项目产生的温室气体减排量，可以说它在碳交易中占据着支配的地位。

受此启发，在中国纸及纸制品业普遍缺少资金的情况下，可以采用碳交易的方式，既可以获得资金和技术，也可以帮助企业更好地开展节能减排的工作。中国纸及纸制品业应该培养专门的团队来进行碳资产的管理，以便在减排项目申请成功以后，给企业带来减排的收益。中国纸及纸制品业的污水处理沼气回收利用以及锅炉改造、变频器和造纸生产线蒸汽节能改造等工程都在 CDM 开发方面有一定的潜力。

例如，造纸厂污水处理沼气回收项目每年大约可以减排 5 万 t 二氧化碳当量，若以 8 欧元/t 计算，则造纸厂每年就可以获益约 400 万元人民币，很快就可以收回投资。而如果这个企业同时开展多种节能措施，并按照要求申报 CDM 项目，则有可能为企业赚得更多资金，推动企业的更好发展。

印度的纸及纸制品业在 CDM 项目上处在了领先水平，目前全世界范围内 6 个成功的项目都在印度，并且都已经拿到了减排收益。中国纸及纸制品业对 CDM 项目的重视程度不够，可以通过举办 CDM 培训、建立相关咨询机构、加强宣传报道等方式让更多的企业从中获益。

10.3.7　转变消费方式

10.3.7.1　树立绿色消费观念

一是要倡导节约消费。随着中国经济的不断发展和人民生活水平的逐步提高，纸和纸板的需求量在近几年也逐渐增加。但中国资源稀缺，人口基数大，不能在纸产品消费上盲目与发达国家比，按照发达国家的习惯进行消费。因此，中国在经济发展的同时，必须提倡节约消费和合理消费，在全社会广泛建立起节约用纸、减少用纸的意识。二是要防止过度消费。在中国，迎来送往的过程中，对礼品的包装可谓物尽其华，过度包装现象普遍存在，这样造成的直接后果就是大量纸和纸板的浪费。因此，应在尽量减少包装用纸消耗的同时，多利用混有废纸的原料生产包装制品。三是选择低碳的纸品。纸品性能并不是如人们所想的那样越高越好。大多数情况下，这些具有优良性能的纸不仅仅是"大材小用"，而且还消耗了更多的能量。事实上，根据种类的不同，生产 1t 纸需要消耗 0.17～0.58t 标准煤不等。因此，消费者完全可以选择能耗较低的产品。对于有时效性的消费用纸（如报纸、杂志等）来说，可以选择强度和耐折度较低的产品。对某些用途的纸张和纸制品来说，选择白度较低的产品，不仅可以减少漂白的纤维素消耗和能耗，还可以减少对眼睛的伤害。同时，还可以在同等情况下选择较低定量的纸品。四是要鼓励使用再生纸，扩大再生纸使用，引导绿色消费。五是要加强绿色消费舆论宣传，通过教育部门和媒体的积极宣传和引导，使消费者意识到纸品背后隐藏的能耗，从而有效规范消费者的消费行为，让低碳消费逐渐成为一种时尚。

10.3.7.2　建立消费诉求机制

"消费诉求"可以作为一种反馈机制将消费者对纸张或纸制品性能的反馈提供给专业机构和生产者，比如白度、亮度、强度等是否偏高或偏低等，从而走出对纸张质量评价的误区，建立更加合理的质量评价标准。

另外，为保证消费诉求的真实性和有效性，可以成立相关部门专门制定消费诉求的程序，并完成消费者和相关机构之间的信息传递。

10.3.7.3 专业机构的技术支持

一些企业对纸品的质量和性能有过度宣传的现象，往往给消费者带来误导。如近年来出现一些书籍和杂志，其白度较高，看起来高档却非常刺眼，白色反射光在引起最大亮度反差的同时会引起最大的视觉疲劳，看书久了眼睛就会疲倦，导致近视。一些防近视产品如"防近视练习簿"可以有效预防近视。但是防近视练习本其实是在造纸的过程中先漂白再用黄色染料染黄，虽然可以预防近视但仍然有很大污染。事实上本色纸浆自身就有一定的颜色(通常为黄色或者褐色)，因此对某些纸品来说，适当降低漂白的程度即可达到降低白度的要求，而对另一些纸品来说，本色浆抄造就已经足够。

因此，相关的专业机构应对企业和消费者进行正确引导，提供相应技术支持(如质量指标的优化等)。例如在 2010 年 12 月 1 日新颁布实施的《纸和纸板亮度(白度)最高限量》中，印刷用纸的白度仍高达 95%。事实上，若考虑到眼睛的舒适性，白度为85% 左右就已足够。

同时，降低纸张定量的标准也可以促进纸及纸制品业低碳发展。对于一些种类的纸品，适当降低其单位面积的重量，不但不会影响其本身的功效，而且还可以提高纤维资源的利用率，从而让同等量的纸浆原料生产出更多的纸和纸板。如新闻纸，需求量大但时效性低。若在不减少印刷面积的情况下，将其定量从 $49g/m^2$ 减小至 $46g/m^2$，大约可以节约 6% 木材；而从 $49g/m^2$ 降到 $43g/m^2$，节约的木材量可以达到 12%。生长 $1m^3$ 的树木，可以吸收 1.83t 二氧化碳，并生成 1.62t 的氧气。电话号簿纸的定量一般在 $28\sim40g/m^2$，比低定量新闻纸的定量还要低。字典纸的定量已经由之前的 $40g/m^2$ 向 $28\sim25g/m^2$ 甚至更低定量的方向发展。对中国的纸及纸制品业来说，包括新闻纸、电话号簿纸、字典纸和低定量涂布纸等含机浆的涂布和非涂布印刷纸，都在向低定量化方向发展，降低纸张的定量不但可以节约纤维原料还可以降低产品运输的重量，这已逐渐成为一种趋势。

与国外相比，中国新闻纸的低定量化起步和发展均较晚。起初，中国新闻纸将 $51g/m^2$ 作为标准定量，1989 年，该值降为 $49g/m^2$。福建南平造纸厂于 2001 年生产出 $45g/m^2$ 的新闻纸，并开始出售。2003 年，华泰集团研制出了超低定量的新闻纸，定量只有 $40g/m^2$。

纸和纸板低定量化会降低不透明度、厚度、挺度、强度，等等，可能会使其无法满足后续加工对产品性能要求，给中国纸及纸制品业一些原有的工艺技术带来了挑战。

对纸产品的相关质量指标进行适当修改，不仅可以节约资源、减少污染，同时也是对自然的一种尊重、对社会的一种责任，同时包括优化质量指标的技术支持可以促进生产者在制浆造纸和生产纸制品的过程中做到低碳生产。

10.3.8　改革管理体制

10.3.8.1　政策的制定

针对纸及纸制品业的现状，结合中国的具体国情，为了有效提高能源利用率，减少行业对自然环境的影响，在政策和措施的制定上，应重点从以下方面入手。

（1）调整纸制品性能指标。可以对纸制品的性能指标进行调整，如白度、亮度、强度，包括定量，等等。

（2）对企业进行有效整合。由于中国造纸企业本身经济基础薄弱、技术水平较低，导致企业效益偏低、污染物排放高，一些中小厂商的资本投放难以支撑企业的正常运转。因此，企业的破产重组势必成为下一步提高企业规模的必由之路，只有将小规模的企业和经营相对分散的企业进行有效重组，才能进一步提高企业的自主竞争能力，实现更为有效合理的资源配置。

（3）建立补贴机制。提高能源利用率、减少环境污染是今后很长一个时期造纸行业的立业之本，因此，一条新模式的产生也将成为必然。然而，"造林—制浆—废纸回收—废物综合利用"林浆一体化模式的建立，存在运行成本高、难以大规模普及等缺点，需要我们对模式进行进一步完善。为了有效推广新的模式，达到在提高纸品质量的同时，减少环境污染的目的，政府部门应该建立符合实际的财政贴补机制，结合企业自身的实际情况，实行不同补贴标准，或者进行适当的税赋调整，进一步增强国家对企业的政策扶持力度，切实提高企业自主竞争的能力。另外，各界社会团体可以成立相应的公益组织，通过社会集体融资或设立相应的基金，对于那些在治污减排方面表现优异的企业或个人，进行一定程度的表彰与奖励，进一步提高企业节能减排的积极性。

（4）增强科研攻关能力。依托各高等院校或研究所，建立一条全新的"学术—科研—产业"链条，通过国家公共技术创新服务平台、国家工程技术研究中心和技术创新联盟等公益组织，进行有效的科研人才队伍培养，切实提高科研攻关能力。

10.3.8.2　政策的执行

（1）加强国家宏观管理。坚持以中央节能与发展相互促进、开发与节约两头并举、市场与政策相互影响、激励与管理全面推进的能源管理基本原则为依据，各级政府、部门在对全国各地实际情况进行有效调研的基础上，出台与能源管理有关的法规政策，为能源的有效管理提供扎实的理论支撑。

纸及纸制品业应有统一的管理机构和管理体制，严格控制新建厂和扩建厂。目前轻工总会、林业部、农业部均管制浆造纸厂，应相互配合，制定统一的法规。对于日产化学浆 50t 以上的制浆造纸厂，产品及经济效益较好的，政府应予扶持，建立碱回收和无污染漂白系统及"三废"处理系统，做到达标排放，文明生产。

（2）加强行业微观管理。在各级政府、部门的监督管理下，要在全国各地形成加强能源管理的浓厚氛围。一是在企业管理机构中增加能源管理部门，通过相应机构的设置以及办公室和人员职责的明确，为下一步能源管理工作的有效开展打下坚实的基础；二是建立考核体系，明确考核指标，通过开展扎实的能源管理考核，实现对企业防污治污、减排增效的体系化评估；三是完善能源管理法规体系，结合行业发展实际，制定和完善现有法规制度，形成一套可操作性较强的法规制度；四是对能源使用进行有效调配，在组织生产的过程中，加强对能源的合理调配，也是减少能源消耗，提高能源利用率的一种有效途径；五是以统计学促进能源的利用，以统计制度的有效完善、统计数据的准确及时、分析结果的科学可靠，来促进能源的合理利用。

（3）社会各界参与管理。为了提高能源使用需求，相应的能源管理措施必须跟上企业发展的步伐。一是能源使用情况审核，按照法律法规中对能源使用的明确要求，由能源审计机构根据企业发展的实际情况，对使用单位的能源利用进行合理有效的定量分析和系统评价，得到科学合理的分析结果，进而指导企业进行适当的调整；二是在能源管理中引入合同管理理念，在能源的使用过程中，企业可以结合自身的用能情况，在分析企业节能潜在环节的基础上，通过引入强制执行合同规定内容和要求的方法，与节能服务公司签订节能服务合同，实现强制性的节能减排目标；三是清洁生产，结合相关机构对企业清洁生产的审核结果，制定切实可行的改进方案，切实从源头减少污染，提高能源利用效率。

（4）完善能源管理组织。节能减排项目作为一个综合性、复杂性的系统工程，国家在节能规划、能源审计、统计报表、清洁生产等方面都有明确的规定和要求，与企业在谋划、实施、生产、检查和改进中缺乏系统性的规划相比，有着很大的矛盾和冲突。针对上述存在问题，也为了提高企业能源利用率、降低企业生产成本、减少污染物排放，完善能源管理组织，推行规范化、体系化、制度化的能源管理体系势在必行，同时也对建设节约型社会、缓解能源紧缺有着重大的意义。

能源管理体系的建立，就是以提高能源利用率、降低生产成本、减少污染物排放为最终目的，通过制定具体的目标、明确相应的职责、细化管理的程序、强化低耗的要求，有效发挥谋划、实施、生产、检查和改进等环节在企业经营中的作用，实现产品与技术、管理与低耗的有机结合。

参考文献

[1]白彦峰. 中国木质林产品碳流动和碳储量研究[D]. 北京：中国林业科学研究院，2007.

[2]卜华白. 面向低碳经济的中国铅锌工业发展研究[D]. 长沙：中南大学，2011.

[3]曹勇. 国际贸易计价货币的选择——兼论人民币国际化[J]. 国际商务：对外经贸大学学报，2007(6)：34 - 39.

[4]陈继红，宋维明. 中国 CDM 林业碳汇项目的评价指标体系[J]. 东北林业大学学报，2006，34(1)：87 - 88.

[5]陈建成，程宝栋，印中华. 生态文明与中国林业可持续发展研究[J]. 中国人口. 资源与环境，2008，04：139 - 142.

[6]陈庆蔚. 废纸造纸业的未来前瞻[J]. 中华纸业，2010，31(19)：28 - 35.

[7]程秀梅. 中国农业支持政策体系构建研究基于低碳经济视角[D]. 长春：吉林大学，2011.

[8]董文海. 全球造纸工业发展趋势分析[J]. 造纸信息，2010(1)：44 - 49.

[9]段骄骄. 低碳经济发展与中欧经贸合作[D]. 对外经济贸易大学，2010.

[10]付允，马永欢，刘怡君，等. 低碳经济的发展模式研究[J]. 中国人口·资源与环境，2008，18(3)：14 - 19.

[11]龚攀. 我国工业低碳化发展研究[D]. 武汉：华中科技大学，2010.

[12]郭青俊. 中国人造板产业发展分析及对策研究[D]. 北京：北京林业大学，2011.

[13]韩青. 制浆造纸工业低碳经济目标及对策研究[D]. 西安：陕西科技大学，2012.

[14]胡孙跃，杨凌云，陈桂华. 循环经济与木材资源的循环利用[J]. 中国资源综合利用，2006，24(4)：32 - 34.

[15]黄丹，王雪梅，孙龙益. 碳关税对我国纸制品出口影响预测分析[J]. 林业经济，2013(2)：48 - 52.

[16]李坚. 木材对环境保护的响应特性和低碳加工分析[J]. 东北林业大学学报，2010，38(6)：111 - 114.

[17]李林. 发展低碳林产工业的政策支持研究[D]. 长沙：湖南大学，2010.

[18]李怒云，宋维明，何宇. 中国绿色碳基金的创建与运营[J]. 林业经济，2007(7)：44 - 46.

[19]李怒云，宋维明. 气候变化与中国林业碳汇政策研究综述[J]. 林业经济，2006(5)：60 - 64，80.

[20]李怒云，章升东，宋维明. 中国林业碳汇管理现状与展望[J]. 绿色中国：理论版，2005(03M)：23 - 26.

[21]李倩，王雪梅，曾蕾.《欧盟木材及木制品规例》对中国木制品出口的影响与对策[J]. 林业经济，2011(4)：75 - 78.

[22]李荣生. 低碳经济下我国制造业企业核心竞争力研究[D]. 哈尔滨：哈尔滨工程大学，2011.

[23]李顺龙，王耀华，宋维明. 发展林木生物质能源对二氧化碳减排的作用[J]. 东北林业大学学报，2009(4)：83 - 85.

[24]梁惠娴. 家具企业绿色营销策略研究——分销渠道销售流程绿色化[D]. 长沙：中南林业科技大学，2009.

[25]梁琳，王雪梅. 中国造纸业外商直接投资环境效应研究[C]. 林业经济评论，2012(总第二期).

[26] 刘珊珊. 基于低碳经济的企业技术创新战略选择[D]. 重庆：重庆理工大学，2011.

[27] 潘家华，庄贵阳，马建平. 低碳技术转让面临的挑战与机遇[J]. 华中科技大学学报（社会科学版），2010，24（4）：85 - 90.

[28] 潘援. 低碳经济下造纸企业的战略选择[D]. 南京：南京林业大学，2012.

[29] 宋维明. 对国有林区林权改革问题的几点思考[J]. 绿色财会，2007(10)：7 - 10.

[30] 宋维明，印中华. 关于中国林业产业规模化发展的若干思考——基于规模经济贸易理论的研究[J]. 农业经济问题，2009(1)：70 - 76，112.

[31] 宋维明，印中华. 应对国际林产品贸易面临的新挑战[J]. 世界林业研究，2010(5)：1 - 5.

[32] 孙昊. 我国低碳经济发展的对策研究[D]. 保定：河北大学，2011.

[33] 孙龙益，王雪梅，黄丹. 纸产品贸易与我国造纸业发展的互动关系研究[J]. 林业经济，2012(11)：61 - 65.

[34] 孙起生. 基于低碳经济的县域产业结构优化研究[D]. 北京：北京交通大学，2010.

[35] 万寿义，鞠秋云. 基于低碳经济视角西部企业环境会计问题研究[J]. 现代管理科学，2011(2)：6 - 8.

[36] 王留之，宋阳. 略论我国碳交易的金融创新及其风险防范[J]. 现代财经，2009，29(6)：30 - 34.

[37] 王雪梅. 环境保护对我国造纸产业国际竞争力影响的研究[D]. 北京：北京林业大学，2007.

[38] 王雪梅，温亚利，曾蕾. 我国造纸产业国际竞争力概念内涵的探讨[J]. 北京林业大学学报（社会科学版），2009，8(4)：119 - 123.

[39] 邬瑞东，吴智慧. 家具企业发展低碳的理论与实践[J]. 包装工程，2011：32(2)：64 - 67.

[40] 吴垠，王雪梅. 低碳经济视角下我国造纸产业技术创新研究[J]. 中国流通经济，2011，25(7)：88 - 92.

[41] 吴垠，王雪梅. 我国造纸产业技术创新能力评价的实证研究[C]. 林业经济评论，2011，第 1 期.

[42] 武曙红，宋维明. 森林管理项目纳入我国碳补偿自愿市场必要性分析[J]. 林业经济，2008(12)：53 - 56.

[43] 向仕龙，胡孙跃. 废旧木质家具材料的回收利用[J]. 长沙：中南林业科技大学.

[44] 肖春梅. 低碳经济背景下甘肃工业发展应对策略研究[D]. 兰州：兰州大学，2010.

[45] 谢平，邹传伟. 金融危机后有关金融监管改革的理论综述[J]. 金融研究，2010(2)：1 - 17.

[46] 熊满珍，鲍甫成，段新芳. 循环经济与木材工业可持续发展[J]. 木材工业，2007 年 3 月.

[47] 熊满珍，鲍甫成，段新芳. 中国木材工业发展循环经济的问题及对策[C]. 中国环境科学学会学术年会优秀论文集(2006).

[48] 徐秀玲. 略论建立健全社会信用体系[J]. 兰州大学学报（社会科学版），2009，37(4)：98 - 102.

[49] 阎庆民. 构建以"碳金融"为标志的绿色金融服务体系[J]. 中国金融，2010(4)：41 - 44.

[50] 杨健，韩立新. 全球经济危机下中国船舶融资租赁所面临的风险与对策研究[J]. 科学与科学技术管理，2010(6)：182 - 186.

[51] 印中华，李剑泉，田禾，等. 欧盟木材法案对林产品国际贸易的影响及中国应对策略[J]. 农业现代化研究，2011，32(5)：537 - 541.

[52] 印中华，宋维明，田明华. 中国林业企业社会责任的思考[J]. 世界林业研究，2011，24(4)：71 - 75.

[53] 印中华，宋维明. 我国原木进口与木质林产品出口关系的实证分析——基于协整分析和格兰杰因果关系检验[J]. 国际贸易问题，2009(2)：27 - 32.

[54]印中华，宋维明，张英，等. 中国林业产业应对国际贸易壁垒的策略研究[J]. 世界林业研究，2011，24 (6)：55-60. [55]印中华，宋维明. 中国木材产业资源基础转换探析[J]. 资源科学，2011，33(9)：1735-1741.

[56]印中华，宋维明. 中国造纸及纸制品业全要素生产率的变化及构成[J]. 北京林业大学学报，2009，31(2)：140-145.

[57]印中华，田明华，宋维明. 中国大量进口废纸问题分析[J]. 林业经济，2008(4)：46-50.

[58]印中华，田明华. 外商直接投资对造纸及纸制品业的技术溢出效应[J]. 北京林业大学学报(社会科学版)，2011，10(4)：54-58.

[59]印中华，田明华. 我国大量进口木材的利弊分析[J]. 林业经济，2006(9)：47-50.

[60]张彩平，肖序. 国际碳信息披露及其对中国的启示[J]. 财务与金融，2010(3)：77-80.

[61]张青. 基于契约关系的风险投资运作机制与投资决策研究[D]. 天津：天津大学，2009.

[62]张宜生，黄安民，叶克林. 低碳经济视角下木材工业的发展展望[J]. 木材工业，2010，24(2)：17-20.

[63]章升东，宋维明，何宇. 国际碳基金发展概述[J]. 林业经济，2007(7)：47-48，46.

[64]章升东，宋维明，李怒云. 国际碳市场现状与趋势[J]. 世界林业研究，2005，18(5)：9-13.

[65]郑永敏. 农业推广协同和发展理论[M]. 杭州：浙江大学出版社，2008.

[66]周慧. 产业低碳发展的金融服务机理研究——基于金融功能理论的视角[J]. 青海金融，2011(9)：7-11.

[67]周晓玲，王雪梅，田明华. 环境规制对我国造纸业技术创新影响的研究[J]. 北京林业大学学报(社会科学版)，2009，8(4)：111-114.